ТАЙНЫЙ ГОРОД

ВОЙНЫ НАЧИНАЮТ НЕУДАЧНИКИ
✦
КОМАНДОР ВОЙНЫ

✸

АТАКА ПО ПРАВИЛАМ
✦
ВСЕ ОТТЕНКИ ЧЕРНОГО

✸

И В АДУ ЕСТЬ ГЕРОИ
✦
НАЛОЖНИЦЫ НЕНАВИСТИ

✸

КУКОЛКА ПОСЛЕДНЕЙ НАДЕЖДЫ

✸

ТЕНЬ ИНКВИЗИТОРА

✸

КАФЕДРА СТРАННИКОВ

✸

ПРАВИЛА КРОВИ

✸

КОРОЛЕВСКИЙ КРЕСТ

ОФИЦИАЛЬНАЯ СТРАНИЦА «ТАЙНОГО ГОРОДА»
В ИНТЕРНЕТЕ: WWW.T-GRAD.COM

ВАДИМ ПАНОВ

КОРОЛЕВСКИЙ КРЕСТ

МОСКВА • ЭКСМО • 2006

УДК 82-312.9
ББК 84(2Рос-Рус)6-4
П 16

Оформление серии *С. Киселевой*

Серия основана в 2003 году

Иллюстрация на переплете *А. Дубовика*

Панов В. Ю.

П 16 Королевский Крест: Фантастический роман. — М.: Изд-во Эксмо, 2006. — 480 с. — (Тайный Город).

ISBN 5-699-12429-2

Никиту Крылова, совладельца одного из крупнейших московских казино, трудно поразить чем-либо, относящимся к миру азартных игр. Однако нашлось некое обстоятельство, ввергшее его в замешательство, — обычная с виду колода карт...

Но то, что дико для обычного, даже искушенного чела, вполне естественно для любого из читателей Вадима Панова, прекрасно осведомленных о неиссякаемом источнике тайн и загадок на территории современной Москвы...

Захватывающая история Колоды Судьбы, созданной знаменитым графом Сен-Жерменом, поломавшей планы Наполеона Бонапарта и ставшей предметом вожделения мятежных вампиров из клана Саббат, — в новом романе Вадима Панова, продолжающем знаменитый цикл «Тайный Город»!

УДК 82-312.9
ББК 84(2Рос-Рус)6-4

ISBN 5-699-12429-2

© В. Панов, 2005
© Оформление. ООО «Издательство «Эксмо», 2005

✡

ПРОЛОГ

Италия, Рим

Палаццо Пинелли, изящный трехэтажный особняк на одной из улочек Рима, принадлежал старинному аристократическому роду и ни разу, с самой своей постройки в середине XVIII века, не менял хозяев. Волнения, войны, диктатура... Что бы ни происходило в Вечном городе, кто бы им ни правил, чьи бы солдаты ни маршировали по старинным камням — особняк всегда оставался домом зажиточной флорентийской семьи. Подчеркивал крепость итальянских традиций, олицетворял связь современности и седой старины. Годы, десятилетия, века — время не властвовало над каменными стенами, лишь придавало им налет благородной седины. И даже когда дела Пинелли шли неважно, когда с большей части окон не снимались ставни, а прислуживала в палаццо всего одна служанка, окрестные жители с уважением продолжали кивать господам: «Бон джорно, граф!», «Бон джорно, графиня!» И пусть на полуострове давным-давно республика, пусть появились новые хозяева жизни, пусть разбогатели дети грузчиков и бандитов, неподдельное уважение к аристократам сохранилось в душах римлян.

Сейчас же, как понимали соседи, дела Пинелли шли прекрасно: дом заботливо отреставрирован, хозяин ездит на роскошном «Феррари» и едва ли не каждый вечер устраивает приемы, на которые съезжаются важные господа. Лиц дорогих гостей любопытные соседи никогда не видели, но лимузины и многочисленная охрана говорили о том, что Пинелли летает на самом верху. И вот бы удивились честные горожане, узнав, что блистательный граф занимается не чем иным, как азартными играми, а в старинном палаццо размещается элитное казино, лучшее заведение Рима, попасть в которое могут лишь избранные. У Пинелли не появлялись случайные люди, не стояли «однорукие бандиты», не проводились боксерские поединки. Большие люди играли в палаццо на большие деньги, отдыхали, общались, и, разумеется, за безопасностью значимых персон следили самым тщательным образом.

Обычно машины въезжали в маленький дворик и, высадив или забрав хозяев, уезжали — размеры не позволяли устраивать внутри палаццо парковочную площадку. Но многие посетители Пинелли пренебрегали этим правилом, предпочитая выходить через главные двери и садиться в автомобили на улице.

— Барон Александр выйдет сам.

— Вас понял.

Два черных «Мерседеса-600» с сильно тонированными стеклами проехали мимо ворот и плавно остановились. Первый — напротив дверей, второй чуть позади, и из него вышли телохранители, четверо мужчин в одинаковой темной одежде. Плащи, костюмы, ботинки, сорочки, галстуки — на телохранителях не было ни одного светлого пятна, только черные и темно-серые тона. И на каждом — солнцезащитные очки, неуместные, мягко говоря, в глухой предрассветный час, когда вечные камни еще укрывает непроглядная ночная тьма.

— Шесть секунд!

Два телохранителя встали позади замыкающего «Мерседеса», двое других прошли по улице и заняли позицию перед первой машиной.

— У нас тихо!

— У нас тихо!

— Барон Александр выходит.

Дверь особняка отворилась, и на улицу неспешно вышел худощавый, среднего роста господин с очень резкими чертами лица. Черный плащ старинного покроя, цилиндр, трость с резным набалдашником — можно было представить, что сегодня в палаццо проходит бал-маскарад и гость нарядился дворянином начала века. Под небрежно расстегнутым плащом виднелись фрак, белая сорочка со стоячим воротничком и необычайно крупный рубин, скрепляющий пышный галстук.

Глаза господина скрывали черные солнцезащитные очки.

Барона сопровождала высокая женщина в изящном шелковом плаще и шляпке с вуалью. Можно было видеть лишь нежную линию подбородка и маленький рот.

Господин улыбнулся, бросил несколько слов кому-то в холле, вполне возможно, хозяева лично провожали дорогого гостя, и, поддерживая спутницу под локоть, медленно направился к автомобилю. Дверь палаццо закрылась...

— Синьор Бруджа! — Широкоплечий мужчина в спортивной куртке и джинсах торопливо выскочил из припаркованного у тротуара «Фиата» и замахал руками: — Синьор Бруджа!!

Широкоплечий находился довольно далеко от телохранителей, в противном случае они вряд ли позволили бы ему выйти из машины, а потому, чтобы быть услышанным, владельцу «Фиата» приходилось орать:

— Барон! Барон Бруджа! Мы должны поговорить!

Господин с рубином поморщился — незнакомец мог перебудить весь квартал, — остановился и повернулся на голос. Но не произнес ни слова. Женщина же, приняв руку шофера, грациозно опустилась на заднее сиденье автомобиля. Но жестом приказала оставить дверцу открытой. Телохранители отнеслись к ситуации без особой нервозности, так, словно знали, что незнакомец прятался в «Фиате», и были готовы к его появлению. Широкоплечий подошел ближе, но, пока он не пересек невидимую запретную линию, охранники оставались спокойны.

— Барон Александр, мы обязательно должны поговорить! Меня зовут Роберто Чернышев, и я...

— Вы знаете мое имя? Прекрасно. — Барон Бруджа говорил очень тихо. Слова падающими листьями шелестели в октябрьской ночи, едва угадывались. — Позвоните в мой офис, вам назначат встречу.

— Ваш секретарь отказывается назначить время, говорит, что мое дело не столь важно.

— Увы, ничем не могу помочь.

В рассеянном уличном свете — возле палаццо не устанавливали ярких фонарей — широкоплечий прочел на лице Александра выражение глубокой скуки. Человек, входящий в десятку самых богатых людей Италии, привык к визитам сумасшедших ученых и представителей благотворительных обществ.

— Придумайте дело поважнее, и тогда...

— К сожалению, я не могу сообщить секретарю истинную причину, которая побуждает меня искать встречи с вами.

— Видимо, это связано с национальной безопасностью?

По очень красным губам Александра скользнула тень усмешки, он беззвучно веселился над собственной шуткой.

— Пожалуйста, выслушайте меня!

Чернышев попытался подойти к барону, но пересек невидимую черту и разбудил телохранителя. Последовал несильный на первый взгляд толчок, и плечистый Роберто как котенок отлетел к стене. Тем временем Бруджа обогнул машину и уже садился в «Мерседес».

— Барон! Я знаю, кто вы! Я знаю, почему вы даже ночью не снимаете черные очки! Я знаю, почему вы никогда не ездите в Москву!!

Бруджа остановился и пару секунд смотрел на Роберто. Как он отнесся к заявлению, было непонятно: лицо барона осталось неподвижным.

— Я знаю, почему вы никогда не ездите в Москву, — повторил Чернышев. Теперь он смотрел на женщину, застывшую на заднем сиденье автомобиля. — И еще я знаю, что вы не барон, а кардинал...

— Знание убивает, — совсем тихо, почти неразличимым эхом отозвался барон. — Жан-Жак...

Телохранитель кивнул и нехорошо улыбнулся. И два его клыка увеличились в размерах, выросли над остальными зубами, заострились... Их ведь не зря назвали *иглами*. Жан-Жак сделал шаг к лежащему у стены человеку. Бруджа зевнул, воспитанно прикрыв ладошкой рот. Женщина безразлично отвернулась. И Чернышев похолодел — он понял, что сказал барон охраннику.

— Барон, я знаю, где находится то, что вы потеряли двести лет назад!

Бруджа вздрогнул.

— Двести?

— Чуть меньше. В одна тысяча восемьсот двенадцатом году.

Жан-Жак остановился. Барон выбрался из «Мерседеса», очень медленно подошел к Чернышеву, присел и улыбнулся, увидев страх в глазах Роберто. Чел переоценил свою силу воли и, оказавшись на темной улице один на один с Александром, испытывал настоящий ужас. Он знал, КТО перед ним. А потом барон снял очки, еще больше приблизился к Чернышеву, и его пронзительно-красные зрачки намертво привязали к себе серые глаза Роберто.

— Ты сказал, что знаешь, кто я.

Даже сейчас, явно заинтересовавшись сообщением, Бруджа не изменил себе, продолжал говорить тихо, призрачным голосом высушенных листьев.

— Знаю, — прохрипел Чернышев.

— Значит, ты должен понимать, каково это — шутить со мной.

— Я понимаю.

Невероятным усилием воли Роберто сумел взять себя в руки, подавить страх. И целых пять секунд он выдерживал тяжелый взгляд красных глаз барона. Это подействовало на Александра лучше любых слов — Бруджа патологически ненавидел трусов.

— Хорошо, чел Роберто Чернышев, я рад, что ты все понимаешь. Теперь говори, что я потерял двести лет назад?

— Шкатулку красного дерева, — негромко ответил Роберто. — Примерно двадцати дюймов длиной, десяти шириной и пяти высотой. Уголки обиты золотом. На верхней крышке чеканный медальон...

— Достаточно. — Александр поднялся. — Жан-Жак, чел поедет с нами.

И снова шелест падающих листьев.

Телохранитель кивнул и легко, без видимых усилий, поднял Чернышева с земли.

Руки у Жан-Жака оказались необычайно холодными. Это не могли скрыть даже плотные кожаные перчатки.

«Мерседесы» въехали на территорию виллы в престижном пригороде Рима одновременно с восходом солнца, осенние лучи которого, мягко скользнув по черным изгибам автомобилей, разбились о наглухо тонированные стекла и обиженно помчались прочь, удивленные тем, что кто-то в этом мире не радуется появлению дневного светила. Что кто-то отгораживается от тепла животворной звезды всеми доступными способами. Автомобили скрылись в большом гараже, остановились, но пассажиры покинули их только после того, как плотно закрылись ворота. Сначала барон и его спутница, затем их новый знакомый. Молчаливый Жан-Жак проводил Роберто в каминный зал — Чернышев догадался, что большая часть видимых снаружи окон виллы является фикцией — и оставил одного. Но ненадолго, хозяин появился меньше чем через пять минут.

— Вина?

— Неплохо бы, — согласно кивнул Чернышев и сделал попытку подняться на ноги.

— Не беспокойся.

Бруджа сам наполнил два бокала и, протянув один из них Роберто, устроился в кресле напротив.

— В моих погребах только красное.

Алые губы коснулись кровянистого вина, красные зрачки неподвижно уставились на Чернышева.

— Расскажи мне о шкатулке, чел. Откуда ты узнал о ней?

Теперь Роберто рассмотрел барона Бруджа как следует: до сих пор он видел эксцентричного мультимиллионера, владельца фармакологического концерна, мецената и игрока лишь на фотографиях. Волосы покинули большую часть головы Александра, сохранив лишь небольшие плацдармы за ушами и на затылке. Но, несмотря на обширную лысину, резкие черты, глубокие складки на лбу и массу мелких морщин на лице, внешний вид Александра скорее наводил на мысль о бурной молодости, нежели о старости. По документам барону было пятьдесят семь, выглядел он на пятьдесят максимум, но Роберто знал, что это — ложь, что Бруджа старше. Гораздо старше, чем может себе представить человек. Более того, гораздо старше, чем могут себе представить сородичи самого барона. Тысяча триста шестнадцать лет! Перед Чернышевым сидел самый старый масан в мире.

Александр переоделся в серые брюки, мягкие домашние туфли и белую шелковую сорочку с открытым воротом. Крупный рубин, ранее скреплявший галстук, теперь переместился на цепочку — оправа оказалась универсальной — и висел на груди барона. Судя по всему, увидеть Бруджу без этого камня не представлялось возможным.

— Расскажи о шкатулке, чел. Откуда ты узнал о ней?

— Весь девятнадцатый век шкатулкой владела моя семья, — почти сразу ответил Роберто. — Я граф Чернышев, последний носитель титула.

— Русский?

— К вашим услугам, сударь.

Некоторое время Александр молча потягивал вино, затем поставил бокал на столик справа, сцепил на животе руки и покачал головой:

— Я не верю. Шкатулка не могла попасть в руки обычных челов.

— Тем не менее это так. Ваши враги не добрались до нее.

Бруджа посмотрел на Чернышева как на идиота, улыбнулся и менторским тоном произнес:

— Они не могли не добраться до нее, чел. Они ее искали. В этом была их цель.

— Целью была ваша смерть. При чем здесь шкатулка?

Я вообще не уверен, что в то время они знали о ее существовании.

— Я, признаться, не рассматривал ситуацию под этим углом... — протянул после короткой паузы барон. — И свыкся с мыслью, что потерял шкатулку навсегда.

— Вы можете ее вернуть.

Александр потер подбородок, машинально прикоснулся к рубину на груди, взялся за бокал.

— Я уже почти рад, что не убил тебя.

— Но опасаетесь ловушки?

— Нет, — усмехнулся Бруджа. — Челу не под силу обмануть мой камень. — Пальцы вновь погладили рубин. — Я опасаюсь разочароваться. Опасаюсь, что ты ошибся и мы говорим о разных шкатулках.

— «Королевский Крест», — просто сказал Чернышев. — Я могу рассказать правила.

— Откуда твои предки их узнали?

— Понятия не имею. Возможно, кто-нибудь из них был колдуном?

— Возможно, возможно... — Александр вернул бокал на столик и вновь сцепил пальцы рук на животе. — Твои предки играли в «Королевский Крест»?

— Разумеется.

— И их не поймали? Хотя о чем я? Он ведь предупреждал, что узнать об игре никто не сможет. Никаких магических вспышек, никаких потоков энергии, все скрытно, легкими мазками... Он был художник.

— Сен-Жермен?

Барон кивнул.

— Разве ты не знал, что он создатель шкатулки?

— Я не об этом. — Чернышев позволил себе улыбку. — Я не могу говорить о нем так, как вы. Так, как будто...

— Знал его лично, — закончил Александр.

— Да. Для меня Сен-Жермен — легенда.

— А для меня — недавно скончавшийся деловой партнер.

— Завидую, — вздохнул Роберто. — «Недавно скончавшийся...» Почти две сотни лет...

— Если надеешься, что я сделаю тебя долгожителем,

то ты пришел не по адресу, — предупредил чела масан. — Меня действительно интересует кровь разумных, но на становления-инициализации не рассчитывай, как бы я тебя ни *высушивал*, быстро или медленно, ты все равно сдохнешь.

— Я знаю, что человские сказки о вампирах имеют мало общего с истиной, — буркнул Чернышев. — И знаю, что вы, масаны, просто другая раса.

— Ну, если для тебя это просто... — Бруджа рассмеялся: большую кучу сухих листьев сдуло ветром. — Тогда скажи, чего ты хочешь, чел Роберто? Зачем пришел ко мне? Зачем не стал искать шкатулку для себя?

Чернышев тоже отставил бокал — он едва притронулся к вину — и подался чуть вперед.

— Моей прабабке чудом удалось вырваться из лап коммунистов. Она покинула Родину, лишившись всего: денег, положения, а самое главное — мужа, любимого мужа. Комиссары убили прадеда во время ограбления нашего подмосковного поместья. — Чернышев скривился. — Единственными сокровищами, которые удалось спасти прабабке, были семейные предания и легенды. — Роберто помолчал. — Главная из них — рассказ о шкатулке.

— Судя по всему, твоим предкам везло в «Королевский Крест», — обронил Александр. — В противном случае рассказывать было бы не о чем.

— Им везло, — подтвердил Чернышев. — Именно поэтому я решил вернуть шкатулку.

— В наши дни мало кто верит старым легендам.

— Русские не любят трепать языком, — усмехнулся Роберто. — Нашим преданиям можно доверять.

— Пожалуй, соглашусь, — качнул головой барон. — Что дальше?

— Решив, что семейная легенда правдива, я потратил немало времени и средств, чтобы выяснить, кто украл у прадеда шкатулку и является ее нынешним владельцем. Я даже устроился в одну из бюрократических структур Евросоюза, чтобы иметь возможность часто посещать Москву. Последние семь лет я практически жил в России, и я нашел. Я точно знаю, у кого шкатулка.

— Та самая шкатулка? — не удержался Бруджа.

— Та самая шкатулка.

Барон шумно выдохнул, откинулся на спинку кресла, покачал головой, словно не веря услышанному.

— Так чего же ты хочешь, чел Роберто? Почему не взял шкатулку себе?

Чернышев пронзительно посмотрел на вампира.

— Потому что я понял — шкатулка не предназначена для простого чела. Потому что узнал имя ее истинного хозяина. И потому что ищу его покровительства. — Роберто склонил голову. — Я хочу быть вашим слугой, барон Александр.

— А как же свобода?

— Я дворянин, — твердо ответил Чернышев. — Во мне нет царской крови. Я должен кому-то служить.

Бруджа нащупал бокал и, не отрывая взгляд от Роберто, сделал маленький глоток.

— Я мог бы поехать в Россию, забрать шкатулку и использовать ее самостоятельно, — продолжил Чернышев. — Но я понимаю, с какими рисками это связано. Начнем с того, что я не смогу включить...

— Активизировать, — эхом поправил русского Бруджа.

— Я не смогу ее активизировать, придется обратиться к знающим людям. Соответственно, или с вашей, или с их стороны. О шкатулке узнают. У меня ее отберут.

— Ты умен, чел Роберто.

— Поэтому я пришел к вам. Я рассудил, что пусть лучше у меня будет надежный друг и покровитель, чем непредсказуемый сувенир от Сен-Жермена. Что скажете?

— Почему ты не пошел к моим врагам?

Чернышев замер. Замолчал. Отвернулся, словно вопрос барона был ему неприятен.

— Почему ты не обратился к моим врагам? — нахмурился Бруджа.

— Потому что они ничего не сделали для того, чтобы остановить красное колесо, — скривился русский граф. — Потому что они смотрели, как пришлые твари вырезают цвет моей нации, и ничего...

— Они не имели права вмешиваться, — усмехнулся Александр. — И, судя по твоей осведомленности, ты не можешь этого не знать. Существует договор.

— Плевать на договор!

— В общем-то, я с тобой согласен, — после очередной паузы произнес барон. — Договариваться с челами — действительно последнее дело.

— Моя семья потеряла все. — Чернышев уже взял себя в руки, его голос прозвучал довольно спокойно. — А они могли это предотвратить. Значит, они мои враги.

— Не стану тебя переубеждать. — Бруджа поднялся, долил в бокалы вина и поинтересовался: — А как ты узнал о нас?

— Будучи в Москве, я случайно оказался на лекции профессора Серебрянца. Все остальные воспринимали его истории как легенду, как красивую сказку, а я... я верил. Я поверил сразу. Я знал, что успехи, которых добилась моя семья в девятнадцатом веке, не случайны. Я верил в сказки.

— Могу только порадоваться за тебя.

— Среди прочего профессор рассказывал и о масанах. О вражде Камарилла и Саббат. Я вернулся в Рим и подумал: «Почему нет?» Почему бы в Италии не жить масанам? И начал искать, анализировать, наблюдать за людьми, которые отличаются от других.

— Ты упорный человек.

— Я — русский.

— Ты — русский.

Александр произнес эту фразу на языке Пушкина. Произнес без всякого акцента, на чистом русском языке. Произнес, двумя словами подтвердив все, о чем только что говорил Роберто. Чернышев улыбнулся и чуть склонил голову:

— Спасибо. — Помолчал. — Я искал, и я нашел вас, кардинал Александр Бруджа. Я знаю, кто вы. Я знаю, что только вы сможете использовать шкатулку по-настоящему. Использовать так, чтобы мир вздрогнул. И я хочу быть рядом с вами.

✵

ГЛАВА 1

«Что скрывает полиция? Вот уже несколько дней Москву будоражат слухи о череде странных убийств, произошедших — и продолжающихся? — на улицах мегаполиса. Несмотря на то что преступления совершались в разных районах города, почерк во всех случаях одинаков: смерть жертвы наступала от огнестрельного ранения в шею. Пресс-служба департамента полиции пока никак не комментирует происходящее и не спешит увязывать преступления в единую цепь. Но, как стало известно нашим корреспондентам...» (**«Московский Комсомолец»**)

«О чем думают Великие Дома? Набег мятежных масанов продолжается уже третьи сутки, убито два люда, убит любимец публики DJ Канций, мы уже не говорим о челах! Из дома невозможно выйти, чтобы не наткнуться на приблудного кровососа, а пресс-служба Великого Дома Навь продолжает отделываться общими фразами. Жители Тайного Города возмущены трагическими смертями и задают вопрос: когда же Темный Двор приструнит распоясавшихся?..» (**«Тиградком»**)

* * *

Молодежный клуб «ТарантасЪ».
Москва, улица Красноказарменная,
2 ноября, вторник, 17.58

— Они повсюду. Они рядом. Они жаждут крови! Твоей крови!!

На экране телевизора известный актер, слегка похожий на епископа клана Носферату, увлеченно *высушивал* податливую девушку пластиковыми *иглами*. Для придания мизансцене дополнительного шарма режиссер распорядился задрать жертве юбку, и обнажившиеся коленки судорожно терлись одна о другую.

«Ноги неплохи», — машинально отметил Харций, дожевывая бутерброд. Такие детали концы никогда не оставляли без внимания.

— Они способны обратиться в туман или взять тебя под гипнотический контроль! Они быстры и коварны!

Теперь актер зловеще вышагивал по улицам Тайного Города, пугая детей и взрослых. Харций зевнул. Он знал, что ушлые шасы не заплатили герою ролика ни копейки: сказали, что проводят пробы для нового блокбастера, отсняли нужные эпизоды и смылись, пообещав обязательно перезвонить. Откуда бедолаге знать, что его физиономия украсила все рекламные блоки «Тиградком»? Программы этого канала не предназначены для широкой публики.

— Будь готов к встрече! Купи «Протуберанец» — новейший артефакт, создающий кратковременный поток настоящего солнечного света! «Протуберанец»! Последняя разработка магических мастерских семьи Шась, гарантирует безопасность и рекомендован гарками Темного Двора...

Насчет рекомендации элитных воинов Нави режиссер, пожалуй, переборщил: во-первых, их кровь сама по себе являлась для вампиров отравой, во-вторых, магия масанов на темных не действовала, так что навам никогда не приходило в голову изобретать специальные обереги. Все остальное соответствовало действительности: если успеешь активизировать артефакт, масану придется несладко — солнечные лучи для него губительны.

Экранный злодей позорно убегал от обладающего чудесным амулетом юноши, над Тайным Городом всходило Солнце, все улыбались.

— «Протуберанец», — хмыкнул Харций, допивая газировку.

Ураган рекламы антивампирских артефактов обрушился на жителей Тайного Города одновременно с первыми сообщениями о появлении масанов Саббат. Оборотистые шасы создали ажиотаж, за несколько часов распродали десятилетние запасы магических амулетов и в спешном порядке ковали новые — «улучшенные», «более современные и эргономичные», с бесплатными приложениями или...

— Если вы приобретете два «Протуберанца» прямо сейчас, то третий, для вашего ребенка, вы получите совершенно бесплатно. То есть даром! И в дополнение — удобный ремешок, чтобы носить артефакт на груди! Торопитесь, количество предложений ограничено!

Некоторые наблюдатели осторожно намекали, что именно из-за успешного бизнеса Торговой Гильдии навы не торопятся уничтожать проникших в город убийц. Разумеется, все это слухи и домыслы, но, с другой стороны, налоги шасы платят Темному Двору...

Харций доел, смахнул опустевшую банку и пластиковую тарелку из-под бутербродов в мусорную корзину, выключил телевизор и выбрался из кресла. Открытие клуба «ТарантасЪ» было назначено на семь вечера, конец суетился с самого утра, и десятиминутный перерыв на обед стал единственной паузой за весь суматошный день.

— Любимые, я рад... Нет, «любимые» — это обращение Птиция, надо быть оригинальным. Дорогие друзья! Избито...

Харций остановился перед зеркалом в рост — обязательным аксессуаром кабинета любого конца — и решил наскоро повторить речь. Текст он подготовил и заучил давно, но до сих пор не решил, как следует обращаться к публике.

Харций открывал «ТарантасЪ» не для Тайного Города, а для челов: клуб располагался неподалеку от Энергетического института, и планировалось, что основными клиентами станут студенты. Конец предусмотрел и бильярдную, и бар, и дискпол, и, разумеется, небольшой зал игральных автоматов. Последний официально не принадлежал клубу, но попасть к «одноруким бандитам» можно было без особых усилий. Харций вложил в первое самостоятельное дело все сбережения, да еще и занял крупную сумму, но не сомневался, что заведение станет приносить устойчивую прибыль. Его не смущало даже наличие неподалеку трех аналогичных клубов — концы веками оттачивали мастерство шоуменов, так что публика выберет лучшее. Вот только... как же правильно обратиться к проклятым челам в первый раз?

— Ребята! Гм... не слишком панибратски?

— Не-а, не слишком. Мне нравится, мля!

Харций вздрогнул и недовольно посмотрел на вошедшего в кабинет уйбуя Копыто Шибзича.

— Стучаться надо.

— Угу.

Копыто плюхнулся в гостевое кресло, приложился к фляжке — по кабинету поплыл аромат дешевого виски — и поинтересовался:

— Кривляешься?

— Репетирую.

Уйбуй поощрительно рыгнул и осклабился. Харций вернулся во главу стола, и несколько секунд конец и Красная Шапка молча смотрели друг на друга.

Вряд ли можно было представить себе более непохожих собеседников. Пока полненький Харций оделся довольно скромно: канареечный пиджак в зеленую клетку, розовая рубашка и оранжевый галстук, но планировал сменить костюм на более яркий к празднику. Жилистый, похожий на злую обезьянку Копыто никогда не вылезал из кожаных штанов, жилетки и красной банданы, а сегодня, учитывая время года, к ним добавилась еще и кожаная куртка. Пальцы конца были густо унизаны перстнями, в левом ухе висела серьга с изумрудом, а над галстуком пролегала толстая золотая цепь. Уйбуй же отдавал предпочтение татуировкам, густо покрывающим все тело, и оружию — на поясе висели кобура с пистолетом и ятаган. Объединяли Харция и Шибзича невысокий рост да полное отсутствие растительности на головах.

И некоторые совместные дела.

— Мы, в натуре, все закончили. Как договаривались, мля.

— Да, — со вздохом признал конец. — Вы все сделали.

Не то чтобы Харцию нравилось общаться с Красными Шапками, но иногда сотрудничество с ними было выгодным шагом. К тому же Копыто не зря считался одним из самых вменяемых уйбуев: он понял, чего хочет конец, всего лишь с третьего раза и сделал все как надо. Ночью десятка Копыто основательно отметелила местную шпану — Харций решил, что превентивные меры не помешают, а до этого дикари несколько дней вкалывали на подсобных работах: устраняли мелкие недоделки, мыли полы и туалеты, таскали мебель, аппаратуру, ящики с продуктами и выпивкой. Судя по старательности, с которой трудились Красные Шапки, десятка прочно сидела на финансовой мели, и нареканий к ним у Харция не было... К сожалению, не было, ибо пришла пора платить за услуги.

Копыто глотнул еще виски и важно произнес:

— Ну, давай посчитаем.

В устах не отличающегося любовью к арифметике дикаря фраза прозвучала несколько необычно, но конец, подавив усмешку, покладисто согласился:

— Давай.

— Мы все сделали, что ты просил?

— Все.

— Этих... претензиев нету?

— Нет.

— Тогда...

— Подожди, — торопливо произнес Харций. — Мы еще договаривались, что ты с ребятами приедешь через месяц. Устроим ограбление...

— Типа ограбление, — важно уточнил Копыто.

— Ага, типа ограбление.

— Мы забираем кассу, ты жалуешься в полицию, и тебе снижают налоги.

— Точно! А ты получишь половину кассы!

О том, что он к тому времени застрахуется в человской компании и заработает еще и на этом, Харций благоразумно промолчал. Да и вряд ли бы уйбуй его понял.

— А теперь давай деньги.

— Так мы же договорились: половина кассы! — Конец натурально округлил глазки. — Это очень приличная сумма. Приходи через месяц.

Но дикарь не позволил сбить себя с толку.

— Половину кассы я получу за то, что тебя ограблю. — Копыто сделал большой глоток виски, и Харций пожалел, что не приказал бармену спрятать спиртное: благодаря кукурузному пойлу уйбуй демонстрировал чудеса сообразительности. — Ты деньги плати за то, что мы на тебя горбатились, мля. Как эти... папы карлы, мля.

Конец жалобно вздохнул и опустил плечики. Его округлые щечки немножечко побледнели, а в глазках появилась неподдельная грусть.

— Увы, Копыто, но клуб только открывается, и свободных средств нет совершенно. Думаешь, я от хорошей жизни придумал эту историю с ограблением?

— Как откроешься, так и закроешься, — пожал плечами уйбуй. — А если мы все автоматы поколотим, и дискотеку поколотим, и бар поколотим, сюда даже челы не придут. Не такие они идиоты, чтобы по пепелищу бегать.

— А я в Зеленый Дом пожалуюсь, — с тщательно сыгранным простодушием произнес Харций.

— А мы скажем, что ты нам за работу не заплатил.

— А разве я обещал?

Шибзич занервничал и почесал под банданой.

— А разве нет?

— Я тебе сказал: «Копыто, помоги», — с максимально возможной кротостью напомнил конец. — И ничего не говорил о том, что я тебе за это заплачу.

— Не говорил?

— Ни слова.

— И не собирался платить?

— Я думал, мы друзья.

— Тогда зачем ты грозишь, что пожалуешься королеве?

— А если бы тебе клуб поколотили, ты бы кому жаловаться стал?

— Фюреру.

— А у меня фюрера нет. Поэтому я сразу к королеве.

Это прозвучало логично — фюрер у концов на самом деле отсутствовал. Но самое страшное, что после очередного глотка виски Копыто вспомнил давешний разговор: конец ДЕЙСТВИТЕЛЬНО ничего не говорил об оплате. А сам уйбуй, обрадованный весьма кстати наметившимся заработком, не спросил. И бойцы не спросили, будучи уверены, что десятник обо всем позаботился. Копыто с тоской понял, что, если он не принесет деньги, у десятки, вполне возможно, появится новый уйбуй.

Но ведь проклятый конец на самом деле имеет право не платить!

— Ты эта... Харций, без ножа режешь, — жалобно протянул Копыто. — А ведь мы, эта... друзья.

— Вот я и решил, что ты мне по дружбе помогаешь! — В голосе конца, все еще печальном, появился намек на энтузиазм. — Обрадовался безумно: чтобы в нашем мире, подлом таком и несправедливом, встретить столь бескорыстного воина...

— Да уймись ты!

— Нет, ты вспомни, как я обрадовался! — начал наседать Харций. — Кормил твоих бойцов бесплатно, раз! — Днем дикарям выдавали по два пакетика чипсов. — Поил бесплатно, два! — Утром Красные Шапки получили бутылку виски на всех. — Как к родным относился, право слово!

— Родня, мля!

Копыто задумчиво положил ладонь на рукоять ятагана, и почти сразу же, словно прикосновение к оружию пробудило доселе дремавшие инстинкты, в маленьких глазках уйбуя вспыхнул недобрый огонек. Но Харций был готов к такому развитию событий. Конец прекрасно понимал, что, даже если Шибзич сломается и не станет доводить дело до скандала, его бойцы поведут себя иначе. А получить десять разъяренных дикарей за час до открытия заведения концу хотелось еще меньше, чем платить им за работу.

— Копыто! Я понял, как мы можем договориться!

Радости и оптимизму в голосе Харция позавидовал бы даже прожженный продавец Иеговы. Уйбуй, почти решившийся пустить концу кровь, поперхнулся от неожиданности:

— Что значит договориться, мля? О чем? В натуре, больше я на тебя и пальцем не пошевелю.

— А грабить через месяц будешь?

— Грабить буду, — после короткой паузы подтвердил Копыто. — Если ты еще жив будешь. А пальцем шевелить, в натуре, не стану.

Харций, которому не хотелось искать других исполнителей для сомнительного мероприятия, приободрился.

— Значит, насчет грабежа все в силе... это хорошо. А за сегодняшнее ты меня извини: я ведь правда не подумал, что ты денег захочешь. Решил, что по дружбе помогаешь. Да и наличных у меня нет совсем, только на обои пять тысяч ушло.

Копыто покосился на крашеные стены, но промолчал. Пальцы, разжавшиеся было во время энергичного вопля конца, вновь сдавили рукоять ятагана. Тем временем Харций перегнулся через стол и проникновенно поинтересовался:

— А хочешь, я тебе свой счастливый артефакт подарю?

Пальцы молниеносно разжались.

— В котором ваша семейная тайна хранится? — жадно спросил Шибзич.

На протяжении тысяч лет все расы, с которыми доводилось контактировать концам, пытались выведать их главный секрет, узнать, что же на самом деле позволяет маленьким, толстым и лысым продавцам легкой жизни пользоваться бешеной популярностью у женщин любых семей. Почему даже самые неприступные стервы становятся в их руках послушными игрушками. В ход шли все средства: увещевания и уговоры, кропотливые научные исследования и даже пытки, но концы всегда проявляли удивительную стойкость и молчали, как чуды на параде.

— Нет, — рассмеялся Харций, — семейную тайну я тебе не отдам. Зато подарю очень ценный артефакт.

— Какой еще артефакт? — набычился уйбуй. — Чего ты меня, в натуре, разводишь? Пальцы гнуть не устал? Деньги давай, мля, а то я за себя не ручаюсь, клянусь агрессией Спящего!

— Артефакт называется «Повелитель вероятностей», — спокойно произнес конец. — Очень ценная вещь. Раритет.

— Чего?

— Вот чего! — Харций с важным видом выложил на стол медальон на цепочке. — Раритет! Теперь таких не делают!

С одной стороны желтый диск покрывали причудливые концовские письмена, с другой в него был вплавлен зеленый камешек.

— Золото?

Уйбуй жадно схватил медальон.

— Какая же ты дуби... — Конец осекся: не следовало грубить еще не заглотившему наживку дикарю. — Копыто, ценность не в том, что это золото. А в том, что с этим артефактом ты будешь выигрывать в карты. Это «Повелитель вероятностей»! Раритетная вещь!

«Раритетный» артефакт сделал то ли дедушка, то ли прадедушка Харция. Был «Повелитель» одноразовым, после выработки магической энергии восстановлению не подлежал и от долгого хранения почти разрядился. Жить артефакту оставалось от силы пару дней, и наглые шасы, увидевшие сей недостаток, а также просчитавшие крайне невысокий уровень заложенного в медальон заклинания, предложили Харцию настолько смешную цену, что, даже отчаянно нуждаясь в деньгах, конец гордо отказался. В Тайном Городе подобные артефакты мало кого интересовали, продавать на сторону было опасно — за нарушение режима секретности Великие Дома по голове не гладили. Играть же с челами самостоятельно Харций после длительных раздумий не решился. Хоть он и верил в мудрость создавшего артефакт дедушки (прадедушки?), вероятность проигрыша все равно оставалась, а конец слишком серьезно относился к открытию клуба, чтобы рисковать. К тому же Великие Дома без восторга смотрели на использование игровых артефактов в человских казино Москвы, а уезжать из города Харций в ближайшее время не собирался.

— Видишь, какой я тебе подарок делаю? Царский подарок. А все из-за нашей с тобой дружбы.

— Так он эта... чтобы в карты выигрывать?

— Почти всегда, — подтвердил конец и прикусил язык.

— Что значит «почти»? — немедленно спросил Копыто. Действие виски еще не закончилось, и уйбуй оставался внимателен.

— Он управляет вероятностями, а не обеспечивает победу, — объяснил Харций, кляня себя за болтливость. — Делает вероятность твоего выигрыша максимальной.

— Это как?

— Ну, нужен тебе, скажем, валет. Какова вероятность, что он тебе придет?

— Не знаю.

— Маленькая вероятность, маленькая! — Конец решил не утомлять дикаря ненужными цифрами. — А «Повелитель» делает ее максимальной. Не стопроцентной, но максимальной. Очень большой.

— Кого ее?

— Вероятность.

Копыто прищурился, пытаясь припомнить, о чем Харций говорил только что.

— И валет придет?

— С большой вероятностью.

— Придет или нет?

— Скорее всего.

— А если не придет?

— Останешься без валета.

— И что?

— Ничего.

Уйбуй всерьез задумался. Харций побарабанил пальцами по столешнице, посмотрел на часы, мысленно застонал — пора, пора! — и с тщательно скрываемой злобой посмотрел на загибающего пальцы собеседника: дикарь что-то подсчитывал.

— Копыто!

— Харций, мы, в натуре, работали долго и еще сегодня ночью дралися. Это, мля, стоит больше, чем маленький золотой медальон и подозрительная цепочка...

Конец выругался громко и с наслаждением. Выругался цветасто, заковыристо, выругался так, как привык, работая в баре «Кружка для неудачника», единственном человском заведении Тайного Города. Вечные клубы табачного дыма вгоняли жизнерадостного конца в тяжелую хандру, и он так старательно учился выражать свое неудовольствие по этому поводу, что теперь его умение ругаться заставляло завистливо всхлипывать самых отъявленных матерщинников Тайного Города.

Когда конец закончил, уйбуй уважительно присвистнул и кивнул головой:

— Круто, мля. Научи!

— Копыто, артефактов, которые гарантированно дают тебе нужную карту, не существует, — устало произнес Харций. — Или ты берешь «Повелителя», или иди к своим бойцам и рассказывай, что деньги будут через месяц. Все. Мне надоело. А если ты меня убьешь, денег точно не увидишь.

— Расслабься, — посоветовал Шибзич, сгребая со стола медальон. — Возьму я твой артефакт. Только не сразу возьму, а как бы на проверку. Если он не работает и я, в натуре, проиграю, то верну его тебе. Договорились?

В данном случае это был наилучший вариант. Харций кивнул:

— Договорились.

— И еще две бутылки виски мы у тебя возьмем, — уверенно сообщил Копыто, почуявший, что Харций дал слабину. — И еще...

— Не увлекайся! Две бутылки виски, и все. — Конец протянул руку: — Дай я артефакт активизирую.

* * *

Офис клана Треми.
Москва, улица Вятская, 2 ноября, вторник, 19.03

Жители больших городов не часто задумываются над тем, что скрывают те или иные здания. К домам привыкаешь, они кажутся похожими друг на друга, на них не обращаешь внимания, и постепенно становится безразлично, что находится по ту сторону каменных стен. Да и что там может быть? Квартиры или офисы, гаражи или мастерские, склады или цеха — все, что угодно. Мельком увидев строение, мы машинально относим его к той или иной категории и сразу же забываем: чтобы привлечь внимание, городской дом должен быть весьма и весьма необычным. А мрачное, похожее одновременно и на склад, и на подержанную крепость строение на Вятской улице таковым не было. К шедеврам архитектуры не относилось. «Нечто промышленное», — подумает прохожий и пойдет себе дальше. Неинтересно. Обыкновенно. Откуда знать прохожему, что в здании разместился не гараж и не портняжная мастерская, а офис Треми, одного из кланов московских вампиров.

— Сегодня мы работаем в центре, — произнес Захар Треми. — С севера наша зона ограничена Садовым кольцом, с запада — Новым Арбатом, а с востока...

На стене кабинета, прямо за спиной епископа, висел огромный монитор, на который программисты вывели карту города. По мере того, как боевой лидер клана Треми определял границы, зона ответственности окрашивалась в синий цвет.

— Как видите, территория не очень большая, но «ласвегасы» дают высокую вероятность встречи с опытными воинами противника, так что надо действовать внимательно и осторожно. Проверяем каждую щель, каждый переулок, каждый дом.

— Не впервой.

— Да, — согласился епископ, — не впервой.

Юнцов «с кривыми *иглами*»[1] на инструктаже присутствовало трое, остальные — проверенные бойцы, побывавшие с Захаром не в одной драке и хорошо умеющие охотиться на мятежных соплеменников.

— Временем мы не ограничены. Работаем тщательно, до самого утра. Если заканчиваем раньше — начинаем заново.

— То есть не торопиться? — хмыкнул кто-то.

— То есть мы должны гарантировать, что в зоне нет ни одного мятежника.

Как и все собравшиеся в комнате вампиры, Захар предпочел одежду простую и прочную: удлиненная кожаная куртка, спортивного покроя брюки, мягкие ботинки. На плече вышита лунная корона — символ епископского титула, на спине замерла рогатая ящерица — герб Треми. Но и без этих, понятных любому жителю Тайного Города символов было заметно, что Захар привык приказывать, а не подчиняться. Повелительный взгляд, властные жесты, уверенный голос — епископ был прирожденным лидером.

— Прошлой ночью мятежники убили еще восьмерых. В том числе — троих жителей Тайного Города. — Захар обвел взглядом притихших соплеменников. — Вы все смотрите «Тиградком» и видите, что с каждым часом недовольствие среди сограждан нарастает. В наших интересах отбить набег как можно быстрее.

Нападения мятежников из Саббат — отступников, ненавидящих Тайный Город, — не были редкостью. Темный Двор организовывал «походы очищения», мятежники отвечали неожиданными выпадами, так продолжалось не одно столетие, и главная задача при отбитии набега сводилась к минимизации потерь. В этом случае жители Тайного Города не успевали впасть в шовинистические настроения и перенести свою ярость на всех масанов, невзирая на секту, а заодно — на покровительствующих им навов. Обычно с нападением удавалось справиться быст-

---

[1] Масанская идиома.

ро, но на этот раз в город проникло слишком много мятежников.

— Есть хорошие новости, — продолжил Захар. — Нас снова стало больше: подтянулись хваны.

— К финалу, — буркнул кто-то из задних рядов. — Когда надо было город патрулировать, они не спешили, а последних добить — пожалуйста.

— «Последних» может оказаться не меньше десятка, — холодно ответил епископ. — И это не молодняк, а опытные бойцы, так что поддержка четырехруких не помешает.

Если в первые часы набега мятежникам противостояли только воины Великого Дома Навь: гарки и масаны, то уже следующей ночью на улицы вышло гораздо больше охотников. Сантьяга, комиссар Темного Двора, объявил выгодный контракт на мятежные головы, и под его крыло сразу же потянулись свободные наемники, а следом за ними и воины других Великих Домов — грех не воспользоваться случаем.

— Теперь последние оперативные данные. — Захар посмотрел на монитор ноутбука. — Гангрелы обнаружили лежбище мятежников в Филях. Сейчас там идет бой.

— Как нашли?

— Саббаты откликнулись на Зов.

— Молодняк! — презрительно махнул рукой один из вампиров.

— Но злобы в них не меньше, чем в стариках. И убивают они не хуже, — отрезал епископ. — В общем, Гангрелы хорошо поработали, и мы, уверен, им не уступим.

* * *

Игорный дом «Два Короля».
Москва, улица Большая Каретная,
2 ноября, вторник, 21.21

— Нет, вы представляете? Он мне говорит: «Милочка...» — Леночка Жмурова, начинающая поп-певица, скривила губки и выразительно посмотрела на сидящего в кресле Никиту Крылова. — Представляешь? Мне! «Милочка»!

Тон и поза будущей звезды не оставляли сомнений в том, что она возмущена до глубины души.

— Ужасно, — неохотно буркнул мужчина.

Воодушевленная Леночка усмехнулась и с удвоенным пылом продолжила рассказ:

— Так вот. Потом он мне говорит: «Милочка, у вас очень слабый голос». У меня!

И вновь выразительный взгляд. Правда, на этот раз Никита не сразу понял, что пора поддержать разговор. Несколько секунд он молча смотрел на девушку, ожидая, что она продолжит повествование, не дождался и посочувствовал:

— Ужасно.

— Он сказал это о моем голосе, — уточнила будущая поп-дива.

— Ужасно, — в третий раз повторил Крылов.

Эльдар Ахметов, друг и компаньон Никиты, совладелец «Двух Королей», с трудом подавил смех — со стороны кресла послышалось лишь тихое всхлипывание. Его подруга, эффектная брюнетка Анна, взяла бокал и сделала долгий глоток коктейля.

Крылов едва заметно покраснел. Несмотря на положение, несомненный ум и богатство, Никите очень не везло с противоположным полом. В смысле, у него была дурная привычка увлекаться совершенно неподходящими женщинами: безголовые мастерицы клубных дел, хищные охотницы за состоянием, бесталанные певички. Крылов прекрасно знал о своей слабости, но поделать ничего не мог. Распрощавшись с очередным кошмаром, он едва ли не в тот же день ухитрялся отыскать новый, вызывая искреннее удивление у друзей, — ведь, помимо положения в обществе, Никита обладал недурной внешностью: спортивная фигура, светлые волосы, живые голубые глаза — викинг, да и только. И тем не менее...

— Никита, милый, зачем ты нашел мне этого старика?

— Георгий Станиславович лучший учитель вокала в Москве, — угрюмо ответил Крылов. — Я уже говорил.

— Я помню, — махнула ручкой Леночка. — Но ведь

он такой старый, что уже совершенно ничего не слышит. И не понимает совершенно ничего! Он мне говорит: «Милочка, тяните ноту...» Господи, пошлость какая. Что я ему, оперная, что ли? Какие еще ноты? Компьютер в студии для чего? Я ему говорю: «Фабрику звезд» посмотрите! Разве там ноты тянут?» Надо быть современнее...

— А он? — заинтересовался Эльдар.

— А он мне: «Милочка, я развожу породистых скакунов, а не водовозных кляч». Это он-то разводит, да? Тоже мне авторитет выискался...

— В данном случае слово «разводить» использовалось в своем подлинном значении, — обронила Анна. — Смысл примерно такой: выращиваю, воспитываю. Георгий Станиславович не имел в виду, что отнимает у животных деньги.

Эльдар вновь хмыкнул. Никита внимательно посмотрел на Анну. И в очередной раз подумал, что Ахметов, в отличие от него, умеет выбирать женщин. Красивая, элегантная и умная Анна выглядела настоящей пантерой, Леночка на ее фоне смотрелась в лучшем случае домашней кошечкой. Безголосой и безголовой.

— Я тоже подумала, что старикан слова перепутал, — согласилась Леночка. — А это ужасное «милочка»?! Ты представляешь?

— С трудом, — улыбнулась Анна. — Он тебя все время так называл?

— Почти.

— Очень обидно.

— Он мне говорит: «Вам, милочка, и надо на «Фабрику звезд». Мне!! Представляешь?! Я ему говорю: «Да у меня два клипа на MTV в ротации и на трех радиостанциях... Я Жмурова, а это, между прочим, имя!»

— В общем, с Георгием Станиславовичем ты поругалась? — подал голос Крылов.

— Милый, ты на меня не сердишься? — Леночка прильнула к Никите и умильно заглянула ему в глаза. — Я совсем-совсем не хотела ругаться. Но он...

— Забудь. Все в порядке.

Крылов понимал, что если и надо сердиться, то только на себя. Перед стариком Никита уже извинился, а заодно убедился в правильности мимолетного замечания Анны: «Может, имело смысл сначала научить девочку пению, а уже потом оплачивать видеоклипы?» Увидев себя по телевизору, Леночка перестала адекватно оценивать происходящее.

— Он был груб со мной.

— Да зачем тебе ноты, на самом деле? — негромко произнесла Анна.

Глубокий голос с легкой женственной хрипотцой, чарующий, привлекающий внимание. Анна произнесла слова тихо, но и Эльдар, и Крылов молниеносно обернулись в ее сторону.

— Вот и я говорю! — Леночка, обрадованная тем, что скандала не будет, охотно развила тему: — Жмурова — это имя! При чем тут «Фабрика звезд»? Я сама звезда!

Никита вздохнул и посмотрел на вошедшего в кабинет человека:

— Да, Володя.

— Есть тема, — негромко произнес мужчина.

— Какая?

Безопасностью игорного дома занимался Эльдар, Владимир Даньшин был его правой рукой, профессионалом, умело управляющимся и с персоналом, и с техникой. В свое время он прошел стажировку в Лас-Вегасе и заслуженно считался одним из лучших специалистов по безопасности игорных заведений в Москве.

— Приехали люди от Давида.

Крылов и Ахметов переглянулись. Анна, уловив возникшее напряжение, поднялась:

— Мужчины, мы подождем вас в ресторане.

— Я не хочу в ресторан, — надула губки Леночка.

— Пойдем, — улыбнулась Анна. — Я совсем забыла рассказать, что на Смоленке открыли новый бутик.

— Чей?

Волшебное слово «бутик» сыграло роль поводка, и можно сказать, что из кабинета Крылова вышла дама с собачкой.

Никита, дождавшись, когда за девушками закроется дверь, посмотрел на Даньшина.

— Кто приехал?

— Шестерки, — небрежно ответил Владимир. — Проверить, не передумали ли мы.

— Я не передумал, — отрезал Крылов. — Все останется как есть.

Давид Цвания был уважаемым и известным человеком в московском игорном бизнесе, владельцем казино «Изумруд», но все знали, что за Цвания стоит Автандил Гори, лидер весьма крупной преступной группировки. «Два Короля» приносили неплохую прибыль, входили в пятерку самых популярных игорных домов города, и не было ничего странного в том, что бизнесом заинтересовались. Крылову и Ахметову поступило предложение поделиться акциями, но друзья уперлись. Когда-то, в лихие девяностые, подобная принципиальность могла стоить им жизни, но теперь предпочитали договариваться, и некоторое время Давид поднимал цену, надеясь, что Крылов и Ахметов одумаются. Когда же это не помогло, прошли довольно жесткие переговоры, в ходе которых стороны решили выяснить отношения за карточным столом. Не самая здравая мысль, конечно, но Гори не хотел шума, и найденный выход был последней возможностью не переходить к горячему конфликту. Никита, которому тоже не хотелось воевать, согласился.

— Все останется как есть, — повторил Крылов. — Мы сыграем.

И его взгляд, как всегда в минуты раздумий, устремился к стеклянным дверцам стоящего напротив стола шкафа — предмета особой гордости Никиты. Триста двадцать семь экспонатов, связанных с азартными играми, прекрасная коллекция, включающая старинные карты и фишки первых казино Лас-Вегаса, гравюры, литографии и книги.

— Мы поставим на кон «Два Короля» и выиграем. — Никита перевел взгляд на Эльдара: — Пожалуйста, съезди к Давиду лично и обсуди с ним все подробности игры.

— О'кей.

— Володя, до среды ты должен быть предельно внимателен: нам не нужны провокации.

— А после среды?

— А после среды будет видно, — усмехнулся Никита, выбираясь из кресла. — Володя, я иду в туалет, а потом в ресторан. Сделай так, чтобы, когда я выйду в зал, приблудных шестерок поблизости не было.

* * *

Москва, улица Большая Каретная,
2 ноября, вторник, 23.52

Вернуться из набега на Тайный Город удавалось немногим, да и сама философия этих атак не предполагала возвращения: месть была их смыслом. Напитать проклятые камни ненавистной кровью, убивать, убивать и еще раз убивать. *Высушивать*, пока не затупятся *иглы*, пока не станет плохо от украденной силы, переводить дух — и снова *высушивать*. И погибнуть в бою с карателями. Погибнуть, но показать, что дух Саббат не сломить. Что масаны по-прежнему готовы отдавать жизнь за свободу и никому не удастся накинуть рабский ошейник на гордых воинов ночи.

Возвращались единицы, а потому Людвиг Робене считался в клане настоящей легендой: восемь набегов. Восемь вытатуированных на левом предплечье иероглифов «плак» — «свобода». И восемь шрамов на сердце — скорбь по потерянным друзьям. В каждый следующий набег Людвиг отправлялся еще более ожесточившимся и в то же время — еще более хладнокровным, выдержанным. Он никогда не думал о возвращении, никогда не уклонялся от схваток, но всегда просчитывал шансы, уверенно выбирая наиболее оптимальный способ действий, и покидал Тайный Город со щитом.

А вот Басул Турчи насчет ошейников и поводков не беспокоился, и вся его родня не беспокоилась, и вся семья тоже. И это несмотря на то, что шасы были вассалами Темного Двора столько тысяч лет, что даже Спящий сбился бы, подсчитывая их. Как склочным торговцам удалось прибиться к неуживчивым навам, историки спорили до сих пор. По всем выкладкам получалось, что темные должны были вырезать вечно недовольных всем и вся шасов при первой же встрече. В свою очередь, ненавидящие насилие торговцы обязаны были держаться от беспощадных навов как можно дальше. Но одни не вырезали, а другие не стали держаться подальше, так и жили с тех пор вместе, плечом к плечу преодолевая все катаклизмы, да еще умудрялись сосуществовать со сварливыми эрлийцами и осами, баллады которых могли свести с ума мага любого уровня. Темный Двор иногда сравнивали с кучей ощетинившихся ежей и при этом удивлялись: как получается, что практически все иголки направлены вовне?

Насчет иголок Басул Турчи тоже не волновался. Он продавал сувениры, а не швейные машинки. Басул Турчи беспокоился только насчет того, что начинает накрапывать холодный ноябрьский дождь, а он, задержавшись у телевизора, до сих пор не закрыл витрину металлическими ставнями. В принципе, нехитрая операция легко выполнялась прямо из магазина нажатием пары кнопок на пульте, но нижний край ставен рекомендовалось фиксировать на маленький замочек, что дотошный Басул аккуратно проделывал каждый вечер, перед тем как отправиться спать в квартиру на втором этаже.

Шас накинул плащ, взял зонтик, вздохнул и решительно направился к дверям: он не мог бросить хозяйство на произвол судьбы.

Людвиг сознательно не стал портить механизм ставен: учитывая осторожность шасов и то, что о набеге масанов не знают только самые пьяные Красные Шапки, хозяин лавки вряд ли отправится устранять неисправность самостоятельно, скорее вызовет ремонтную бригаду. Обследуя местность, вампир нашел торчащие из стены ушки, понял, что к ним крепится нижний край ставен, усмехнулся и принялся ждать, когда шас выйдет исполнить свой долг — в том, что торговец появится, Робене не сомневался. И не ошибся. Толстенькая фигура, укрывающаяся от стихии под огромным зонтом, появилась в дверях лавки за несколько минут до полуночи. Шас шмыгнул носом, проворчал пару слов в адрес едва накрапывающего дождя и уныло поплелся к витрине, на ходу пытаясь вытащить что-то из кармана плаща.

Клыки Людвига против воли стали превращаться в *иглы*. Вампир почуял кровь представителя древней расы: пусть шасы и не были воинами, их сила немногим уступала людам или чудам, и толстяк мог надолго обеспечить масана запасом крови.

Робене выскользнул из-за угла и бесшумно приблизился к шасу.

— Дерьмо, — пробубнил себе под нос лавочник, борясь с чем-то, застрявшим в кармане.

Людвиг наклонился вперед, *иглы* едва не касались шеи *пищи*, на мгновение замер, предвкушая чарующий момент *высушивания*, и уже собирался резко дернуть шаса на себя, как...

— Наконец-то!

Басул вытащил из кармана пульт дистанционного управления и нажал на кнопку. Над витриной вспыхнуло несколько ламп.

Людвиг взвыл.

Наблюдатели Великих Домов могут — потратив массу дорогостоящей энергии — вычислить местонахождение всех масанов, но определить имя-отчество каждого уже выше их сил. Поэтому охотники работали по секторам: верные Темному Двору вампиры покидали определенный район города, после чего он тщательно сканировался наблюдателями, и карательные отряды гарок вырезали всех обнаруженных кровососов. Вторым способом поиска был Зов, телепатическая связь масанов. Все пьющие кровь обладали даром слышать друг друга, и вампиры Темного

Двора не прекращали ощупывать каменные джунгли, выискивая затаившихся тигров. Чтобы ответить на Зов, достаточно всего одной мысли, одного проявления чувств, бывало, что прячущийся кровосос даже не замечал осечки и сильно удивлялся появившимся как из-под земли санитарам леса. Недолго удивлялся.

Но работа по секторам отнимала много времени, на Зов откликались только молодые вампиры, старые оплошностей не допускали, вот и приходилось Сантьяге выводить на улицы воинов, надеясь исключительно на их везение.

— У меня в лампах «Протуберанцы» стоят, — с гордостью поведал Турчи из-за металлической двери лавки. — Разорился еще в прошлый набег, думал, коту под хвост деньги...

«Он обожжен, это хорошо!» Захар машинально сделал шаг назад, подальше от освещенной витрины, и отрывисто спросил:

— Куда он побежал?

— Вверх по улице.

— Я его вижу! — Гаврила Треми, один из «кривых» юнцов, которого епископ оставил при себе, набросил на территорию сканирующую сеть. — Ему плохо!

И бросился вперед. Захар собирался последовать за юнцом, но...

— Э-э... любезный!

— Да?

— Вы не могли бы защелкнуть замочек под ставнями?

Ругаться с Басулом Треми не хотел — с шасами следует поддерживать дружеские отношения, а потому епископ молча развернулся и поспешил за помощником.

— Какая невоспитанность, — буркнул Турчи. — Впрочем, что взять с кровососа?

Он убедился, что рядом с лавкой никого не осталось, выскочил на улицу, щелкнул замком и стремительно юркнул обратно.

Людвиг сидел на корточках во тьме узкой арки. На нем были плотная куртка, перчатки, брюки и тяжелые ботинки — тело от «Протуберанца» не пострадало. Зато незащищенная голова представляла собой одну сплошную рану.

— Не будешь сопротивляться — умрешь быстро и безболезненно, — пообещал Захар, вытаскивая катану.

Во внутренних схватках Тайного Города не часто использовалось огнестрельное оружие. Некоторые жители были слишком быстры, чтобы надеяться поразить их из пистолета или автомата, некоторым пулевые ранения были не страшнее булавочного укола, а некоторые просто брезговали человеским изобретением. Добрый клинок — другое дело, ведь отрубленную голову обратно даже нав не пришьет, а посему столкновения, как правило, принимали форму рукопашной.

Тем временем Гаврила отошел в сторону и тоже обнажил меч: епископ был классным воином, но страховка еще никому не мешала.

— Нанялся палачом к навам? — зло усмехнулся Робене.

Его руки слегка подрагивали — не от страха, от боли. Но голос был тверд, в нем можно было даже уловить насмешку.

— Почему палачом?

— А кто еще убивает беззащитных?

— Разве челы и шасы достойные соперники?

— Так ведь я презренный Саббат, — криво усмехнулся Людвиг. — Я дикий зверь, лишенный разума и благородства. Мне можно убивать кого угодно! Кого захочу. А ты, епископ? Каково тебе отрезать голову беззащитному брату?

— Оставить тебя в живых? — улыбнулся Захар. — Шас сообщил о нападении, и район будет прочесываться очень тщательно. Хочешь в Цитадель? — Робене молчал. — Хочешь?

Людвиг не хотел. Но и послушно подставлять голову под катану не собирался.

Он прыгнул.

Из положения сидя, мягко оттолкнувшись, взвился в воздух, изогнулся и сразу же оказался рядом с Треми.

— Умри!

Что он выхватил из-под куртки? Длинный кинжал? Какая разница? Захар ожидал нападения, понимал, что такой матерый масан ни за что не позволит зарезать себя, как свинью, и был готов к любому развитию событий. Элегантное движение в сторону — клинок Людвига пронзил пустоту, а еще через полмгновения голова Робене скатилась с плеч.

Фонтана крови не было: сердце масана бьется неспешно.

Епископ сделал два шага назад, позволяя обезглавленному телу упасть на асфальт, не спуская глаз с поверженного врага, медленно вытер клинок и только после этого посмотрел на замершего помощника.

— Уснул?

— Я? Нет... — Гаврила тряхнул головой. — Он молодец, да? Он не испугался.

— Для настоящего воина обстоятельства смерти имеют большое значение, — произнес Захар после паузы. — Броситься на врага с оружием в руках или умолять о пощаде, растирая по морде сопли и слезы. Мы всю жизнь приближаемся к смерти, зачем же портить столь волнующий момент?

— Он был настоящим воином?

— Да, — кивнул епископ, — он был настоящим воином. А вот ты еще нет.

— А что случилось? — Молодой масан удивленно посмотрел на Захара.

— Челы. — Епископ Треми указал на улицу. — Нас заметили.

— Проклятие! — Гавриле стало стыдно: увлекшись схваткой, он совершенно забыл, что должен был навести на место боя морок. — Я сейчас все исправлю.

— Вызови Службу утилизации, — буркнул Захар, — а с челами я разберусь.

Они частенько так поступали: выходили из казино и медленно шли по улице, разговаривая о чем-нибудь, делясь впечатлениями от прошедшего дня. Или просто болтали, наслаждаясь обществом друг друга. Анне нравилась ночная Москва, нравилось гулять по сонным улицам, купаясь в блеклом свете фонарей, нравилось видеть город опустевшим. На первых порах Эльдар воспринимал ночные путешествия как маленькую блажь, не самый худший недостаток, который может быть у красивой и умной женщины, а затем втянулся, и прогулки стали для Ахметова не менее приятными, чем восхитительный секс. Прогулки рождали близость.

Но не тогда, когда в разговорах затрагивались ненужные темы.

— Анна, извини, но это мои проблемы. Тебе о них знать не следует.

— Мне просто интересно, кто этот таинственный человек, из-за которого у тебя уже вторую неделю плохое настроение.

— Тебе не все равно?

— Нет. — Девушка помолчала. — Было бы все равно — использовала бы тебя только в постели.

— Использовала бы меня?

— А ты думаешь, я со всеми своими любовниками вот так гуляла по ночам?

Теперь задумался Ахметов. Несколько шагов они прошли в тишине, после чего Эльдар неохотно буркнул:

— Автандил Гори.

— Он хочет получить ваш бизнес?

— Да.

Ахметов покосился на Анну: странно, что ей оказалось знакомым имя московского уголовника.

— В свое время Автандил мешал людям, на которых я сейчас работаю. — Девушка словно прочла мысли Эльдара.

— Они отбились?

— Понятия не имею. — Анна улыбнулась. — Я не летаю настолько высоко, чтобы знать подноготную фирмы.

— Понимаю.

— А вы отобьетесь?

— Мы постараемся.

Увлекшись разговором, Анна совершенно перестала обращать внимание на происходящее вокруг. Повысился уровень магической энергии? Ну и что? Вполне возможно, в соседнем доме заработал артефакт или строит аркан маг — в Москве это происходит на каждом шагу. А когда девушка догадалась, что артефакт ни при чем, что вокруг крепко пахнет магией Крови, было уже поздно: они подошли к арке, и Ахметов услышал подозрительный звук. Удар? Шум упавшего тела? И тихие голоса.

Нахмурился и остановился:

— Кто там?

— Тебе не все равно? — Анна попыталась спасти положение. — Пойдем...

— Мне не все равно, — твердо произнес Эльдар. — Рустам, Шамиль, проверить!

Их прогулки не проходили в полном уединении: положение обязывало Ахметова никогда не расставаться с телохранителями. Вот и сейчас один медленно ехал за парочкой на «Мерседесе», второй шел по тротуару в трех шагах позади. Но даже если бы рядом не было двух боевиков, Ахметов все равно пришел бы на помощь — Анна не сомневалась в этом. Не потому, что Эльдар страдал обостренным чувством справедливости, а из-за отсутствия равнодушия. Ахметов поступал, как нормальный сильный мужчина, и девушке это нравилось.

«Вот только на этот раз лучше бы он прошел мимо!»

Телохранители двинулись к арке.

— Это ненадолго, — улыбнулся Эльдар.

Анна молча кивнула. Она прекрасно понимала, что шансов у громил нет, и искренне надеялась, что те, кто прячется в арке, почувствовали ее присутствие и обойдутся без радикальных мер.

Массивные фигуры остановились на самом краю освещенного участка, на границе заполонившей арку непроглядной тьмы.

— Что здесь происходит?

Ответа не последовало. Кто бы ни прятался в арке, он продолжал заниматься своим делом: до Анны долетели невнятное сопение и странный шорох. Рустам и Шамиль синхронно извлекли пистолеты и шагнули вперед. Девушка тихонько вздохнула: идти следовало одному, второй должен был прикрывать напарника, оставаясь на границе света и тьмы, а еще лучше — подогнать машину и осветить арку фарами. Но громилы были слишком уверены в своем превосходстве, а потому шагнули во тьму одновременно.

Примерно через полминуты Эльдар стал проявлять беспокойство.

— Рустам! Шамиль!

Ответа не последовало.

Анна задумалась. Как правильно вести себя сейчас? Забиться в истерике? Крикнуть: «Эльдар, уходим!», вцепиться в рукав и утащить в машину? Сыграть перепуганную курицу было бы самым правильным, вот только вряд ли Ахметов послушает. Эльдар не отступит, а терять лицо девушке не хотелось.

— Рустам!

Анна закурила. Огонек зажигалки на мгновение осветил тонкое лицо, полные губы, огромные глаза, словно вобравшие в себя всю чернильную чернь ночи. Спокойно выдохнула дым. Эльдар посмотрел на подругу с легким удивлением, но ничего не сказал, вернулся к изучению темного провала арки.

— Шамиль!

Анна не чувствовала опасности. Она просканировала местность, уловила остаточные следы поединка и запах масанской крови, поняла, что основная драка закончилась и охотники не горят желанием атаковать мирных челов. «Не успели навести морок и теперь соображают, как выйти из ситуации». Девушка едва не хихикнула.

— Оставайся здесь, — коротко приказал Эльдар.

У Ахметова не было оружия, но он шагнул в арку. Шагнул после того, как в ней сгинули двое вооруженных телохранителей. Он не мог поступить иначе. Дурь или гордость? Где грань между ними? Девять из десяти вызвали бы полицию, но Анна знала, что тогда бы ее здесь не было: заурядные мужчины девушку не привлекали.

— Рустам! Шамиль!

Ахметов скрылся в тени, откуда почти сразу же донеслась неразборчивая фраза: то ли приказное ворчание, то ли повелительный хрип. Слов девушка не разобрала, зато увидела спину Эльдара — друг шагнул назад. Медленно и не столь решительно, как при входе в арку. Причина покладистости Ахметова выяснилась почти сразу: из темноты появился пистолет, дуло которого упиралось в лоб Эльдара, затем рука, а потом мужчина в черной одежде. Лицо незнакомец закрывал платком.

— Девушка, вы не будете кричать?

— Не буду, — пообещала Анна, стряхивая пепел на асфальт. — Вам отдать драгоценности?

Эльдар зарычал.

— Не надо, — качнул головой незнакомец, — я не грабитель. Просто хочу, чтобы мне не мешали.

— Что вы сделали с моими людьми? — Даже под дулом пистолета Ахметов с трудом сдерживал гнев.

— Они живы, — скупо ответил незнакомец. — Кстати, хорошо, что напомнили: пожалуйста, перенесите своих громил в машину. Я этим заниматься не буду. — Мужчина отнял пистолет от головы Эльдара и встал рядом с Анной. — Только без глупостей: одно неверное движение, и я пристрелю вашу подружку.

Ахметов угрюмо кивнул и шагнул к арке.

— Кстати, я забрал у телохранителей оружие.

Анна докурила сигарету и бросила ее в урну.

— Вы в облаве?

Несмотря на платок, девушка легко узнала Захара Треми.

— Саббат ловим.

Эльдар, переносящий к машине второго телохранителя, не слышал тихий разговор.

— Увлеклись?

Захар удивленно посмотрел на нахальную ведьму, но промолчал и повернулся к подошедшему Ахметову:

— Уезжайте немедленно. Вот пистолеты, патроны я забрал, не обессудьте.

Эльдар сел за руль, завел двигатель, дождался, когда Анна опустится на соседнее сиденье, и надавил на газ. «Мерседес» пулей пролетел по улице, но перед самым Бульварным Ахметов резко затормозил и, не глядя на девушку, попросил:

— Дай закурить.

Анна дотронулась рукой до подбородка Эльдара, заставила повернуть голову, посмотрела в черные глаза и серьезно сказала:

— Я тобой горжусь.

Пару мгновений он пытался уловить в ее голосе издевку. Не нашел. Расслабился. И недовольно буркнул:

— Я никому не помог.

— Ты не испугался, а это главное.

На заднем сиденье сопели не пришедшие в себя телохранители. Мимо проехал белый фургон интернет-магазина «PRODAM.RU». Эльдар и Анна целовались.

* * *

Муниципальный жилой дом.
Москва, Лялин переулок, 3 ноября, среда, 08.08

Ночью ударил мороз. Без снега. Холод лишь попробовал город на вкус, остудил подъезды, подернул лужи дымкой ломкого льда, покусал неподготовившихся людей. И ушел. Как уходят передовые отряды, разведавшие подступы к крепости, — ненадолго, с уверенным обещанием скоро вернуться.

Анна сделала большой глоток обжигающе горячего кофе, с наслаждением втянула в себя зябкий утренний воздух, прозрачный и ледяной, и посмотрела вниз, во двор, где спешили к машинам люди. Новый день, новые заботы, новые планы, новые мечты. Ночь — это уже вчера. Анна снова поднесла к губам кружку.

«Кстати, о вчера... Понял ли Эльдар или кто-нибудь из его телохранителей, что произошло в арке? Будем надеяться, что нет. — Девушка раскурила сигарету и с улыбкой покачала головой: — Нет, не так: естественно, нет! Захар Треми никогда не позволит случайным свидетелям увидеть больше положенного. Эльдар уверен, что столкнулся с преступниками или стал невольным свидетелем тайной полицейской операции. Но он не сомневается, что видел обычных людей. — Анна сделала глубокую затяжку. — Копать Ахметов не будет, он не дурак, а значит, не следует напоминать о вчерашнем».

Легкий порыв морозного ветра забежал под тонкое кимоно, скользнул по бедрам, потянулся выше, к груди. И одновременно с соседнего балкона послышалось негромкое покашливание.

— Доброе утро, Анна.

— Доброе утро, Петр Анатольевич.

— Вы прекрасно выглядите.

— Спасибо.

Они встречались каждое утро: моложавый мужчина, обремененный семьей и высокооплачиваемой работой, и красивая черноволосая девушка в легкомысленном наряде. Анна прекрасно понимала, что нравится Петру Анатольевичу, не имела ничего против мужчин в возрасте, но держала соседа на расстоянии, ибо интрижка была чревата крупным скандалом — о властном характере супруги Петра Анатольевича окружающие слагали легенды, а девушке не хотелось уезжать из хорошего дома в центре Москвы.

— Печально думать, что скоро наши утренние встречи прекратятся, — вздохнул мужчина. — Наступит зима, снег, морозы.

— И до весны мы будем видеться только на лестничной площадке...

— Самым случайным образом, — с грустью вздохнул Петр Анатольевич. — И я не буду знать, увижу вас или нет.

Он не в первый раз заводил этот печальный разговор, неуклюже пытаясь сделать Анне недвусмысленное предложение насчет встреч предстоящей зимой. Но, как понимала девушка, всякий раз перед глазами моложавого соседа вставал образ любимой женушки, и пылкие слова увязали в районе гланд, как поляки в известных болотах.

— И я...

— Анна!

Девушка бросила сигарету вниз и повернулась к балконной двери:

— Извините, Петр Анатольевич, меня зовут.

— До завтра, — кисло ответил сосед.

Анна вернулась в спальню, медленно подошла к кровати, присела и провела рукой по груди проснувшегося Эльдара.

— Доброе утро.

— Доброе утро. — Он потянулся и поцеловал девушку в губы. — С кем разговаривала?

— С соседом.

— Хм... — Ахметов приподнял брови и выразительно посмотрел на тоненькое белое кимоно. Призванное не скрывать, а демонстрировать, оно самым выгодным образом подчеркивало все достоинства великолепной фигуры Анны.

— Тебя что-то смущает?

— Мне не нравится, что он пялится на тебя.

— Но ведь он только пялится, — мягко сказала девушка, — ничего больше.

— Мне не нравится.

Анна нежно улыбнулась, склонилась к Эльдару — черные пряди защекотали грудь мужчины, внимательно посмотрела в глаза. Жест был нежный, доверчивый, податливый... Вот только ответила девушка совсем не так, как хотелось Ахметову.

— Эльдар, мы, кажется, не договаривались о праве собственности. Ты свободен, я свободна. Разве не так?

Ахметов недовольно сжал губы в тонкую линию. Но промолчал.

Анна хорошо относилась к Эльдару, но не собиралась становиться его игрушкой. Примерно раз в месяц Ахметов, как и любой нормальный мужчина, забывался и пытался навязать женщине условия. Девушка относилась к этим вспышкам философски и никогда не жалела пары минут своего драгоценного времени, чтобы привести любовника в чувство.

— Нам хорошо вместе, но мы ничего друг другу не обещали. Поэтому ты больше не будешь говорить со мной таким тоном и не будешь выставлять претензии. Тем более — глупые.

В какой-то миг Анне показалось, что Эльдар ее ударит. Девушка прекрасно изучила горячий нрав друга и не удивилась бы такому развитию событий. Но Ахметов сдержался. Он, в свою очередь, прекрасно понимал, что такой поступок навсегда прекратит их взаимоотношения.

Эльдар дотянулся до прикроватной тумбочки, вытащил из пачки сигарету, раскурил, глубоко затянулся и, потянувшись за пепельницей, произнес:

— Мне все равно не нравится, что ты вертишься на балконе почти голая.

В голосе Ахметова прозвучали извиняющиеся нотки.

— Я его дразню, — улыбнулась Анна.

— И меня.

— И тебя.

Анна легла на спину, подложила под голову руки и задумчиво посмотрела на отражение в зеркале на потолке. Тонкая ткань кимоно соскользнула, открывая взгляду Эльдара стройные ноги девушки.

«Я не хочу ее терять! — Впервые эта мысль пришла в голову Ахметова столь отчетливо. — Я хочу, чтобы эта женщина всегда оставалась рядом со мной!»

Он медленно пустил пару дымных колец, задумчиво проследил за их разрушением, вновь поджал губы. Эльдар не знал, что делать.

Она не была содержанкой. Она сразу дала понять, что выбрала его не из-за денег и останется с ним до тех пор, пока сочтет нужным. Она сочтет нужным. Анна работала в крупной компании, хорошо зарабатывала и привыкла сама выбирать мужчин. Сначала Ахметов не был против условий. Ему льстила победа над столь изысканной женщиной, нравилось чувствовать восхищенные взгляды друзей и знакомых, нравилось наблюдать за атаками записных донжуанов и видеть их разочарованные лица. За последние четыре месяца Эльдар ни разу не изменил Анне. Он уже не мог представить себя без нее.

И не мог представить себя с ней.

Потому что семья Ахметова придерживалась старых традиций, и родители даже в шутку не станут рассматривать возможность подобного альянса.

Понимала ли это Анна? Наверняка. Может быть, поэтому она держала Эльдара на расстоянии, не позволяла себе чересчур увлекаться? Может, поэтому подчеркивала свою независимость? Ахметов не был уверен ни в чем, кроме одного: он влип. Нельзя уйти, нельзя остаться, но при мысли о том, что Анну будет обнимать кто-то другой, у Эльдара сводило от бешенства скулы.

— В воскресенье прилетает отец.

— Надолго?

— До вторника.

— Значит, мы не увидимся целых три дня. — Девушка поднялась с кровати. — Я сварю кофе.

И вышла из спальни.

Эльдар не сразу понял, что имела в виду Анна. А когда понял, изо всех сил ударил кулаком по подушке.

* * *

Южный Форт, штаб-квартира
семьи Красные Шапки.
Москва, Бутово, 3 ноября, среда, 18:33

Резиденция Красных Шапок, по общему мнению — самой дикой семьи Тайного Города, исторически располагалась довольно далеко от центра, в тихом Бутове, в большой московской квартире. Много лет назад, когда городские власти приняли решение превратить окраину столицы в густонаселенный район, Великие Дома забеспокоились: близкое соседство дикарей и непредсказуемых челов могло привести к самым неожиданным результатам. Звучали даже предложения о переселении Красных Шапок, но дикари отбились, уговорили лидеров Тайного Города не нарушать традиций, поклялись, что будут вести себя максимально тихо, и — редчайший случай! — сдержали слово. Внутри Форта и за пределами Бутова Красные Шапки вели себя в привычном ключе, а на территории района — тише воды, ниже травы. И местные жители даже представить не могли, что порой творится за толстыми стенами аляповатого кирпичного здания, возвышающегося неподалеку от МКАД.

— Шулер, мля!

— Да кто, в натуре, шулер?!

— Ты шулер, мля!! Ты у меня все деньги выиграл!!

— А не умеешь играть — не садись! Тут тебе, в натуре, не шахматы!

— Я те ща сяду!! Я те так сяду, что ты у меня забудешь, как Спящего зовут!

Подобные ссоры не были для кабака «Средство от перхоти» чем-то необычным, наоборот, служили обязательным фоном — атмосфера вечной оргии требовала выхода отрицательной энергии, и драки в заведении вспыхивали с дивной регулярностью. Тем более — в самом дальнем углу, который по давным-давно заведенному порядку оккупировали любители азартных игр. Любители сики, если точнее, ибо ни во что другое Красные Шапки между собой не играли: разночтение сложных правил частенько приводило к тому, что партия, даже не начавшись, заканчивалась поножовщиной. Сика же дело другое. Ее правила каждый дикарь знал с детства, неоднократно применял на практике, а посему среднестатистическая игра длилась довольно долго и драка начиналась не скоро. Только когда один из проигравших начинал выяснять отношения.

На этот раз ссора вспыхнула в компании трех уйбуев: Оглобли Гнилича, Булыжника Дурича и Копыто Шибзича, до поры мирно шлепавших засаленными картами по грязной, покрытой подозрительными лужицами столешнице. Примерно час от их столика доносились исключительно счастливые/несчастливые (нужное подчеркнуть) вопли болельщиков и счастливые/несчастливые (нужное подчеркнуть) выкрики самих игроков. Но по мере того, как содержимое бумажников перекочевывало к победителю, атмосфера накалялась, и Оглобля, продувший все сбережения десятки, не сдержался:

— Ты... ты... ты...

— Ну, чо, ослабло у тебя? Забыл, что сказать хотел? — с издевкой осведомился Шибзич.

— Ты шулер, Копыто! — собрался с духом Оглобля. — Ты!

И его указательный палец с обгрызенным ногтем исполнил свое основное предназначение: указал. Но смутить Шибзича было не таким простым делом, как рассчитывал Оглобля.

— Докажи! — предложил Копыто, мудро переводя зарождающийся скандал в плоскость дискуссии.

— Чо доказывать, если ты у нас в карты выиграл?! — удивился Гнилич.

Скопившиеся вокруг зрители одобрительно заворчали: ситуация действительно не требовала особых подтверждений. Часть наблюдателей уже мечтательно прикидывала, как будет потрошить карманы мертвого Копыто, но...

— А где написано, что выигрывают только шулеры?

Удар пришелся ниже пояса — ничего такого Оглобля действительно не читал. Собственно, он вообще ничего не читал, кроме названий кабаков и показаний спидометра, а потому заткнулся, сраженный талантливой репликой оппонента. Гнилич почти сдался, но неожиданно ему на помощь пришел Булыжник.

— Тогда почему я тоже проиграл?

В отличие от простоватого Оглобли, Булыжник играл куда осторожнее и сумел спасти хотя бы часть денег. Но горечь утраты терзала его не меньше, чем бестолкового Гнилича. Не ожидавший столь острого вопроса Копыто замялся, и Дурич развил атаку:

— Почему ты один выиграл? Я тоже хочу!

— Надо было учиться играть! — нашелся Копыто.

— Тебя не про школу спрашивают, а про деньги! — заорал ободренный поддержкой Оглобля. — Нам по фигу, где ты на шулера учился! Тока нас разводить не надо, понял?!

— Ты такой тупой, что тебя даже разводить не надо — сам деньги принес!

Ошалевший от огорчения и взбешенный оскорблениями Оглобля потянулся за оружием. Его десятка, до поры лишь мрачно переживавшая проигрыш общественных фондов, сплотилась, весьма неодобрительно поглядывая на Копыто. Впрочем, бойцы Шибзича, окрыленные выигрышем вожака, приготовились защищать добычу.

— Не фига здеся ятаганами размахивать!

— А ты чо молчишь? — Перспектива драки десять на десять Оглоблю не устраивала, и он злобно посмотрел на второго страдальца. — Чо он нас за лохов держит, а? Дурич, тебе не обидно?

Булыжник задумался. С одной стороны, безумно жаль проигранных денег, с другой — Копыто считался самым верным псом одноглазого Кувалды Шибзича, и ссора с ним, а тем паче — смертоубийство могли навлечь на десятку гнев великого фюрера. Да и повода для скандала не было: за руку Копыто никто не ловил. Дурич колебался и, затягивая время, обратился к стаканчику виски.

— Таким жуликам надо ухи отрезать!

— Канделябром!

— У нас, между прочим, тоже ружья есть!

— Ты со своим прикладом не суйся, мля!

— Ща я тебе суну!

— Контейнер, дай ему в ухо!

— А чо, типа, сразу Контейнер?

— Ты чо, Контейнер? Кто твой уйбуй, в натуре?

— Дык я просто не понял, типа, что надо в ухо! Ща дам!

— Я те дам!

— Помалкивай, урод, подставляй ухо!!

— Пацаны, вы чо смотрите?! Мочите Копыто!

Булыжник, не отрываясь от стакана виски, заинтересованно озирался. Бойцы его десятки, видя осторожность шефа, помалкивали. Но Копыто понимал, что нейтралитет Дурича временный, стоит тому решить, что можно принять сторону Оглобли, и все, пиши пропало, против двух десяток не устоять. Для спасения жизни требовался стратегический ход, и в тот самый момент, когда Булыжник уже хотел заняться силовым возвращением бездарно проигранной наличности, решение было найдено: Копыто заметил висящий на грязной стене портрет великого фюрера.

— Шибзичей мочить вздумал? — заверещал уйбуй, протягивая руку к спасительному изображению вождя. — Может, тебе и фюрер наш не нравится?!

Перевод скандала в политическую плоскость вызвал в стане противника смятение. Оглобля притих, его бойцы подались назад, а поперхнувшийся Булыжник принялся думать о том, что не так уж много денег потеряно.

Ссора сошла на нет. Великий Кувалда охотно уничтожал всех, кто не проявлял достаточного обожания, и малейшего подозрения в нелояльности было достаточно, чтобы оказаться на виселице. Этим и воспользовался хитрый Шибзич.

— Может, ты шпион какой, мля? — продолжал надрываться Копыто, таращась на не знающего, куда деваться, Гнилича. — Или террорист?!

— Бен Лабух, — авторитетно добавил начитанный боец Иголка.

— Может, ты нашего любимого фюрера отравить хочешь?

— Я нашего любимого великого фюрера очень люблю, — поспешил заявить Оглобля. — Все знают, что среди Гниличей я больше всех нашего любимого великого фюрера люблю. Я даже голосовал за него на прошлых выборах. Потому что люблю.

Булыжник проглотил виски, торопливо рыгнул и не остался в стороне:

— Я тоже фюрера люблю.

— И после этого вы, в натуре, говорите, что я шулер? — продолжал наседать Копыто.

— Мы про нашего любимого фюрера ничего такого не говорили.

Проигравшие окончательно запутались в выстраиваемых Шибзичем логических цепочках. Единственное, что поняли Оглобля и Булыжник: обвиняя Копыто в шулерстве, они каким-то образом оскорбляют великого фюрера...

— Идите, мля, — высокомерно махнул рукой Копыто. — Идите, пока я не решил, что здесь заговор.

— Может, проведем расследование? — скандальному Иголке очень хотелось кого-нибудь убить.

— Никаких расследований, мля!

Копыто приложился к бутылке виски и нежно погладил распухший от наличных бумажник.

* * *

Цитадель, штаб-квартира
Великого Дома Навь.
Москва, Ленинградский проспект,
3 ноября, среда, 19.19

Комната для совещаний ничем не отличалась от сотен тысяч своих сестер, используемых с той же целью в разных уголках Земли. Длинный стол, за которым могло с легкостью уместиться не менее тридцати человек, простые стулья, компьютер, на одной из стен — огромный жидкокристаллический экран, рядом с ним — металлическая доска с разноцветными маркерами. Так что, если бы не хрустальный шар, установленный на позолоченной бронзовой треноге, комнату можно было легко спутать с аналогичным помещением Генерального штаба, например. Шар же, с помощью которого маги восстанавливали события гораздо точнее видеокамер, напоминал, что дело происходит в Цитадели, самой неприступной крепости Тайного Города, и за столом собрались отнюдь не человеские военные.

— Хочу отметить, господа, последняя ночь нам определенно удалась. — Сантьяга, комиссар Темного Двора, внимательно оглядел собравшихся на совещание подчиненных. — Объединенными усилиями удалось обнаружить восемь масанов Саббат.

— Обнаружили девятерых, — поправил комиссара Захар Треми. — Но последнему удалось скрыться.

На совещание Захар, как и Сантьяга, явился в костюме человского покроя, правда, черном, а не светло-сером. И носил свой наряд масан с куда меньшим изяществом, что, впрочем, неудивительно — комиссар оттачивал элегантность веками.

— Да, последнему удалось скрыться, — кивнул Сантьяга. — Печальный факт.

Двое других участников совещания спорить не стали. Помимо Захара и комиссара, в комнате присутствовал Ортега, один из ближайших помощников Сантьяги, и Кортес. Шумные сборища комиссар устраивал в исключительных случаях, предпочитая обсуждать ситуацию с избранными: Ортега донесет принятые решения до гарок, Захар до масанов, Кортес до всех принимающих участие в операции наемников, в том числе — до людов и чудов. Чем меньше участников совещания, тем больше дела.

— Упустили вчера, поймаем сегодня, — буркнул Кортес.

— Кстати, насчет «поймаем», — молниеносно среагировал Сантьяга. — Мы так и не сумели взять хотя бы одного из мятежников живым. Следовательно, до сих пор не понимаем, чем вызвана атака на Тайный Город.

— Я думал, все ясно. — Треми удивленно поднял брови. — Два месяца назад мы провели большой «поход очищения» в Лос-Анджелесе. После столь шумных событий всегда следует ответная реакция. Они огрызаются.

Сантьяга внимательно посмотрел на епископа, чуть кивнул и, поднявшись на ноги, медленно прошел вдоль стола:

— Тем не менее мне хотелось бы узнать, что об этом думают сами масаны. По оценкам «ласвегасов», в городе до сих пор скрываются не менее четырех старых бойцов

Робене. И я настоятельно прошу взять живым хотя бы одного из них.

— Всего четверо? — удивился Кортес.

— Да, — кивнул комиссар. — «Ласвегасы» считают, что молодняк мы уже... — Сантьяга покосился на Захара и решил сгладить углы: — ...что проблему молодых кадров мы уже решили и осталось урегулировать вопрос с их командирами.

«Ласвегасы», личные аналитики комиссара, ошибались редко.

— Завтра в городе должно быть тихо.

— Будет, — усмехнулся Ортега. — Теперь мятежники года три в Москве не покажутся.

Захар и Кортес согласно кивнули: как показывал опыт, огрызнувшись коротким выпадом, масаны надолго оставляли в покое обитателей Тайного Города.

— Не покажутся, — задумчиво повторил Сантьяга.

* * *

Вилла Луна.
Италия, пригород Рима,
3 ноября, среда, 20.05 (время местное)

Саббат и Камарилла. Две отчаянно враждующие половины семьи Масан.

«Вольные охотники, отстаивающие свое право делать все, что сочтут нужным, и послушные рабы, принявшие унизительные Догмы Покорности». Так пытались представить причину разногласий масаны Саббат.

«Где границы вседозволенности? Что сильнее: инстинкт или разум? Убивая без оглядки, ты превращаешься в тупое животное, ставящее под угрозу существование всей семьи». Сторонники Камарилла взывали к здравому смыслу.

Когда-то Александр Бруджа искренне верил в идеалы Саббат, искренне презирал ушедших в Тайный Город трусов и с удовольствием пил их кровь. Нельзя сказать, что он сильно изменился с тех пор, но определенная переоценка давних событий произошла. Это нормально для тех, кому удалось прожить достаточно долго, чтобы увидеть, к чему привели те или иные действия; для тех, у кого в достатке мужества беспристрастно взглянуть на себя и на свое прошлое. Это нормально для умных. Если ты все делал правильно, переоценка будет минимальной, небольшая поправка на возраст и уменьшение огня в крови. Если же была допущена ошибка, то...

Жизнеспособность любой идеи проверяется в мирное время. ТОЛЬКО в мирное время. На войне все понятно: инстинкт самосохранения не позволяет сомневаться, под каким бы флагом ты ни воевал. На войне надо драться. В мирное время надо жить, и вот тогда-то начинают всплывать недостатки идеологии. «Походы очищения», периодически предпринимаемые Темным Двором против наиболее распоясавшихся мятежных кланов, трудно назвать полноценной войной, а посему получается, что вот уже несколько сотен лет Камарилла и Саббат живут в относительном мире, и барону не очень нравилось то, что он наблюдал. Не признавая властные структуры и превознося личную свободу, масаны Саббат все равно были вынуждены сбиваться в стаи, власть в которых захватывали наиболее сильные и наглые. Александр же искренне полагал, что править должны умные. Кроме того, пропагандируя презрение к челам, считая их не более чем *пищей*, охотники забывали о высокой организованности человского общества и не единожды ставили под удар своих братьев.

В отличие от остальных вождей Саббат, Бруджа не боялся сказать себе, что его идеи оказались хороши только для войны. Что они плохо работают, когда не пахнет порохом, что пройдет еще триста лет, и Саббат окончательно прекратит свое существование как секта. Барон видел, что подвел тех, кто когда-то доверился ему, и всеми силами старался изменить ход событий. Шкатулка же — Александр искренне в это верил — могла помочь. Собственно, она была создана для того, чтобы помочь ему реализовать грандиозный, давно задуманный план объединения семьи. Барон мечтал собрать под свои знамена всех вампиров Земли, встряхнуть мир и на равных сыграть с Тайным Городом. Двести лет назад Бруджа уже стоял в шаге от своей мечты, хитростью и силой добился многих побед, но... потерял шкатулку. Он попытался действовать без нее, но цепь неудач свела на нет все его усилия, замысел рассыпался, как карточный домик. Шкатулка, невосстановимая шкатулка, была необходимым звеном планов, важнейшей деталью, и именно поэтому Александр решил сам отправиться в Москву — доверить операцию по возвращению артефакта постороннему Бруджа не мог. Каким бы преданным ни был слуга, узнав, что скрывается в шкатулке, он оставит артефакт себе.

— Если бы соплеменники знали о моей шкатулке, то назвали бы ее еще одним Амулетом Крови, — пробормотал барон. — Вот только кто им позволит узнать...

Ярко-красные губы разошлись в усмешке, но Александр тут же согнал ее — предстояло серьезное дело.

Бруджа находился в одном из тех подземных помещений виллы, в которые посторонним запрещалось входить под страхом смерти. В своем святилище. Он сидел за огромным столом, положив обнаженные руки ладонями вверх. Он уже прочитал заклинание и теперь ждал, когда аркан заработает, когда начнется удивительная церемония, до сих пор вызывающая благоговейный трепет в его зачерствелой душе. По опыту Александр знал, что ожидание может продлиться и десять минут, и четыре часа, а потому сидел молча, стараясь полностью сосредоточиться на предстоящем действе, но мысли постоянно сбивались на шкатулку.

«Не думать о шкатулке! После!»

У стены, ярдах в шести от барона, возвышался деревянный крест, на котором, в духе римской традиции, был распят обнаженный масан. Но не прибит гвоздями, а привязан заговоренной веревкой, полностью исключающей возможность освобождения. Высота подземного зала была достаточно большой, так что пятки масана находились примерно в двух ярдах от пола.

Распятый улыбался.

Между ним и бароном расположилась Бледная хризантема, удивительно красивое чудовище, заботливо выращенное Александром из семечка Алого Безумия. Крупный бутон — в нем можно было с легкостью спрятать человского младенца — еще спал, и Бруджа с нетерпением ожидал раскрытия. И даже чуть дрожал от возбуждения. И от предвкушения.

А распятый улыбался.

Головоломный процесс наполнения рубина силой занимал не один день. Первыми в подвале барона умирали семь челов, отобранных по специальной формуле, учитывающей особенности крови, наследственности, места и времени рождения. Семь дней их кормили специально приготовленной пищей, поили особой смесью вина и крови, а затем приводили на Рудный алтарь и отдавали масану в тщательно вычисленной последовательности, сопровождая процесс сложнейшими ритуалами. Но как бы ни был голоден вампир, он не способен *высушить* за один присест семь челов, поэтому масана тоже готовили особо: специальный обряд превращал его в охваченного постоянной Жаждой идиота, готового пить кровь непрерывно, совершенно не задумываясь о последствиях. После того как седьмой чел был *высушен* до последней капли, Александр помещал осоловевшего, похожего на бурдюк масана на крест и проводил последнюю часть церемонии.

На этот раз ожидание ограничилось двадцатью минутами.

Бутон стремительно раскрылся. Бледно-розовые лепестки разошлись, превратившись в восхитительный цветок, в сердце которого пылал крупный рубин. В нос ударил терпкий запах, и Бруджа сжал кулаки, напрягся, заставляя вздуться вены на руках. «Сейчас...» Первое щупальце вонзилось распятому масану в шею, следующее в живот, а потом к жертве устремился целый поток гибких тонких стеблей, и Александр отвернулся, сосредоточившись на тех двух щупальцах, что медленно приближались к его рукам. «Сейчас...» Острые иглы вонзились в вены, их сок огненным ручейком побежал к сердцу, и в груди барона расцвел еще один цветок, вспыхнул еще один рубин.

— Да! — Бруджа никогда не мог сдержать крик.

Дивная энергия Алого Безумия наполняла тело, разрывала на части, делала его великим. Он давно уже не пил кровь, не *высушивал* добычу, не наслаждался поглощаемой жизнью. Он давно уже должен был умереть, но сила Алого Безумия вела барона вперед.

— Да!!

И наливалась жертвенной кровью Бледная хризантема, и тонкие, пастельных тонов лепестки становились бархатистыми, бордовыми, напоминающими знаменитые розы Малкавиан.

И пылал в ее сердце рубин, жадно впитывающий в себя суть магии Крови.

И визжал на кресте безумец.

Жан-Жак нашел Александра в каминном зале, ставшем в последний месяц излюбленным местом пребывания барона. С тех пор как в доме появился русский чел, Бруджа проводил в этой комнате гораздо больше времени, чем где бы то ни было. В ней он вел совещания, работал с бумагами — бизнес требовал внимания, — а оставшись один, пил тяжелое красное вино, валялся на диване и смотрел на постоянно горящий в камине огонь. Но если некоторых членов клана поведение вожака удивляло, то Жан-Жак прекрасно знал, что хозяин не хандрит и не впал в депрессию — он думает, просчитывает варианты, разрабатывает планы. Подобные приступы всегда заканчивались неожиданными решениями или дерзкими операциями, призванными увеличить влияние Бруджа среди Саббат, укрепить власть барона.

На этот раз Александр находился в комнате не один. Едва открыв дверь, Жан-Жак увидел стоящую у камина Клаудию. Как обычно, вызывающий макияж: темно-синяя помада скрывает истинный цвет тонких губ, а огромные глаза кажутся еще больше из-за длинных, отнюдь не накладных ресниц, тоже темно-синих. Манерная поза —

хрупкая девушка куталась в шаль, делая вид, что ей холодно. Прямые черные волосы стрижены «под мальчика». Тихий голос — слуга едва расслышал, о чем Клаудия говорила Александру.

— Впереди много тьмы, много непонятного и пугающего, но главный вывод остался прежним: предприятие будет успешным. Многое не сложится, многое придется менять на ходу, но общий прогноз благоприятный... — Девушка помолчала. — Как ни странно.

Помимо того, что манерная Клаудия была дочерью барона, она являлась лучшей предсказательницей клана, и Бруджа очень серьезно относился к ее словам.

— Ты нервничаешь.

— Я устала. Смотреть в будущее Тайного Города сложно: маги Великих Домов сильны, предсказывать их действия трудно.

— Так было всегда, — мягко прошелестел голос барона. — Но сейчас ты взволнована. Отчего?

Клаудия плотнее закуталась в шаль, зябко повела тоненьким плечом, отвернулась.

— Я должна отправиться с тобой.

Барону пришлось взять дочь за локоть, чтобы заставить ее посмотреть в свою сторону.

— Что ты увидела?

— Не при слугах, Александр, не при слугах.

Голос Клаудии прозвучал с усталой высокомерностью. Бруджа поморщился. Жан-Жак остался невозмутим. Он медленно подошел к хозяину и бесстрастно сообщил:

— Самолет готов, барон. Мы должны выехать в аэропорт через час.

Несколько мгновений Бруджа смотрел на слугу, а затем, когда смысл сказанного дошел до его занятого другими мыслями мозга, кивнул:

— На Москву, мой друг, на Москву! — На груди сверкнул кровавым пятном камень. — Жан-Жак, вы чувствуете себя Наполеоном?

— Правильнее было бы сказать — одним из маршалов Наполеона, — склонил голову слуга.

— Пусть так, — согласился Александр. — Чувствуете?

— Нет, барон.

— Вот и хорошо, — рассмеялся Бруджа. — Корсиканец плохо кончил.

И покосился на Клаудию. Девушка не сводила глаз с пылающего в камине огня.

* * *

Игорный дом «Два Короля».
Москва, улица Большая Каретная,
3 ноября, среда, 23.14

— Ты видел? «Пиковая дама»! — Крылов с гордостью продемонстрировал Эльдару старую книгу. — Знаешь, сколько стоит?

— Открываешь библиотеку?

— Очень смешно. — Никита бережно вернул раритет в шкаф. — Это, между прочим, прижизненное издание.

Ахметов подошел к бару и смешал себе коктейль.

— Кит, как и любой коллекционер, ты постепенно сходишь с ума. Зачем, скажи на милость, тебе Пушкин? Ты ведь собираешь только предметы, связанные с игрой...

— «Пиковая дама» воспевает игру, — заметила сидящая на диване Анна.

— Верно, — кивнул Крылов и подумал, что вряд ли хоть одна из его подружек читала Пушкина. — Кстати, у меня есть прижизненное издание «Игрока».

— Покажи! — Анна подошла к шкафу.

— Сумасшедшие! — Эльдар добродушно хмыкнул и повернулся к приоткрывшейся двери: — Да?

— К Никите Степановичу человек пришел, — доложил Даньшин.

— Кто?

— Мамоцких.

— Чего хочет?

— Проигрался.

— Это я понимаю, — рассмеялся Ахметов. — Чего он хочет?

— С Никитой Степановичем поговорить.

— Азартный игрок? — Анна посмотрела на Крылова.

— Азартный неудачник, — буркнул Никита. — Любой другой на его месте давно бы понял, что казино придумали не для таких, как он. А этот...

Крылов недоуменно пожал плечами.

— Не будь таких мамоцких, мы бы зарабатывали куда меньше, — продолжая смеяться, заметил Эльдар.

Никита кивнул Даньшину:

— Приведи.

— Мне уйти? — Анна вопросительно покосилась на Ахметова.

— Оставайся, — махнул рукой Эльдар. — Это весело.

— Скорее грустно, — поморщился Крылов. — В первый раз он взял у нас в кредит тридцать тысяч под залог машины. Хороший был «БМВ». Потом Мамоцких взял полторы сотни... двухкомнатная квартира на Якиманке. Сейчас Ефим живет на даче в Переделкине, от тестя осталась. — Никита посмотрел на компаньона. — Тебе не нужна дача в Переделкине?

— Большая?

— Сейчас узнаем.

— А сколько он уже должен?

— Двадцать тысяч.

— Начало большого пути, — хмыкнула Анна. — Дача, как я понимаю, стоит раз в десять дороже?

— Играть ему не переиграть. В смысле не выиграть.

— Мы его на улицу не выгоним, — весело пообещал Эльдар. — Купим однокомнатную квартирку где-нибудь в Жулебине. Нам проблемы не нужны.

— И часто такие наркоманы попадаются? — скривилась девушка.

— Бывают.

— Только долго не задерживаются.

— Профессиональные лузеры.

— Со знаком качества.

— Говорят, это излечимо.

— Я не верю.

— Я тоже.

Эльдар и Никита пожали друг другу руки и рассмеялись. Анна с улыбкой похлопала в ладоши:

— Я оценила вашу откровенность.

— Я люблю игру, я люблю играть, — неожиданно серьезно ответил Крылов. — Но я никому не позволю управлять собой. Настоящий игрок должен уметь останавливаться, должен чувствовать игру, ее дыхание, ее ритм. Мамоцких не игрок. Он слабак и неудачник.

— И поэтому ты жесток с ним?

— Не я, так другой. Он мог подсесть на любое московское казино. — Никита повернулся к дверям и широко развел руки: — Ефим, старина, давно не виделись!

— Я думал, ты нормально относишься к нашему бизнесу, — прошептал Эльдар, увлекая девушку к бару: не следовало находиться в поле зрения Мамоцких.

— Нормально я отношусь, — буркнула Анна. — Мне стало интересно.

— Что?

— Не что, а кто. Вы мне стали интересны, вы. Вы редко откровенничаете.

— Мы не звери, — медленно произнес Ахметов. — И к игорному столу мы за уши никого не тащим.

— Не оправдывайся. — Девушка поцеловала Эльдара в щеку. — Давай слушать.

— Никита, у меня большие перемены.

Ефим Мамоцких, худой и какой-то облезлый молодой человек лет тридцати семи, потрогал себя за унылый нос и пугливо посмотрел на Крылова влажными воловьими глазами. Одет он был в дешевый коричневый костюм, водолазку и полуботинки, на которых отметилась вся московская грязь, и принес довольно большой прямоугольный сверток, который пристроил под столом.

— Я решил, что достаточно погулял, пора начинать новую жизнь.

— Правильно, — одобрительно кивнул Крылов. — В твоем возрасте, Ефим, это важно. Ты можешь раскрыться! Да так раскрыться, что я буду гордиться знакомством с тобой.

— Я знаю.

— Я тоже.

— Меня на приличную работу зовут.

— Приятно слышать.

Крылов вежливо улыбнулся. Мамоцких нервно дернул правым глазом. Анна сделала маленький глоток вина. Эльдар невозмутимо раскурил сигарету. Пауза затягивалась.

— Никита, пойди навстречу, а? — умоляюще произнес Мамоцких. — Я ведь у тебя все оставил, все, что было! Ты ведь круто на мне заработал.

— Не настолько круто, чтобы прощать тебе двадцать тысяч, — спокойно ответил Крылов. — Ты ведь понимаешь, Ефим, что их надо вернуть. Это большие деньги... — В голосе послышался металл: — Ты когда сумму поднимешь?

— Не быстро. — Мамоцких еще больше опустил плечи, и казалось, что его нос вот-вот уткнется в стол.

— Тогда придется говорить о процентах, — пожал плечами Крылов. — Ты ведь взрослый мужчина, Ефим, ты понимаешь, что деньги требуют определенного отношения?

— Понимаю.

— Я тоже тебя понимаю, — проникновенно произнес Никита. — Ты решил изменить свою жизнь, начать все заново, небось девушку завел?

Мамоцких кивнул.

— Я всегда говорил, что у тебя все будет хорошо! Ты сильный мужчина, Ефим, ты твердо знаешь, что тебе надо. Ты смотришь вперед!

Как Анна ни старалась, она не услышала в голосе и не увидела в глазах Крылова намека на издевку. Никита говорил искренне и уверенно, спокойно обволакивая Мамоцких паутиной слов. Эльдар, понявший, о чем думает девушка, подмигнул и шепотом спросил: «Молодец, да?»

— Молодая жена, карьера, перспективы! Когда ты сможешь вернуть долг? Через месяц сможешь?

— Нет.

— Ладно, пусть не сможешь... — Крылов на мгновение задумался. — Только для тебя, Ефим, только для тебя: два месяца. Я просто не могу тебе не помочь. Я радуюсь за тебя, я хочу, чтобы у тебя все получилось, но бизнес есть бизнес. Плевать! Ради тебя, Ефим, я нарушу все правила. Два месяца. Я сказал.

— Но...

— И первые две недели никаких процентов! Ефим, я в тебя верю!

— А потом? — робко спросил Мамоцких. — Через две недели?

— А через две недели наш обычный процент. — Крылов вздохнул. — С меня ведь тоже спрашивают, Ефим. Я и так иду на большую жертву.

— Я вижу. — Мамоцких закусил губу: — Я не подниму такие деньги за два месяца. Да и за три не подниму.

Ну, об этом он мог Крылову не говорить: Никита прекрасно понимал положение Ефима. Какую бы перспективную работу он ни нашел, такие деньги за два месяца не заработать. И в долг ему не дадут — никто не станет связываться с игроком.

— С твоими-то мозгами? — удивился Крылов. — Ефим, не обижай меня, а то я решу, что общаюсь с кретином. Ты ведь умный мужик?

— Да.

— Вот видишь. Ты всегда найдешь выход из положения. — Никита вновь выдержал небольшую паузу: — Ты где сейчас живешь?

— На даче.

— Но ведь ты не повезешь туда молодую жену? Не по-мужски это. Надо гнездышко в столице свить. Квартиру, хотя бы двухкомнатную, с ремонтом и мебелью.

— Была у меня квартира, — угрюмо заметил Мамоцких.

— Согласись — здорово? — И эту фразу Никита произнес предельно серьезно, так, словно понятия не имел, что случилось с дорогой недвижимостью игрока. — Я вот что думаю: дача у тебя хорошая. Прямо скажем — классная дача. Сколько там квадратиков?

— Сто восемьдесят.

— И находится в приличном месте. Ты ее продай, Ефим, и купи для семьи квартиру в Москве. Если не зарываться и взять двухкомнатную в муниципальной новостройке, то и на ремонт денег хватит, и на обстановку, и долг вернуть. А я ради такого дела подожду. Месяц с тебя проценты брать не стану.

— Если не зарываться, то деньги даже останутся, — промямлил Мамоцких.

— Значит, и еще кое на что хватит, — прозрачно улыбнулся Никита.

Ефим непонимающе посмотрел на Крылова. Сообразил. Задрожал:

— Нет, с этим покончено.

— Да я что? Я так, поинтересоваться. Варианты излагаю. — В руке Крылова появилась золотая фишка. Никита с небрежной ловкостью пропустил ее через пальцы, на мгновение задержал кругляш перед глазами Мамоцких и положил на стол. — Ты сам должен все решить, Ефим. Ты ведь умный. Не хочешь дачу продавать — ищи деньги. Два месяца. Или меньше.

— Ты же говорил — два.

— А еще я говорил, что нарушаю все возможные правила, — напомнил Крылов.

— Да, ты говорил. — Мамоцких сглотнул. С огромным трудом отвел взгляд от лежащей на столе фишки, что-то прошептал себе под нос и тихо сказал: — Я хочу предложить тебе... В счет долга.

— Что предложить?

Ефим наклонился, поднял и водрузил на стол принесенный пакет, аккуратно развернул оберточную бумагу.

— На даче нашел. Лазил по чердаку и нашел. Давно там лежала. — Заинтересовавшись, Эльдар и Анна подошли ближе, но Мамоцких не обратил на них никакого внимания — он смотрел на Крылова: — Тебе понравится.

Ефим принес изящную палисандровую шкатулку, длиной около двадцати дюймов. Золотые уголки, аккуратный замочек и чеканный медальон на верхней крышке: веретено и клубок ниток.

— Что это? — Только Ахметов уловил раздражение в голосе Никиты.

Мамоцких молча открыл шкатулку. Две колоды карт на зеленом бархате.

— Подарочный набор? — разочарованно скривился Эльдар.

Что именно Ахметов ожидал увидеть в шкатулке, осталось неизвестным. Но вот один интересный момент он из-за своей несдержанности упустил: в тот самый миг, когда Ефим откинул крышку, Анна вздрогнула и удивленно распахнула глаза. Но тут же взяла себя в руки и кинула быстрый взгляд на Эльдара — тот ничего не заметил.

— Мой прадед изъял шкатулку у...

— Изъял? — Никита брезгливо скривился. — Скорее — отнял?

— Красная цена этому барахлу: пять сотен, — махнул рукой Ахметов. — В арбатских ларьках бывают наборы и получше.

— Карты и шкатулку изготовили в восемнадцатом веке, — насупился Мамоцких. — Это не современная подделка. Прадед изъял шкатулку у графа Сергея Чернышева. Она очень ценная.

— Неужели? — презрительно протянул Никита.

— Бабка рассказывала, что граф Чернышев обещал отвести прадеда к спрятанным фамильным сокровищам, обещал отдать все, если его отпустят с этими картами.

— Какой же ты идиот! — Аарон Мамоцких от души ткнул Сергея в зубы. — «Отдам фамильные драгоценности»? Да ты и так их мне выдашь, буржуйская морда. Сам выдашь!

Кулачок у комиссара был маленький и костлявый. И сам он был маленьким, щуплым, поминутно шмыгал вислым носом и облизывал губы. От призыва на Первую мировую гимназист Мамоцких спасся, прикинувшись дурачком, и с тех пор никак не мог избавиться от некоторых привычек, приобретенных во время кратковременного пребывания в сумасшедшем доме.

— Говори, сука, где камушки? Где золото спрятал?!

И снова тычки в зубы, удары по заплывшим глазам, по почкам. Аарон только примеривался к настоящим пыткам, разминался и с жалостью думал о том, что проклятый граф успел вывезти куда-то семью. Отдать бы его жену революционным матросам «на перевоспитание»! Да заставить смотреть, как втягивается женщина в тяжелое пролетарское учение. Не каждый дворянчик выдерживал подобное зрелище, случалось, с ума сходили, но чаще рассказывали откровенно о припрятанном добре, наивно полагая, что это избавит их от пыток. В гостиной Мамоцких видел большой, в рост, портрет стройной женщины с русыми волосами. Выяснил — графиня. Затрепетал. Начал мечтать, какие экзамены устроит красавице балтийская братва, и вдруг такое разочарование.

— Где золото, тварь?!

Силы особой в ударах не было, только злоба, бешеная злоба. Но Мамоцких не надо было быть сильным — товарищи надежно связали графа.

— Где золото?

Какой-нибудь час назад граф говорил с Аароном куда более вежливо, спокойно, даже шутил — в тот момент Сергей хотел договориться. Теперь же, почти потеряв надежду на благополучный исход, Чернышев лишь изредка цедил короткие фразы. И, несмотря на разорванную одежду и кровь на лице, граф умело демонстрировал Мамоцких презрительное высокомерие.

— Повторяю в последний раз, господин комиссар. Вы освободите меня, дадите одежду, немного денег, оружие и шкатулку. За это я расскажу вам, где клад. Ассигнаций и ценных бумаг там нет, только золото и драгоценности, примерно на полмиллиона рублей. Отпустите меня, и это будет ваше. — Чернышев помолчал. — Вам ведь это надо.

Еще как надо! При одном упоминании о кладе язык Аарона принимался судорожно елозить по губам — полмиллио-

на! Вот она — основа благополучия семейства Мамоцких. Но странное предложение графа не менее сильно возбудило интерес комиссара. Отдать все за одну-единственную шкатулку! За какие-то карты! И Аарон был полон решимости выяснить, в чем тут дело.

— И про шкатулку ты мне расскажешь, графская морда. Все расскажешь.

— Нет, — презрительно усмехнулся Чернышев. — Не расскажу.

— Расскажешь, — усмехнулся Мамоцких. — Когда я тебя к коням привяжу — все расскажешь. Когда потроха твои вынимать стану — расскажешь. — Аарон начал потихоньку сбиваться на крик. — Все расскажешь, тварь! Сапоги мои лизать будешь! Я тебе, скотина, покажу черту оседлости!!

— Прадед так и не выяснил, чем знамениты эти карты, — негромко продолжил Ефим Мамоцких. — После Гражданской войны он наводил справки и узнал, что Чернышевых считали счастливчиками, баловнями судьбы. То есть не то чтобы им везло постоянно и во всем, но удача улыбалась этой семье чаще, чем остальным.

— Они много выигрывали в азартные игры? — с неприкрытой иронией осведомился Никита.

— Э-э... и в карты тоже. — Ефим почесал нос. — Им просто везло: удачные знакомства, благоприятные стечения обстоятельств. Прадед считал, что все дело в этой шкатулке.

— В этих картах? — уточнил Крылов.

— Да, в этих картах. Прадед пытался найти ключ, но безуспешно.

— А ты? — быстро спросил Никита.

— Что я? — не понял Мамоцких.

— Ты не пробовал найти ключ?

Анна внимательно посмотрела на Крылова.

— Нет.

— Почему?

Ефим молчал почти полминуты, затем опустил голову. Руки его дрожали.

— Я...

— Потому что нет никакого ключа!! — взорвался Никита. — Потому что ты придумал все это дерьмо, чтобы я простил тебе двадцать штук долга!! Ты что думаешь, Мамоцких, если я коллекционер, мне можно лапшу на уши вешать? Да я тебе башку оторву, урод!

В сторону Ефима полетела дешевая пластиковая пепельница — Крылов специально держал ее под рукой как раз для таких случаев. Мамоцких втянул голову в плечи.

— Ты за кого меня держишь? Ты думаешь, это смешно? А за пургу свою ответить не хочешь?!

Анна вопросительно посмотрела на Эльдара. Ахметов вздохнул, чуть улыбнулся и качнул головой: все в порядке. Никита был великолепным актером, и его внезапный приступ яростного гнева мог провести кого угодно, но только не старого друга. О страсти Крылова к коллекционированию слышали многие, ему частенько, в том числе в качестве уплаты долга, приносили различные талисманы, колоды всех сортов, а то и ломберные столики. Никита относился к подобным визитам с юмором, а на Мамоцких разорался по простой причине: надо убедить Ефима продавать дачу. Ничего личного. В глубине души — Эльдар знал это на сто один процент — Крылов оставался спокоен, как спящий носорог.

— Ты за идиота меня держишь? Ты кого поиметь решил? Ты о чем думал, когда сюда шел?!

Никита неожиданно вскочил с кресла, перегнулся через стол, схватил колоду из шкатулки и...

Эльдар ожидал, что карты полетят в лицо Мамоцких, но Крылов неожиданно замер. Остановил движение и несколько секунд простоял в неудобной позе, вызвав изумленные взгляды присутствующих. Впрочем, Анна только старалась казаться удивленной.

— Кит, ты чего? — не выдержал Эльдар.

Крылов невидяще посмотрел на друга, затем на зажатую в кулаке колоду. Медленно вернулся в кресло.

— Пиши расписку, Ефим.

Эльдар издал сдавленный звук: не то кашлянул, не то

подавил рвущееся наружу ругательство. Анна улыбнулась. Спокойно, словно ожидала подобной развязки. Не верящий своему счастью Мамоцких несмело поднял глаза:

— Что?

— Пиши расписку, Ефим, — повторил Никита, не сводя глаз с зажатой в руке колоды карт. — Я, Мамоцких Ефим Семенович, передаю в дар Крылову Никите Степановичу...

— Ты что, серьезно? — Эльдар подошел к компаньону.

Никита придвинул к себе шкатулку, бережно положил в нее колоду, на мгновение замер, глядя на карты, после чего кивнул:

— Абсолютно. — И снова посмотрел на Мамоцких. — Пиши, Ефим, пиши. Ты мне больше ничего не должен.

ГЛАВА 2

Санкт-Петербург, 1762 год

— Вижу, вас можно поздравить, граф? — розовощекий молодой человек, представившийся Петром Нечаевым, склонился в учтивом поклоне.

— Что вы имеете в виду? — не понял Сен-Жермен.

— Только то, что вижу.

— Ах, это... — Граф машинально опустил взгляд: под легким плащом виднелся мундир генерала русской армии. Вечером Сен-Жермен планировал быть на приеме у Дашковой и заранее облачился в парадную одежду. — Да, с этим меня можно поздравить.

И позволил себе легкую улыбку.

Они встретились на берегу залива, на неприметном каменистом мысе, продуваемом всеми балтийскими ветрами. Карета Сен-Жермена осталась у дороги, невидимой отсюда из-за рощи, а как добрался до мыса Нечаев, было непонятно: ни лошади, ни кареты не заметно.

— Блестящая карьера, граф. — Морской ветер уносил слова Петра с такой стремительностью, что Сен-Жермен

едва успевал услышать их. — Всего несколько месяцев в России — и уже генерал. Можно только позавидовать.

Сам Нечаев был одет в форму поручика Преображенского полка, но материал и шитье указывали, что жил юноша не только на офицерское жалованье.

— Вам ли завидовать, любезнейший Петр Андреевич? Вы молоды, у вас вся жизнь впереди.

— Но вряд ли я смогу оказать императрице услуги, равные вашим, граф.

Сен-Жермен прищурился.

Он ожидал любого развития разговора, кроме этого. Какое отношение имеет политика к их встрече? При чем здесь она? К тому же роль графа в возведении на престол Екатерины тщательно скрывалась, о его помощи знали только самые близкие к императрице люди, самые верные. Таинственность принесла плоды: не появилось даже слухов, даже домыслов о возможном участии Сен-Жермена в перевороте, и вот на тебе — мальчишка, щенок безусый, знает и намекает на наисекретнейшее дело с уверенностью невозможной.

— Меня привечают при многих европейских дворах, — медленно ответил граф. Если Нечаев хочет поговорить о политике — пожалуйста, послушаем. Но на душе стало горько: не за этим, ох! совсем не за этим мчался Сен-Жермен на каменный мыс.

— В просвещенных странах ценят неординарных людей, способных оказать неординарные услуги. Говорят, вы зрите грядущее?

— Пытаюсь, — кивнул граф.

— Видели, чем закончится наш разговор?

Искренний интерес в голосе. И внимательный, открытый взгляд.

— Не видел, — буркнул Сен-Жермен. — Вы не дали мне времени.

Письмо нарочно доставили так, что граф едва успел к мысу.

— Сколько же времени вам нужно? Час? Неделя? Вся

жизнь? Но ведь мечтаете вы не о том, не так ли? Вы ищете, как управлять грядущим. Что за радость просто зреть?

Сен-Жермен отшатнулся. «Щенок читает мысли?»

И кольнуло в груди — в Московии много тайн.

Теперь граф был уверен, что не зря поторопился на мыс, не зря поверил письму.

Много тайн в Московии. Много следов затерялось на диких ее просторах, ответы на многие загадки спрятались здесь. За тайнами и приехал Сен-Жермен, за секретами, за истиной, за знаниями, которые искали европейские мистики. Идеи Просвещения подарили мыслящим людям некоторую свободу, позволили открыто обратить свой взор на таинства природы, разрешили искать ответы не только в Библии. И пытливые умы потянулись в библиотеки, в университеты, принялись искать и... с горечью увидели, сколь малая часть знаний осталась в их распоряжении. Сколько всего потеряно безвозвратно. Безвозвратно? Многие пали духом, решили, что святая инквизиция погубила европейскую традицию, направили взор на таинственный Восток, но Сен-Жермен был убежден, что потеряно не все. Сопоставив обнаруженные в книгах недомолвки и намеки, обрывочные записи в хрониках и дневниках, граф сделал вывод, что искать следует не новые знания на Востоке, а старые, традиционные, в дикой Московии. В Российской империи, если быть точным, ибо после правления Петра Великого никто в Европе не рисковал называть славянскую державу как-нибудь иначе.

Но как прознать тайны государства? Свести тесное знакомство с первыми лицами его, а если повезет — с самим самодержавным властелином, и двери тогда откроются, и не будет преград в познании сокрытого. Сен-Жермену повезло, благоволящая судьба позволила ему принять участие в перевороте, заслужить покровительство Екатерины и уважение ее ближайших сподвижников. Упрочив положение при дворе, граф осторожно, ОЧЕНЬ осторожно, перешел к главной цели своего визита. И на первых порах убедился в правильности выбранного пути: императрица повелела подданным оказывать всякую помощь «дорогому дру-

гу», братья Орловы рьяно поддерживали любые его начинания, но... Но всего через пару месяцев отчаявшийся Сен-Жермен понял, чем привлекала Московия хранителей тайн — русские умели прятать. Покровительство новых властелинов ничего не принесло: те, кому древние князья повелели беречь сокровища, не спешили выдавать их молодой императрице и ее приятелю с репутацией авантюриста. Или «те» давно сгинули?

Сен-Жермен уже собрался в Париж, и тут...

— Что вы ищете в России, граф?

— Ответы.

— Какие?

— Я умен.

Нечаев отвесил вежливый поклон — он был согласен с этим утверждением.

— Я честолюбив. Я познал тайны алхимии. Я читал трактаты, за которые францисканцы отправляли на костер. Мне послушны камни. Но я чувствую, что способен на большее, что моя сила может поднять меня гораздо выше. Я чувствую, что живу наполовину.

— Вы познали некоторые тайны...

— А мне нужны все! — почти выкрикнул граф. Выкрикнул против своей воли. Не удержался. Слишком долго он шел к этому разговору. И ведь молодой поручик не спрашивал: «Почему вы решили, что в Московии есть какие-то тайны?» Нет! Он не отрицал, что Сен-Жермен прибыл по адресу, достиг своей цели. Граф дрожал.

— Мне нужны все тайны, — гораздо спокойнее повторил он.

— Для чего? — помолчав, осведомился Нечаев.

Сен-Жермен осекся, недовольно посмотрел на поручика, но сдержался. Пока сдержался. Пока.

Молокососу не уйти — два десятка гвардейцев ждут сигнала в соседней роще: если Нечаев не согласится помогать добровольно, ему придется ответить на вопросы графа на дыбе. Сен-Жермен провел в Московии слишком много времени и был полон решимости вцепиться в нащупанный след мертвой хваткой. Но сначала следует попробовать договориться по-хорошему.

— Для чего вам все тайны, граф?

— Чтобы стать тем, кем я должен стать.

— Блестяще, — после короткой паузы произнес молодой поручик. — Точнее не скажешь.

И хотя Нечаев был похож на учителя, получившего правильный ответ на экзамене, Сен-Жермен склонил голову — сейчас надо подыгрывать

— Но кем вы видите себя, граф? Завоевателем? Повелителем? Сокрушителем устоев или цитаделью порядка? Какой путь вам близок?

— Я узнаю тайны, а после решу.

— После может не получиться, — усмехнулся юноша. — Знания несут с собой ответственность, вдруг, открыв тайны, вы поймете, что мечты ваши — дым. Или недостойны вас. Или невозможны.

— Разве для меня останется что-то невозможное? — Сен-Жермен удивленно поднял брови.

— Останется, — уверенно бросил Нечаев. — Если вы ищете всемогущества, граф, то вам следует поискать в другом месте. А потом, когда поумнеете, вернуться. Мы будем ждать.

— Все-таки будете ждать? — саркастически полюбопытствовал Сен-Жермен.

— Будем, — подтвердил поручик. — Вы нам интересны, граф. Для чела у вас блестящие способности. И всех нас поразила ваша страсть к учебе, ваше маниакальное желание совершенствоваться, постигать новое. Не имея никаких возможностей, вы тем не менее сумели достичь высот невероятных...

— Хорошо, что вы это понимаете.

Теперь настала очередь Нечаева удивленно изогнуть бровь — ему не понравился самодовольный тон Сен-Жермена.

— Невероятных для вас, — уточнил поручик.

— Разумеется, — махнул рукой граф.

И получил небольшой урок, призванный вернуть его с небес на землю.

— Вы говорили, вам послушны камни? — припомнил Нечаев.

— Да.

— Гм... предположим. — Поручик извлек из кармана крупный рубин. — Обратите внимание на трещину.

Сен-Жермен внимательно рассматривал камень несколько минут, затем вернул его хозяину и, предвосхищая вопрос, произнес:

— За две недели я уберу трещину.

— Я не могу ждать так долго.

Нечаев положил рубин на ладонь, поднес к лицу, прошептал несколько слов, заставивших камень засиять, и в завершение легонько подул на него.

— Вот и все.

— Вы позволите?

Граф жадно схватил рубин и не сдержал удивленный вскрик — трещина исчезла. Он прекрасно разбирался в камнях, чтобы понять, что перед ним тот же самый рубин. А еще он прекрасно разбирался в фокусах, чтобы понять, что молодой русский не обманывает.

— И вы говорите, что я достиг невероятных успехов? — очень тихо спросил Сен-Жермен.

— Конечно, граф, — совершенно серьезно ответил Нечаев. — Вы, не зная и сотой части того, что доступно мне, не умея пользоваться своей силой, научились делать то же, что и я. Пусть вы тратите гораздо больше времени, но ведь у вас получается, черт возьми!

В его голосе звучало неподдельное уважение.

— Вы — Посвященный?

Нечаев ответил не сразу. Задумчиво посмотрел на свинцовые волны залива, на падающих за добычей чаек, на низкие тучи.

— Через два дня вы планировали отправиться в Париж. Езжайте через Ревель, там мы вас найдем и тайно переправим в Москву.

И очень тихо, после едва уловимой паузы:

— Вам будет открыто гораздо больше, чем мне.

* * *

Книжный магазин Генбека Хамзи.
Москва, улица Арбат, 4 ноября, четверг, 11.11

«Объект — Анна Курбатова.

Генетический статус — Чел.

Социальный статус — Практикующий маг.

Кредит — 5000.

Возможное превышение — 200%».

Последняя запись весьма показательна: если шасы согласны утроить предоставляемый кредит по первому требованию клиентки, следовательно, на ее счету лежит кругленькая сумма.

«Анна Курбатова...» Старый Генбек Хамзи, хозяин лучшего книжного магазина[1] Тайного Города, задумчиво перечитал появившуюся на мониторе информацию. Не так давно перебралась в Москву из Воронежа. Лицензия Великого Дома Людь в порядке, специализация — краткосрочные предсказания, владеет небольшой аналитической фирмой и кормится при ММВБ, впрочем, вокруг торговых площадок вертится немало магов средней руки.

На первый взгляд Анна не вызывала подозрений. Обычная история: прознала о Тайном Городе, вступила в контакт с Великими Домами, прошла обучение магии, стала неплохо зарабатывать, переехала в столицу. Но старый Генбек, до тех пор, пока не отошел от дел, заслуженно считался одним из величайших директоров в истории Торговой Гильдии — его чутью могли позавидовать лучшие таможенные собаки. «Кто выписал девушке карточку «Тиградком»? Ну, конечно, Темный Двор... — Хамзи выключил компьютер и почесал нос. — Десять к одному, что красавица работает на Сантьягу».

В этом случае Курбатовой следует оказать особое внимание.

---

[1] Открыт ежедневно, с 9.00 до 22.00 без перерыва на обед. Раритеты и современные работы. За отдельную плату предоставляется доступ к запрещенным изданиям.

— По правде говоря, Анна, если вас всерьез заинтересовали игровые артефакты, нужно обращаться к концам. Это их профиль.

Генбек присел за оккупированный девушкой столик и ласково провел рукой по корешкам выбранных ею книг: сборник научных статей «Тройка, семерка, туз. Некоторые особенности заклинаний девятнадцатого века», «Карточные артефакты. Настоящее и прошлое» Люция Чейза, «Необходимый прикуп. Теория вызова нужных карт» и даже иллюстрированная методичка Службы утилизации «Правила поведения в человских казино». С другой стороны стола возвышалась внушительная стопка еще не прочитанных томов. Электронных копий Хамзи не делал, заставляя клиентов приезжать на Арбат и вручную выискивать в книгах нужную информацию, не забывая собирать со страждущих знаний приличную почасовую оплату.

— Боюсь, вы правы, — вздохнула девушка.

— В моем собрании есть множество материалов по магии игр, но в библиотеке концов эти сведения классифицированы куда лучше.

Анна с трудом удержалась от язвительного замечания насчет того, что подобное предложение следовало бы сделать пару часов назад, а не сейчас, когда счет за пользование книгохранилищем существенно возрос. Но шас есть шас, надо принимать его таким, какой он есть, или не принимать вовсе.

— Если честно, мне не хочется общаться с концами. Тем более в пустынной библиотеке.

— Боитесь попасть под чары их семейной тайны?

— Вы читаете мысли.

В действительности же девушка не собиралась обращаться к любвеобильным толстякам по другой причине: кто знает, как отнесутся они к появлению старого артефакта? Возможно, купленный Крыловым карточный набор не стоил ни гроша и был изготовлен для местечковых ярмарок. Но вряд ли балаганная игрушка стала бы семейной реликвией графского рода.

В любом случае Анна не сомневалась, что набор является артефактом — она уловила идущий от него фон магической энергии и была полна решимости выяснить, что же именно попало в руки Никиты.

— Нашли что-нибудь интересное?

— Увы. — Девушка улыбнулась. Настроение у нее было не самое радостное, но сухонький старичок излучал такое дружелюбие, что не улыбнуться ему было невозможно. — Я перекопала часть рекомендованных вами книг, но...

— Может, мы неправильно ищем?

— Может быть, — согласилась Анна. — Опять намекаете, что мне надо ехать к концам?

— Мы еще не уверены, что в моем собрании нет нужной информации.

— Опять же, время идет, — не удержалась девушка.

— Но ведь вы хотите узнать о своем артефакте? — строго осведомился Хамзи.

— Хочу. Не люблю зря платить деньги.

— Редкое качество для женщины. — Теперь старик смотрел на девушку с гораздо большим дружелюбием. — Помнится, когда мой средний сын собрался обзавестись семьей, я сразу сказал ему, что жену следует подбирать хозяйственную...

«А разве среди шасов есть другие?» — подумала Анна.

— Женщинам только дай волю — разбазарят имущество на шубы какие-нибудь и не задумаются. Спасайся потом от кредиторов... — Генбек, видимо, вспомнив о чем-то, поджал губы. — Так вот, мой средний...

— Не послушался, — с улыбкой подхватила девушка. — И...

— Никаких «и», — отрезал Хамзи. — Женился, на ком я велел, и счастлив до безумия. Невестка у меня золото: домовитая, хозяйственная, бережливая, из хорошей семьи...

Анна помрачнела. Хамзи, чутко уловив, что клиентке не понравился ход разговора, быстро сменил тему:

— Давайте повторим еще раз, что мы ищем. Игровой

артефакт, изготовленный ориентировочно в девятнадцатом веке.

— Две колоды карт в деревянной шкатулке.

— Выложенной изнутри зеленым бархатом.

— Рубашки карт синие.

— Имени мастера, разумеется, нет?

— Вы уже спрашивали.

— А вдруг оно есть и вы неожиданно об этом вспомнили? Женщинам свойственно вспоминать важные подробности через некоторое время. Вот моя жена, к примеру, двадцать лет хранила в секретере какой-то клочок бумаги, перекладывала его с места на место и никак не могла понять, почему не выбрасывает. Что-то ей мешало... А в одно прекрасное утро она вспоминает, как снять скрывающее заклинание, и выясняет, что все это время хранила долговую расписку уважаемого Юрбека Томбы.

— Бедный Юрбек.

— Не такой уж и бедный... — Генбек улыбнулся. Воспоминания об удачных сделках всегда приводили шасов в хорошее настроение. — Проценты по той расписке набежали...

— Артефакт, — напомнила Анна.

— Да, артефакт. — Старик покосился на обложку верхней книги из стопки. «Шулеры-маги и шулеры. Сводный каталог за XIX век». Анна была несколько удивлена, обнаружив в списках пару поэтов из школьной программы. — Здесь тоже ничего?

— Ни одного упоминания о подобной шкатулке.

— Логично, — вздохнул Генбек. — С магическими картами не пойдешь в заведение концов. Да и вообще не станешь играть в Москве.

— Возможно, владелец артефакта не посещал игорные заведения? Использовал карты только в частных компаниях?

— Слухи бы все равно появились.

— М-да... задачка...

Коммерческое использование магии в играх не запрещалось, но Великие Дома рекомендовали пользоваться ею предельно осторожно: за карточным столом челы становятся подозрительными, и одной неосторожной фразы достаточно, чтобы нарушить режим секретности. К тому же опытному магу не нужны игровые артефакты, он и так может заглянуть в карты противника, узнать, что придет в прикупе, или смешать колоду в нужной последовательности.

— Как правило, игровые артефакты изготавливались не для магов. Или за деньги, или в качестве платы за услуги. И использовались они только за пределами Тайного Города.

— Разве это не противоречит режиму секретности?

— Наоборот! Служба утилизации иногда специально подбрасывает челам странные факты, чтобы искали там, где ничего нет. Игровые артефакты заряжают небольшим количеством энергии, так что через неделю или месяц везение игрока заканчивается.

— У моей шкатулки до сих пор наблюдается магический фон.

— Может, ее изготовили недавно и специально состарили? Вы разбираетесь в антиквариате?

Анна прищурилась.

— Нет, не думаю... Чел, который ее принес, не знает о Тайном Городе. К тому же медальон выглядел достаточно старым...

— Медальон?

— Разве я не говорила?

Девушка прочитала в глазах Хамзи несколько ярко выраженных шовинистических мыслей и покраснела.

— Я...

— Что за медальон?

— Старинный герб, на котором изображено веретено и клубок ниток. Генбек, поверьте, я...

И осеклась.

И поймала себя на мысли, что впервые видит шаса, раскрывшего от удивления рот.

* * *

Южный Форт, штаб-квартира
семьи Красные Шапки.
Москва, Бутово, 4 ноября, четверг, 11.12

— Паника тогда была страшная, мля... Страшнейшая! Зеленый Дом осажден, дружинники еле отбиваются. Чуды вконец озверели, концлагеря, в натуре, строят, за малолетними ведьмами по лесам гоняются...

— Педофилия, — со знанием дела поддакнул Иголка, довольно шустрый боец из десятки Копыто.

— Вот-вот, — не стал спорить уйбуй. — У этих педофилия, у этих крыша от страха съехала, а остальные не знают, за что хвататься. Морян в капусту покрошили, хваны на Алтай сбежали, наемники попрятались... Я тогда звоню Сантьяге и, в натуре, говорю: в городе шухер, мля, но ты не дергайся — северо-восток я прикрою, спи спокойно, мля.

Слушатели переглянулись, но промолчали.

— Короче, у Сантьяги гора с плеч свалилась. Такое обещать начал, смешно вспомнить. — Уйбуй потер лоб, припоминая события давно минувших дней. — «Выручай, грит, Копыто, а я тебя за это великим фюрером сделаю». Ну, я, в натуре, чуть виски не поперхнулся. «Знаешь, говорю, Сантьяга, я Кувалде до гробовой доски верен. У нас, у Красных Шапок, на этот счет строго: клятву дал — держись, клятву не дал — крепись. Вот как с этим у нас, у Красных Шапок...» — Копыто покосился на сидящих за столом дикарей. — Верно я говорю?

— Да мы за великого фюрера хоть кого!

— Зубами!

— По плечи в землю!

— Навсегда!!

Уйбуй немножко послушал верноподданные выкрики, удовлетворенно покивал и вернулся к теме:

— В натуре, обиделся я тогда крепко. «Мля, говорю, Сантьяга, я к тебе, как к своему, а ты такие подлянки кидать! Не по-пацански, в натуре, великого фюрера в сортире мочить и меня заместо него делать, уйду я на... от ваших интриг...»

— Так и сказал? — восхищенно поинтересовался какой-то молодой боец из задних рядов.

— Я чо, нанимался вам лапшу на уши вешать? — обиделся Копыто. — Как есть, так и рассказываю. Совсем уйти хотел, да уговорил меня Сантьяга, упросил. «Выручай, грит, прикрывай северо-восток, а уж в других местах мы сами как-нибудь». Вижу я, чуть не плачет нав, тоска его гложет.

— Для нава тоска первое дело, — не выдержал Иголка. — Они перед смертью в нее впадают.

— В спячку?

— В какую пячку?

— Тихо! — зашикали сзади. — Не мешайте!

— Собрал я бойцов верных, — поведал Копыто, — гранатометов взял заряженных, выстрелов к ним поболе и отправился, в натуре, спасать город от супостата. С северо-востока, мля.

— Самое опасное направление, типа, — солидно пробасил боец Контейнер.

Он принимал участие в той переделке и имел право украшать повествование уйбуя мелкими подробностями. Копыто опрокинул стаканчик виски, вытер губы, рыгнул и продолжил:

— Тока мы северо-восток прикрыли, глядь — демоны мертвые отовсюду выскакивают!

— Типа, не сосчитать!

— Безумные совсем, дикие — уже челов грызть начали, — добавил Иголка.

— И понял я, что если не мы, то никто. И говорю бойцам: «Огонь!»

Копыто рассказывал свою знаменитую историю никак не меньше тысячи раз. Красные Шапки знали ее чуть не наизусть и разбегались, едва заслышав первые слова повествования. За последние четыре месяца уйбую позволили вспомнить старый подвиг всего один раз — на той вечеринке все настолько упились, что остановить бормотавшего мемуары Копыто было решительно некому. Его бы и сейчас никто не слушал, но уйбуй платил за виски, и проигравшие соплеменники тоскливо внимали.

— В новостях «Тиградком» только о нас и говорили, мля! Во всех экстренных выпусках и в девятичасовом блоке. Обо всей десятке рассказали, а у меня два раза интервью брали. В натуре.

— Я тама за его спиной, типа, стоял, — скромно добавил Контейнер.

— И мою фотографию показывали в телевизоре, — сообщил Иголка.

Мелкий боец не попал в кадр во время интервью и до сих пор переживал по этому поводу.

— Да, круто было, — подытожил Копыто, вертя в руке пустую бутылку из-под виски.

— А что Сантьяга? — спросил кто-то.

— Благодарил, конечно, — несколько неопределенно ответил уйбуй. — Ваще я этот подвиг не для Сантьяги совершил. Для всего Тайного Города. Это мне потом репортеры «Тиградком» объяснили.

— Охота была стараться?

Копыто поднял на не понимающего политический момент бойца тяжелый взгляд:

— А мне за Родину и фюрера всегда охота. У меня любовь к ним вот здесь сидит! — Уйбуй рубанул себя по груди. — В печенку въелась! Понятно?

— Понятно ему, понятно, — пробурчал толстый боец, наградив недотепу подзатыльником. — Купи еще виски, Копыто. И расскажи о чем-нибудь.

— Кончилось виски, — буркнул уйбуй.

Лица слушателей разочарованно вытянулись, но спорить с Копыто никто не рискнул. Поднялись из-за стола и разбрелись, тихонько бормоча ругательства. Впрочем, на чувства соплеменников уйбую было плевать. Выждав, когда обыгранные бойцы растворятся в полутьме «Средства от перхоти», Копыто выгреб из кармана комок мятых купюр — последний выигрыш — и бережно пересчитал:

— Три тысячи!

Бармен, правильно истолковав взгляд счастливчика, прислал за стол еще одну бутылочку виски. Иголка и Контейнер одновременно облизнулись. Уйбуй же вернул наличность в карман и высокомерно посмотрел на подчиненных:

— Теперь все понятно, придурки? Кто там ныл, что у конца надо было деньги брать?

— Я не ныл, — пропищал Иголка. — Я проявлял разумную осторожность.

— Вот они, деньги!! — Копыто потряс бумажником. — За два часа!

— Это еще хорошо, что у этих придурков наличные оказались, — не удержался от язвительного замечания мелкий скандалист.

— Я, в натуре, с нищими не играю!

— А как таких распознать?

— Мля, Иголка, не хочешь заткнуться для разнообразия? Просто признай, что я поступил правильно. Конец никогда бы нам столько денег не заплатил!

— Ну, выиграешь ты еще пару раз, — рассудительно произнес Контейнер. — А что потом? Дуричи и Гниличи не совсем ведь идиоты. Смекнут, что ты их раздеваешь постоянно, и не станут с тобой играть больше никогда. И кончится твое счастье.

— Я и говорю, — осмелел Иголка, — деньги надо было брать!

— Цыц! — Копыто покосился на мелкого бойца. — Вы, идиоты, совсем не видите, что нас ждет впереди...

— Что впереди?

Как и обещал Харций, «Повелитель Вероятностей» не гарантировал уйбую постоянных побед. Случалось, Копыто проигрывал или просто бросал карты, не желая рисковать и поднимать ставки. Но в целом статистика обнадеживала: из игры Шибзич обычно выходил в плюсе. И в его голове уже зрели наполеоновские планы.

— Эльдорадо. Сказочные пещеры золота, мля...

— Откуда?

— Выпей, — заботливо предложил Контейнер, пододвигая десятнику стаканчик виски. — И все пройдет.

— За что же мне такие тупые бойцы достались? — посетовал Копыто. — Слушайте сюда, придурки, мы играть будем с челами, чуете? На большие бабки, мля. Чтобы сразу кучу денег срубить... Пока артефакт не разрядился.

Бойцы переглянулись.

— Боязно, — буркнул Контейнер. — Ты, типа, не всегда выигрываешь.

— Все челы — жулики, — неуверенно протянул Иголка. — А когда они на большие бабки играют, то в два раза больше жулики.

Но остановить увлекшегося идеей уйбуя было невозможно.

— Зато у меня есть «Повелитель»!

— Но гарантии...

— Молчать!!

Иголка и Контейнер послушались. Но все-таки попытались привести закусившего удила начальника в чувство:

— А если они, типа, деньги не станут отдавать?

— А вы на что?

— То есть, типа, сначала ты у них выигрываешь, а потом мы их мочим?

— Выпей. — Копыто вернул стакан Контейнеру. — И слушай еще раз, мля: мы никого просто так не мочим. Мы ведь не отморозки какие-нибудь. Мы выигрываем в карты.

— А если они деньги не отдают...

— Тогда мочим.

— Я подписываюсь, — покивал головой Контейнер. — Давай так и делать.

— Подожди так и делать! — Иголка разлил виски по стаканам и швырнул бутылку под стол. — Слышь, Копыто, а как же режим секретности?

— Что «режим секретности»?

— Ну, если ты у всех челов в карты начнешь выигрывать да еще мочить их потом станешь, то полиция или бандиты напрягутся. Они, конечно, не такие умные, как мы, но и не совсем дураки. А потом королева прознает, что мы артефактом выигрываем, и по шее нам настучит. Привлечение внимания и все такое прочее. А тута бандиты подоспеют...

— А мы не станем много выигрывать, — неуверенно ответил Копыто.

— Как это?

— Ну... не станем в казино ходить.

Бойцы недоуменно воззрились на уйбуя. Такого оборота они не ожидали.

— В скверик пойдешь? В шахматы у пенсионеров выигрывать?

— Не... — Копыто поднял свой стакан и одним махом влил в себя кукурузное пойло. — Не парьтесь, бойцы, все сделаем. И ваще: челы на большие деньги не только в казино играют.

— А где еще?

— Есть места, — уклончиво ответил уйбуй.

— А кто тебя в эти места пустит?

— Кто надо, тот и пустит. — Копыто задумчиво почесал подбородок. — Главное — связи иметь.

— Типа, ты имеешь?

— Типа, я знаю, у кого их взять!

* * *

Ресторан «Прага».
Москва, улица Арбат,
4 ноября, четверг, 12.45

«Все уверены, что это легенда, миф, сказка, что Сен-Жермен не был способен на такой подвиг. Представить сложно, сколько нюансов пришлось учесть при разработке аркана! Да что я говорю: аркан?! Одним арканом не обойдешься — нужен целый свод, десятки сплетенных заклинаний, сложнейших заклинаний, смею заметить. Сложнейших! Оценка ситуации, выбор способа воздействия. При этом надо учесть, к чему приведет то или иное вмешательство, рассчитать, чтобы в итоге получилось задуманное! Если такой артефакт существует, то это показатель высшей степени мастерства его создателя! Это показатель суперкласса! Такие артефакты создают в течение всей жизни! Сантьяге, я уверен, потребовалось бы не менее двух десятков лет...»

Покинув книжный магазин, девушка пришла в «Прагу», заказала кофе и задумалась, невидяще глядя в окно на замершие в арбатской пробке автомобили. И снова и снова вспоминала слова потрясенного старика.

«Вы нашли Колоду Судьбы, Анна, артефакт, с помощью которого можно изменить будущее. Сделать его более благоприятным».

«И что для этого требуется? Кровавые жертвоприношения?»

«Нет. Нужно поставить на кон свое настоящее».

Таинственная шкатулка предлагала сыграть с окружающей реальностью, попробовать заполучить то, о чем в обычной жизни бессмысленно даже мечтать. Хочешь стать президентом? Слетать в космос? Выиграть миллион? Начни игру, и все будет зависеть не только от слепого случая, но и от твоего умения, от знания правил, от расчета.

«Если у тебя нет богатой тетушки, то можешь раскладывать карты хоть каждый день — наследства все равно не получишь. Хочешь выиграть миллион — купи лотерейный билет. Мечтаешь о президентстве — вступи в партию. Колода Судьбы не дарит, а помогает. Она дает шанс, но ты обязательно должен действовать в нужном направлении и в реальном мире. Пойдет игра с Колодой — будет сопутствовать удача в реальности, прослывешь счастливчиком».

«А не пойдет игра?»

«Потеряешь все».

«Нужно быть очень азартным человеком, чтобы согласиться на такую ставку».

«Нужно быть Игроком, настоящим Игроком».

Слухи о том, что кто-то изготовил Колоду Судьбы,

появились в Тайном Городе в начале девятнадцатого века. Незадолго до того в бывших Западных лесах волновались челы: воевали, устраивали перевороты, рубили друг другу головы, в общем, развлекались как могли. Великие Дома в целом приветствовали подобное времяпрепровождение, но, соблюдая заключенный с Церковью договор, старательно дистанцировались от происходящего и не мешали буянам крошить сородичей в капусту. Нейтралитет Тайного Города оказался на руку нескольким человским магам, попытавшимся использовать смуту в своих скромных целях, правда, безуспешно. Во всяком случае, мелкий офицеришка, возглавивший в итоге бунтарские племена, не знал о настоящей магии и не обладал способностями к колдовству. Выяснив это, Великие Дома успокоились, но грандиозные успехи новоявленного императора вызвали нездоровый интерес у обывателей, особенно усилившийся после затрат на отвод глаз во время оккупации Москвы и спасение имущества от случившегося при этом пожара. Ни одно здание Тайного Города в тех событиях не было повреждено, ни один житель Тайного Города не пострадал, но возмущенные семьи вынудили Великие Дома провести повторное расследование. Опять же ничего не прояснившее. Вот тогда-то и поползли слухи о Колоде Судьбы — ведь определить ее воздействие не представлялось возможным, а пользоваться Колодой мог самый обычный чел. Великие Дома сразу же заявили, что появление артефакта подобной силы невозможно, а через пару лет, когда общественность успокоилась и занялась повседневными делами, Темный Двор объявил бессрочный контракт на поиск палисандровой шкатулки с двумя колодами карт и золотым медальоном на крышке, изображающим веретено и клубок ниток.

«Тогда это объявление без шума прошло, мол, ищут и ищут, мало ли что навы потерять могли во время вторжения. Очень немногие догадались, что речь идет о Колоде Судьбы. А раз темные так подробно ее описали, значит, видели они ее, видели, и, как обычно, людам и чудам ничего не сказали».

«Почему вы так думаете?»

«Потому что Орден и Зеленый Дом считают истории о Колоде Судьбы сказкой. Их аргумент — если ее не создали в Тайном Городе, ее не могли создать нигде».

«Серьезный аргумент».

«Серьезный, — согласился старик, — но Сен-Жермен некоторое время жил в России. А это тоже очень серьезный аргумент».

Обедать не хотелось. Анна ограничилась десертом и кофе. Немного фруктов и табак. В заведениях Тайного Города не курили, и девушка с удовольствием затягивалась тонкими сигаретами после двухчасового никотинового голодания.

«При всех своих особенностях Колода Судьбы все-таки игровой артефакт, а для них есть обязательное условие: заклинание честного владельца. Таковы требования Игры. Игровой артефакт нельзя украсть или принудительно забрать у хозяина. Точнее, можно, вот только использовать его после этого не рекомендуется — проиграешь обязательно. Прежний владелец должен расстаться со своим сокровищем добровольно. А в случае, если прежний владелец знал об особенностях игрового артефакта, пользовался им, выигрывал и добровольно отдал, — твоя победа практически гарантирована».

«А если владельцу захочется сыграть еще?»

«Даже среди челов мало дураков, способных дважды пойти на ТАКОЙ риск».

Дважды — да, дважды ставить на кон все — это перебор. Но вот один раз... Тем более если предыдущий владелец выиграет... На один раз Анна была согласна. Ради чего? А разве мало желаний у вчерашней рабыни? Пальцы машинально прикоснулись к затылку, где еще совсем недавно чернели навские иероглифы «Власть» и «Покорность». Сейчас моя жизнь полностью зависит от расположения Темного Двора, это положение следует изменить. Каким образом? Способов много.

К счастью, старый Генбек с пониманием отнесся к

желанию девушки не торопиться передавать Колоду Судьбы Темному Двору.

«Хотите сыграть для себя?»

«В первую очередь надо найти Колоду, пока я лишь напала на след».

«Вы производите хорошее впечатление, Анна, вы найдете».

«Скорее всего».

«И сыграете для себя?»

«Жизнь надо прожить так, чтобы не захотелось еще раз. Мне есть из-за чего рисковать».

Хамзи долго молчал, поглаживая ладонью мягкую кожу книги, затем кивнул:

«Я не стану доносить Сантьяге о том, что обнаружен след Колоды Судьбы. Но после того как вы сыграете, мы отнесем ее в Темный Двор, и я получу шестьдесят процентов награды».

«Почему не половину?»

«Потому что вы получите игру».

«А вы играть не будете?»

«Нет. Я доволен своей жизнью. Мне не из-за чего рисковать».

«А если и я не буду играть?»

«В этом случае поделим награду пополам».

На самом деле шас проявил неслыханную покладистость: учитывая ситуацию, он мог бы потребовать и семьдесят процентов награды.

Анна закурила очередную сигарету и вздохнула, разглядывая медленно поднимающуюся вверх струйку дыма: предстояло решить, как забрать Колоду Судьбы у Крылова. Девушка хорошо знала Никиту и понимала, что предлагать деньги бессмысленно — не возьмет. Придется рассказать полуправду, одну из сказок, разработанных Службой утилизации. Учитывая заклинание честного владельца, заполучить шкатулку иначе не получится — придется пойти на небольшое нарушение режима секретности.

«А если у него возникнут дополнительные желания?»

Анна прекрасно понимала взгляды, которые бросал на нее Крылов. Рискнет ли он сделать подруге своего лучшего друга фривольное предложение?

«Подруге его друга?» Девушка прищурилась, в памяти всплыла неловкость вчерашнего утра. Пальцы зло смяли в пепельнице недокуренную сигарету. «Подруга? С Эльдаром нас ничего не связывает, кроме постели. И ничего не будет связывать. Он слишком слаб, чтобы пойти против воли отца».

И голос Генбека: «Женился, на ком я велел, и счастлив до безумия».

«Так будет и здесь».

И на мгновение — острое чувство одиночества.

«Плевать на все! Мне нужна Колода Судьбы!»

Анна достала из сумочки мобильный телефон и набрала номер Никиты.

* * *

Жилой комплекс «Воробьевы горы».
Москва, улица Мосфильмовская,
4 ноября, четверг, 12.59

Игра привлекает, затягивает, не оставляет равнодушным. Возможно, ты сумеешь удержаться, сохранить хладнокровие и не поддаться искушению азарта. Возможно, ты больше никогда не сядешь за карточный стол и будешь с презрением смотреть на завсегдатаев казино. Но ты не сможешь пройти мимо, ты обязательно попробуешь. И однажды ты будешь пристально вглядываться в рубашки сдаваемых карт, пытаясь угадать, какая масть скрывается под ними; или станешь рассчитывать варианты, сосредоточенно наблюдая за стремительным бегом шарика; или вцепишься в автомат, тупо ожидая, что сейчас, вот сейчас, прямо сейчас, барабаны замрут в нужном положении и загремят фанфары «Джек-пота». Однажды ты забудешь обо всем, полностью попав под власть Игры. И это нормально, естественно, это один из элементов обязательной программы: заняться любовью, выпить стакан вина, сыграть на деньги. Ты должен попробовать хотя бы для того, чтобы понять, что это — не твое.

А вот Никита Крылов твердо знал, что это — его.

Он не был рабом азарта, скорее — любовником. Игра не съела его, но стала смыслом. Не поглотила, как невозможно поглотить часть себя. Никита был частью Игры, ее представителем среди людей, ее порождением. Или Игра была порождением таких, как он. Победа или поражение — неважно, Крылова привлекал сам процесс. Предвкушение, ожидание, расчет, риск, единственно возможное решение или ошибка, сводящая на нет все усилия. Азарт. Никита наслаждался красотой игры, проникал в ее суть, растворялся в ней. И пришли победы. А как еще Игра может отблагодарить своего адепта? Преданного адепта. Вот уже четыре года Крылов считался игроком экстракласса, и даже самые опытные шулеры не рисковали встречаться с ним за карточным столом: что могли противопоставить ему мелкие обманщики? Ведь если Никиту можно было смело назвать любовником Игры, то их — не более чем альфонсами.

Знаменитое на всю Москву хобби Никиты стало логичным продолжением его образа жизни, своего рода храмом, который он посвятил Игре. Старинные и современные раритеты, коллекционные карты и первые фишки из Монте-Карло, а кроме них — истории. Рассказы о таинственных колодах и загадочных счастливчиках, об обладателях «золотых рук», всегда выбрасывающих нужную комбинацию костей, и о повелителях рулетки, разоряющих целые казино. Мир Игры издревле наполнялся мифами и легендами. Точнее, эти истории казались мифами и легендами посторонним, а вот адепты азартной жизни относились к ним без скепсиса, ибо каждый, кто провел достаточно много времени на свиданиях с Игрой, с удовольствием расскажет несколько невероятных случаев из собственной биографии. Никита тратил на свою коллекцию немало сил и средств, гордился ею и потому немного разозлился, услышав предложение Мамоцких: Крылов подумал, что хитрый Ефим, по случаю раздобыв потрепанный карточный набор, специально придумал красивую историю, решив сыграть на общеизвестной страсти кредитора. Но, едва прикоснувшись к картам, Никита понял, что Мамоцких не врет: подушечками пальцев Крылов ощутил пульсирующее покалывание. Такое, словно через бумажные прямоугольники пропустили электрический ток. Уколы были слабыми, но явственными, не заметить их было невозможно. Как и не понять, что в принесенной Ефимом шкатулке кроется какая-то загадка.

Это понимание заставило Никиту простить Мамоцких двадцатитысячный долг. Это понимание заставило его думать о шкатулке весь вечер и утром, едва открыв глаза, направиться в кабинет, чтобы вновь увидеть таинственный раритет, прикоснуться к слегка потрепавшимся картам и ощутить слабые уколы. В безуспешных попытках отыскать хоть какое-то упоминание о шкатулке Крылов перерыл свои записи и прогулялся по известным энциклопедическим сайтам. Он пытался найти след, любую, пусть даже самую фантастическую историю, связанную с этими картами, но натыкался на глухую стену. Никто не слышал о шкатулке графов Чернышевых, никто не знал о гербе с изображением веретена и клубка ниток, никто не мог помочь.

А потому телефонный звонок застал Крылова в самом мрачном расположении духа.

— Долго спишь.

«Эльдар!» Никита вспомнил, что должен был позвонить другу сразу же, как проснется, и обругал себя последними словами.

— Извини, старик, постарел, размяк, обзавелся дурными привычками.

— Склонность к красивой жизни?

— Не без этого.

— Боюсь, скоро тебе придется отвыкать от беззаботности.

Крылов нахмурился:

— Цвания?

— Он распускает слухи, будто мы уступили и скрываем решение, чтобы сохранить лицо, — пробурчал Ахметов. — Мне звонили люди из «Кристалла», предлагали работу. Они уверены, что мы уже лишились бизнеса. Это очень плохо, Кит, такие слухи нам не на руку.

— Я понимаю, — жестко ответил Крылов.

— Давид ведет себя так, будто уже победил. Он надеется, что это поможет ему не проиграть.

Если все будут уверены, что Ахметов и Крылов сдали позиции, любое активное действие будет расценено как провокация, и Цвания сможет взять их голыми руками.

— Но ведь он не сможет ничего сделать во время игры? — после короткой паузы произнес Никита.

— Теперь я не уверен, — признался Ахметов.

— Эльдар, это по твоей части, — буркнул Крылов. — Обеспечь мне возможность спокойно сыграть и больше ни о чем не волнуйся. Я все сделаю.

— А если Цвания сумеет протащить за стол своих шулеров? — Эльдар не был столь же тонким ценителем Игры, как Никита, и до сих пор сомневался в правильности принятого решения. Поставить бизнес на карту? Ахметов доверял другу, но опасения его не оставляли.

— Эльдар, если Давид приведет шулеров, мои шансы только возрастут, — усмехнулся Крылов. — Я сто раз это повторял.

В трубке послышалось сопение.

— Разве я тебя когда-нибудь подводил?

— Нет.

— Тогда в чем дело? Я не хочу забывать дорогие привычки. Я выиграю, а ты сделай так, чтобы не было провокаций.

— Чтобы мы ушли оттуда живыми.

Дальнейшие шаги представлялись Никите и Эльдару достаточно ясно. Выиграв у Цвания казино, они немедленно предложат его вернуть, получив гарантии неприкосновенности для своего бизнеса. Ахметову удалось привлечь в качестве третейского судьи Чемберлена, весьма уважаемого в Москве человека, так что друзья не сомневались в успехе предприятия. Дело оставалось за малым: выиграть и остаться в живых.

— Мне бы твою уверенность, — проворчал Эльдар.

— Разве ее у тебя нет?

— Уже есть. Заразился.

— Мы справимся, старик, мы доползем.

— О'кей.

Крылов положил трубку и вернулся к шкатулке: в настоящий момент она занимала его гораздо больше предстоящей игры с Цвания. Никита откинул крышку, прикоснулся пальцами к одной из колод, вновь почувствовал легкое покалывание в подушечках и вздохнул.

Как разгадать загадку? Как проникнуть в тайну старого раритета? Удастся ли это мне или палисандровый ящик затеряется среди остальных экспонатов коллекции, запылится на полке, дожидаясь более удачливого владельца? Или более умного? Того, который сможет отыскать нужный ключ.

— Я узнаю, — прошептал Крылов. — Я все равно узнаю...

И вздрогнул, услышав трель телефонного звонка. Мгновение поколебался, после чего поднес трубку к уху.

— Да?

«Мне нужен ключ!»

— Никита, если ты не один, не называй мое имя.

Крылов узнал голос Анны.

* * *

Южный Форт, штаб-квартира
семьи Красные Шапки.
Москва, Бутово, 4 ноября, четверг, 13.00

Кабинет одноглазого Кувалды, великого фюрера Красных Шапок, располагался на самом верху единственной башни Южного Форта. Из окон открывался прекрасный вид на снующие по Кольцевой дороге автомобили, пробки на Варшавском шоссе и грязный двор штаб-квартиры, на стенах которого были развешаны пропагандистские плакаты. Кроме агиток, с которых подотчетному населению улыбался глянцевый Кувалда, двор украшала огромная куча мусора и спящий на ней боец. Определить клановую принадлежность бездельника с высоты фюрерского кабинета не представлялось возможным, в чем Кувалда и убедился, потратив на безуспешные попытки около пяти минут. Разочарованно плюнув в пуленепробиваемое оконное стекло, фюрер вернулся к очередному заседанию Фюрерского совета по неотложным и оборонным вопросам.

— Расследование показало, что убитые Андрей Кирпиченко и Борис Истцов являются активными членами нижегородской преступной группировки и прибыли в Москву с неустановленной целью...

Копыто читал медленно, запинаясь и водя пальцем по строчкам полицейского отчета, иногда он сбивался и возвращался на пару предложений назад, но собравшиеся в кабинете уйбуи слушали его предельно внимательно. Уйбуи упивались моментом — они вершили судьбу семьи.

— Документы, оружие, ценности и одежда отсутствовали. Личности Истцова и Кирпиченко установлены по отпечаткам пальцев...

— А что мне оставалось? — прошипел Булыжник, заметив недоуменные взгляды уйбуев. — У них все шмотки фирменные, бабла немерено стоят, мы их в бутик на Петровке сдали. Отмыли от крови и сдали. На вес.

— Тихо! — просипел уставший от чтения Копыто. — Немного осталось.

И тоскливо покосился на знаменитый фюрерский бар, выполненный в виде сидящего на корточках рыцаря. По слухам, виски в нем не заканчивалось никогда.

«Трубопровод он, что ли, из «Средства от перхоти» провел?»

— Продолжай!

Кувалда зевнул и поправил повязку на лице.

Не так давно его власть подверглась проверке на прочность: оголтелые мятежники подбили семью на проведение выборов великого фюрера. К счастью, Кувалде удалось выиграть голосование без лишних жертв, не доводить дело до геноцида, но едва одноглазый собрался приступить к репрессиям, как получил еще один удар. Королева Зеленого Дома, вассалами которого являлись Красные Шапки, потребовала снабдить властную вертикаль дикарей какими-нибудь демократическими надстройками, дабы выпускать через них накопившуюся оголтелость. Возражать Ее величеству Кувалда не посмел, и на свет появился Фюрерский совет по неотложным и оборонным вопросам, на неотложных и оборонных заседаниях которого одноглазый делал вид, что прислушивается к мнению подданных. Зато от предложения создать при семье должность Уполномоченного по правам, который бы подсчитывал и доносил в Зеленый Дом точное число повешенных за измену, Кувалде пока удалось отвертеться. Надолго ли? Фюрер надеялся, что навсегда.

— На месте преступления были обнаружены следующие улики: мотоцикл «Харлей-Дэвидсон»...

— Забыли, когда уезжали, — прошептал Булыжник. — Тачка с Ламером подрался, запихнул его в багажник. А про мотоцикл забыли!

— Документы на имя Булыгина Петра Петровича...

— Из кармана выпали, когда я этих придурков разнимал.

— И одно из орудий преступления: нож с отпечатками.

— Хватит!

Копыто радостно замолчал. Кувалда резко сел в свое кресло и злобно посмотрел на провинившегося уйбуя.

— Ну?

Булыжник опустил голову.

— Зачем ты грохнул этих челов? Фа еще так неаккуратно?

— Они разбираться приехали, — угрюмо поведал уйбуй. — Хотели нас грохнуть.

— За что?

— У нас бизнес: они на ГАЗе новые машины тырили, а мы им тута номера переделывали и через Урбека Хамзи продавали. А потом они один раз плохие машины прислали, поломанные, а мы им за это денег только половину выслали. Они обиделись и приехали. А мы их грохнули.

Среди членов Фюрерского совета по неотложным и оборонным вопросам прокатился глухой ропот: выслушав объяснения Булыжника, высокие стороны не поняли, почему Кувалда вынес дело на всеобщее обсуждение. Вины за подсудимым не наблюдалось.

Одноглазый вздохнул и взял со стола еще одну бумажку.

— Теперь послушаем мнение Службы утилизации. Та-ак... «обращаю внимание Вашего величества на то, что в послефнее время фикари...» Нет, не то... — Читать подданным обидные нападки разъяренных шасов Кувалда не стал. — Короче, они все исправили и пофчистили, слефы замели, челы на нас не выйфут. Фогафываетесь, на какую сумму эти кровопийцы выставили счет?

А вот теперь присутствующие уставились на Булыжника с откровенной враждебностью: когда в семейной казне заканчивались деньги, одноглазый становился невыносим и драл с подданных по три шкуры. Кувалда выдержал гроссмейстерскую паузу, позволив членам Фюрерского совета сполна насладиться кошмарными предчувствиями, после чего продолжил:

— Значит, так, великофюрерские советники, на примере Булыжника вы вифите, фо чего может фокатиться нормальный в общем-то уйбуй, если буфет фелать все, что захочет. Пофозрительные бизнесы, связи с человскими преступниками — это хорошо, но всегфа нафо помнить о режиме секретности. Вы помните о режиме секретности?

Уйбуи закивали банданами.

— Если мы облажаемся, Великие Фома нас на кусочки порежут. Так что не нафо нам лажаться, не нафо!

— Давайте Булыжника повесим? — предложил Копыто. — А то чо он, в натуре, сомнительные бизнесы развел и с челами связывается?

В целом Кувалде понравилось предложение старого

друга, но своим единственным глазом фюрер видел гораздо больше, чем многие его соплеменники — двумя, и понял, что остальные уйбуи отнеслись к идее без восторга.

— Нет, вешать Булыжника пока не нафо. Пусть это буфет уроком.

— Пусть! — обрадованно поддакнул провинившийся. — Не надо меня вешать, великий фюрер! Я еще пригожусь!

— Но наказать его надо, — не удержался Копыто.

— Пусть штраф заплатит, — махнул кто-то рукой.

— Правильно, — согласился фюрер. — Слышал, ты, ошибка Спящего? Чтобы через фва фня принес феньги.

— Сколько?

— Ты приноси сколько буфет, а я решу, сколько забрать.

— А если я принесу мало?

— Тогфа я тебя повешу.

Булыжник уныло вздохнул.

— Понятно?

— Понятно.

— Тогфа пошли все вон, — распорядился Кувалда. — Засефание закончилось.

— А следующее когда?

— Когфа мне захочется ваши морфы увифеть. Проваливайте!

— Слава великому фюреру, — нестройно промямлили уйбуи и потянулись к выходу из кабинета.

Но не все.

— А ты чего сифишь?

— Предложение у меня к тебе, высокопревосходительство, великий избранный фюрер народа Красные Шапки.

Кувалда поморщился.

— Копыто, сколько раз повторять: когфа мы офни, обращайся без чинов. Понятно?

— Да!

— Хорошо. — Одноглазый вытащил из ящика стола бутылку виски, два стакана и собственноручно разлил пойло. — Чего нафо?

Уйбуй выпил свою дозу, приятно улыбнулся вождю и со всей прямотой ответил:

— Денег.

Фюрер вздохнул. Копыто принадлежал к самому близкому окружению одноглазого, был одним из тех, на кого Кувалда мог положиться в любой ситуации. Даже во время выборов, когда власть и жизнь фюрера висели на волоске, уйбуй подтвердил свою преданность, оставаясь с одноглазым в самые критические минуты. Кувалда не забывал о приятеле, частенько подкармливал его из казны, но финансы у веселого уйбуя не задерживались, а потому, несмотря на щедрые подачки, десятка Копыто регулярно сидела без...

— Деньги нужны, Кувалда.

Пару мгновений фюрер таращился на верного уйбуя, прикидывая, стоит ли исполнять просьбу приятеля, после чего махнул рукой:

— Пять тысяч хватит?

— Хва... — с готовностью начал Копыто, но тут же опомнился: — Не, Кувалда, мне не столько нужно. Мне больше нужно. Дай миллион!

Фюрер посуровел:

— Копыто, ты опять пил пиво?

— Зачем пиво, если у меня на виски деньги есть! — Уйбуй с законной гордостью продемонстрировал вождю пачку банкнот. — Прикинь, Кувалда, двенадцать тысяч!

— Откуфа?!

— Выиграл!

— Ты?!

— Я!

Одноглазый снял бандану, поскреб по голове пальцами, аккуратно вернул платок обратно и потребовал:

— Рассказывай.

— Так я же все сказал, мля: у меня артефакт, — поведал удивленный недогадливостью фюрера уйбуй. — Верняк дело, в натуре, Кувалда, карта сама прет: нужен валет — приходит валет, нужен туз — приходит туз. Только успевай деньги загребать!

— Пофожфи, пофожфи... — потряс головой фюрер. — Какой артефакт? Какая карта? Куфа прет?

— Артефакт для игры. Мне его... я его у конца одного отобрал. За долги. — Рассказывать, как десятка ишачила на Харция, Копыто стыдился. — Артефакт суперский, вся игра твоя! Повелитель этих... вероятностев.

— Каких таких вероятностев? — Кувалда твердо помнил, что в колоде есть пики, трефы, бубны и черви. Никаких «вероятностев» в колоде не было. — Ты чего несешь? Брефишь?

— Ну, может, не вероятностев, но карта прет.

— Какая нужна?

— Угу.

— И ты фвенафцать тысяч за ночь выиграл?

— Четырнадцать выиграл, — поведал Копыто. — Пару тысяч уже пропили.

— И теперь тебе нужен миллион?

— Или около того, — махнул рукой уйбуй. — Дай сколько-нибудь, примерно столько, а я тебе потом еще много принесу. В натуре.

— Откуфа принесешь?

Копыто разлил еще по одной, надеясь, что теперь-то уж фюрер все поймет, и, выпив, почти по складам произнес:

— Кувалда, пойми: я выигрываю в карты. Ты даешь мне миллион и договариваешься с челами какими-нибудь на игру по-крупному. Я выигрываю, и мы в шоколаде. Это, мля, Эльдорадо!

— А ты точно выиграешь? — подозрительно осведомился одноглазый.

Миллион у фюрера был. У него было больше — три миллиона, но деньги откладывались на погашение взятого у шасов во время выборов кредита, и расставаться с ними Кувалда не хотел.

— Выиграю я, выиграю! Хочешь, доставай карты, я...

— Не нафо со мной играть, — пробурчал одноглазый. Помолчал. — Ты уверен, что выиграешь у челов?

— Так у них артефакта нет.

— Фа, — после короткого раздумья согласился фюрер. — Артефакта у них нет.

— А у меня есть.

— А как насчет нарушения режима секретности?

— Об этом я и толкую! — воскликнул Копыто. — Не хочу я в казино идти, там меня сразу засекут, мля.

— Так что ты хочешь?

— У тебя ведь есть связи с человскими урками?

— Ну.

— Сведи меня с ними! Пристрой в какую-нибудь крупную игру. А дальше моя забота. У меня эти вероятности вот где сидят! — Уйбуй сжал кулак. — Я их, в натуре, раздену. Только миллион дай, мля!

Кувалда выпил еще, долго смотрел на продемонстрированную подчиненным пачку банкнот и, наконец, решился:

— Хорошо, Копыто, буфет тебе миллион. И игру я тебе найфу... Есть на примете... Но смотри: проиграешь — можешь сразу ифти вешаться.

* * *

Дачный поселок Переделкино.
Ближнее Подмосковье, 4 ноября, четверг, 16.18

— Пятьдесят тысяч?!! — Мамоцких изумленно вытаращился на Чернышева. — Вы сказали: пятьдесят?

— Да, синьор, ровно пятьдесят, — подтвердил Роберто. — Хотите — наличными, хотите — чеком.

— Чем же они столь знамениты?

— Для широкой публики — ничем, — спокойно ответил Чернышев. — Обычные карты восемнадцатого века. Предмет, безусловно, интересный, но не редкий, я специально уточнял у коллекционеров — даже особого разрешения на их вывоз не потребуется. Для меня же шкатулка — семейная реликвия. Она передавалась из поколения в поколение, мои предки берегли ее. К сожалению, во время революции шкатулка пропала, каким-то образом оказалась у вас...

— Законным образом, — уточнил Мамоцких.

— Я не ставлю под сомнение ваше право, — поднял ладони Роберто. — Вы владеете вещью, которая крайне дорога мне. Я достаточно богат, чтобы предложить за нее хорошую цену. Мы договоримся?

Разговор проходил в гостиной, из окон которой открывался прекрасный вид на запущенный сад. Мужчины сидели за круглым столом, покрытым кружевной скатертью, и пили чай из красивых фарфоровых чашек, украшенных изящными медальонами с медвежьими головами. Похожее изображение было вырезано на стоящем в углу дубовом буфете — монументальном произведении мебельного искусства девятнадцатого века. Медвежья голова — один из элементов родового герба Чернышевых: Роберто не сомневался, что и сервиз, и буфет украдены из поместья его предков. Что еще можно найти в старом переделкинском доме? В чьих еще усадьбах побывал прадед облезлого Ефима?

От размышлений Чернышева отвлек голос Мамоцких:

— Знаете, что я думаю? — безапелляционно заявил Ефим. — Я думаю, вы врете! Вы лгун!

— Что? — Роберто недоуменно посмотрел на собеседника. — Что вы имеете в виду?

— Я думаю, вы узнали, что карты представляют большую ценность, и пытаетесь задешево купить их у меня. Вы проходимец. И никакой не Чернышев! — Мамоцких потрогал себя за унылый нос. — Убирайтесь!

— Как знаете, — пожал плечами Роберто. — Можете оставить карты у себя и начать поиски желающих купить за большие деньги. Когда убедитесь, что таковых не существует, позвоните. — Чернышев положил на стол визитку. — Но предупреждаю: при нашем следующем разговоре я предложу за них не более пятнадцати тысяч.

— Неужели?

— А вы проверьте. — Чернышев поднялся и направился к прихожей. — Всего наилучшего.

— Подождите!!

Окрик прозвучал, когда Роберто взялся за плащ. Чернышев обернулся и увидел, что возле Ефима выросла неопрятная старуха в черном. Когда она принесла чай, Роберто решил, что это прислуга, потом понял — мать. Она не присутствовала при разговоре, но, судя по всему, подслушивала за дверью и теперь выговаривала непутевому сыну.

— Уходите, — жалобно попросил Мамоцких.

— Не смейте! — властно велела старуха.

Чернышев усмехнулся и вернулся в гостиную.

— Где ты будешь искать других покупателей? — Родительница уперла руки в бока и нависла над своим чадом тенью отца Гамлета. На верхней губе яростно подрагивала гигантская бородавка. — Пойдешь в скупку? Или к оценщикам? А если попадешь к бандитам? Ты ведь такой доверчивый, тебя обманут или отнимут...

— Не отнимут, — буркнул Ефим.

Мамоцких-мама оказалась не такой дурой, как можно было бы предположить, глядя на сыночка. Ей хватило всего четырех секунд, чтобы понять подлинный смысл ответа.

— Идиот!! — Крепкая пощечина заставила покраснеть левую сторону сыновней физиономии. — Ты их проиграл!!

Роберто огорченно плюнул на грязный пол гостиной и коротко выругался. Впрочем, никто из присутствующих не обратил внимания на недостойное поведение гостя.

— Откуда я знал, что они ценные?! — завизжал отрок. — Валялись на чердаке! Кто о них помнил?

— Ты их проиграл! — Старуха схватилась за сердце. — За что мне такое наказание?

— Я их продал за двадцать тысяч!

— Которые ты был должен?

— Ну...

Еще одна пощечина.

— А что мне оставалось делать?! — орал Ефим. — Да, я был должен! Я проиграл! Этот гад хотел нашу дачу, а я уговорил его взять эти идиотские карты! За двадцать тысяч, представляешь?! Как я мог отказаться? Я ведь не знал, что заявится этот богатей!

— Ты должен был знать!

Дискуссия вновь перешла в стадию рукоприкладства. Старуха лупила неразумное чадо, отпрыск подвывал и закрывал руками голову, Чернышев угрюмо молчал и прислушивался, надеясь, что разгоряченные Мамоцких упомянут имя таинственного гада.

— Ты должен был понять, что если один идиот согласился заплатить за карты двадцать тысяч, то обязательно найдется другой, который заплатит в два раза больше! Даже в два с половиной раза больше!!

— Но как я мог это понять?!

— Ты ведь Мамоцких, Фима! Предки тяжелым трудом собирали имущество! Ночи не спали! Горели на работе! Себя не жалели! А ты пустил все по ветру!

— Он коллекционер! Он чокнутый коллекционер!!

Роберто подождал, пока физиономия чада не станет цвета вареного рака, откашлялся и громким голосом спросил:

— Карт у вас нет?!

Мамоцких притихли.

— Шкатулки у вас нет?

— Нет.

На Ефима было жалко смотреть. Воловьи глаза наполнились слезами, губы и пальцы дрожали, но мальчик-переросток не плакал, сдерживался, мама вырастила его стойким.

— Я хочу знать, у кого сейчас находится моя шкатулка.

— Сколько вы заплатите за информацию? — Старуха взяла переговоры в свои руки. — Нам нужны деньги.

— Сотня вас устроит? — брезгливо поинтересовался Чернышев, открывая бумажник.

— Пять тысяч, — отрезала мадам Мамоцких. — Наличными.

— И думать забудьте.

— В таком случае до свидания.

— В таком случае мне придется организовать вам неприятности, — вздохнул Роберто. — Поверьте, я приму это решение без радости, но лучше я заплачу бандитам, чем...

— Я тебе покажу неприятности! — взорвалась старуха, и бородавка победоносно взлетела вместе с вздернутой верхней губой. Обнажились зубы. — Ты у меня эти неприятности на всю жизнь запомнишь! Да ты знаешь, кто я? Ты знаешь, с кем связался?! Мы Мамоцких, щенок! Мамоцких!! Мы эту страну строили! Тебя полиция в порошок...

Чернышев устало вытащил из наплечной кобуры пистолет — наблюдательное семейство не заметило эту деталь его туалета — и выстрелил в дубовый буфет. Грохот выстрела и звон разбитого стекла заставили старуху заткнуться и вновь схватиться за сердце, а чадо — соскочить со стула на пол. Через полминуты над столешницей появились робкие воловьи глаза.

— Теперь мы можем поговорить, как взрослые люди, — улыбнулся Роберто.

Мамоцких жестами показали, что они не против.

— Вот и славно.

Чернышев не боялся, что выстрел привлечет чье-либо внимание: карманная «беретта» звучала довольно приглушенно, к тому же дом Мамоцких располагался далеко от соседских построек. Демонстрируя семейству свою уверенность, Роберто медленно прошелся по гостиной, постоял, задумчиво почесывая стволом пистолета затылок, после чего продолжил интересную беседу:

— Значит, так, друзья. Вашу ценную информацию я оцениваю в полсотни. Это большие деньги, и они вам пригодятся. Согласны?

Спорить с графом Чернышевым никто не стал. Роберто улыбнулся и вытащил из бумажника несколько потрепанных ассигнаций.

Едва он захлопнул дверцу «Ягуара», бронированную, с наглухо тонированными стеклами, непрозрачная перегородка, делящая салон на две части, бесшумно опустилась, и Клаудия небрежно произнесла:

— У тебя недовольный вид. — И пригубила шампанское из хрустального бокала.

Огромные глаза с красными зрачками неподвижно смотрели на чела. Затягивающие глаза. Роберто знал, что специфическая магия масанов позволяет управлять разумными, брать под гипнотический контроль и челов, и более древних существ. Знал, но искренне надеялся, что кровавая ведьма Бруджа не оттачивает на нем свое мастерство. Только эта надежда помогала Чернышеву выдерживать взгляды Клаудии.

— Ты какой-то взъерошенный, — прошелестел Александр.

Черные губы девушки чуть изогнулись. Тень улыбки? Призрак презрительной гримасы? Сегодня Клаудия отдала предпочтение черному: черные тени на глазах и помада, черный лак на длинных ногтях. Короткое черное платье, оставляющее открытыми стройные ноги в черных чулках, блестящие туфли.

— Он боится сказать нам правду.

Роберто прочитал насмешку в ее огромных глазах, разозлился:

— Вы не даете мне и слова сказать.

— Зато мы видим твои пустые руки.

А вот в глазах барона насмешки не наблюдалось. Чернышев почувствовал, что Бруджа еле сдерживается.

— Мы заключили пари, — объяснила Клаудия. — Я сказала отцу, что ты придешь без шкатулки. Он не поверил и теперь должен мне одно желание.

Алые зрачки на мгновение расширились, а крылья тонкого носа раздулись — что же за желание загадала дочка барона?

— Хватит болтать, — буркнул Бруджа. На этот раз его голос напоминал шелест железных листьев. — Почему ты не принес шкатулку?

— К сожалению, все пошло не совсем так, как планировалось, — вздохнул Чернышев. — У челов ее нет.

— Ты проиграл, Александр, — рассмеялась Клаудия.

— Даже в шутку не смей так говорить!

— Я не шучу. Я имею в виду наше пари.

Барон жестко посмотрел на Роберто.

— Ты хочешь сказать, что ошибся и вышел не на тех челов?

— Я...

— Он хочет сказать, что планы нарушены самым непредвиденным образом, — перебила Чернышева девушка. — Разве не понятно?

Бруджа скрипнул зубами. «Хороший признак, — меланхолично подумал Роберто. — Если бы у него росли *иглы*, он бы не смог издать подобный звук...»

— Куда она подевалась? — после небольшой паузы осведомился Александр.

— Челы отдали шкатулку за долги.

— Надеюсь, не продешевили? — усмехнулась Клаудия.

— Двадцать тысяч.

— А ты предложил им пятьдесят?

— Да.

— Представляю, как эти ублюдки убивались.

— Клаудия, прошу тебя не острить, — скривился барон.

— Успокойся, Александр, — перебила отца девушка. — Разве я не обещала тебе трудности и нарушение всех возможных планов? Разве я не говорила, чтобы ты готовился к сложному испытанию, а не к туристической поездке?

— Обещала.

— Все так и получилось.

К своему удивлению, Чернышев увидел, что Бруджа действительно успокоился. Неужели был готов к неудаче? Барон открыл бутылку, наполнив салон упоительным ароматом игристого вина провинции Шампань, и повелительно кивнул Роберто:

— Поехали.

* * *

Жилой комплекс «Воробьевы горы».
Москва, улица Мосфильмовская,
4 ноября, четверг, 22.22

Любой игрок суеверен. Самый современный, образованный, верящий в существование космоса и в то, что Земля круглая, самый циничный и скептически настроенный игрок суеверен, и, глядя на бегущий по кругу шарик, на мчащихся лошадей, на приходящие карты, он всегда призывает на помощь высшую силу. Или сжимает в руке счастливый талисман. Или, открывая двери казино, переступает порог с правой ноги. Или...

Любой игрок суеверен — такова логика Игры. И тот, кто пропитался ее духом, спокойно отнесется к проявлению непознанного — он готов к этому.

Эльдару она сказала, что не сможет с ним встретиться. В этом не было ничего необычного: они виделись не каждый день, так что Анна не опасалась подозрений. Ахметов — звонок застал его на работе — пробубнил что-то неразборчивое и попросил обязательно появиться завтра. Анна обещала.

К Крылову девушка приехала на такси. Подкатила к самому подъезду, спокойно прошла через холл, вызвала лифт. И все эти действия — благодаря наведенному мороку — были не замечены охранниками, ведь среди них могли оказаться осведомители Ахметова.

— Кит, привет! — Анна сбросила плащ на руки слегка удивленного Крылова — почему охрана не предупредила о приезде гостьи? — и прошла в гостиную. — Есть серьезное дело.

— Дело?

В голосе Крылова послышалось разочарование.

— Но от вина не откажусь.

В углу, на барной стойке, девушка заметила бутылку испанского, два бокала, блюдо с фруктами. Про себя улыбнулась: «Господи, как предсказуемы мужики!»

— Никто не знает, что я у тебя, даже охрана здания.

Открывающий бутылку Никита замер.

— Как же ты попала в дом? Через канализацию?

— В корзине с грязным бельем, — мило улыбнулась Анна. И сразу же, серьезно: — О нашей встрече никто не должен знать.

— К чему такая секретность?

— Я хочу поговорить о картах, которые отдал тебе Мамоцких.

Рука, в которой Крылов держал бокал, дрогнула, но он сдержался, спокойно наполнил его вином, поднес расположившейся на диване девушке.

— Решила заняться коллекционированием?

— Почему ты взял их в счет долга?

Никита молча протянул свой бокал, улыбнулся, услышав мелодичный перезвон хрусталя, пригубил рубиновый нектар.

— У меня были причины.

— Я могу о них узнать?

— Зачем?

— Любопытно. Ты заплатил за старую колоду двадцать тысяч. Эльдар удивился, но промолчал, решил, что это очередной припадок коллециомании, или как это там называется? Мамоцких, как мне кажется, удивился еще больше, он не верил своему счастью до тех пор, пока ты не поставил подпись на расписке. Ты сумел поразить всех. Расскажи, почему ты так поступил?

Взмах огромных ресниц, чуть приподнятые брови, чуть приоткрытые губы, ни дать ни взять — красивая дурочка любопытствует. Но глаза внимательные, выразительные глаза. Черные, бездонные, прекрасные... и умные. И Никита не стал отвечать так, как собирался. Сделал еще один глоток, повертел в руке бокал. Посмотрел на Анну:

— А ты поверишь?

— Я доверчива с детства.

— Незаметно.

— Пару раз обожглась и долго лечилась от этого недостатка. Но навыки остались.

Крылов улыбнулся, ему трудно было представить обжегшуюся Анну, потер подбородок:

— Мне и легко, и сложно ответить на твой вопрос. Легко, потому что ответ прост. Трудно, потому что в него очень сложно поверить. Короче, так: когда я прикоснулся к картам, я почувствовал... они... они как будто укололи меня. Словно прошел ток...

— Через подушечки пальцев.

— Да.

— И это повторяется всякий раз, как ты прикасаешься к ним.

— Что ты знаешь о моих картах? — Никита подошел к дивану, присел рядом с Анной, сделал маленький глоток вина, но его спокойный голос и расслабленная поза не обманули девушку, она видела, что Крылов напряжен. — Я к ним прикасался, я почувствовал укол. А ты? Откуда тебе знать, что они не так просты, как кажется на первый взгляд? Почему затеяла разговор? Почему ты пришла?

— Я верю в сказки, — мягко ответила Анна. — Верю в колдовство. Верю в магию. То, что твои карты необычны, я поняла, едва Мамоцких открыл шкатулку. Мне не нужно было прикасаться к ним.

Никита попытался пробиться сквозь черную стену ее глаз, разглядеть, что таится по ту сторону ночи. Безуспешно.

— Ты — ведьма?

— А если так?

— А если я скажу, что не верю ни одному твоему слову?

— В таком случае ты выбросил на ветер двадцать тысяч.

— Логично. — Крылов рассмеялся, но быстро стер улыбку с губ. Помолчал. — Ты — ведьма.

Теперь он не спрашивал.

— Боишься?

— Я чувствовал, что с тобой что-то не так... Ты слишком хороша для обычной женщины. — Крылов протянул руку, пальцы прикоснулись к щеке Анны, скользнули чуть ниже, к подбородку, замерли у полных губ. — Чего ты хочешь от меня?

— Карты.

— Для чего?

— Хочу сыграть.

Никита отдернул руку, прищурился. Девушка с улыбкой наблюдала, как Мужчина борется с Игроком.

— Я пробовал играть, — медленно сообщил Крылов. — Ничего странного, раскладываются, как обычные карты, даже покалывание исчезает.

— А ты думал, они начнут переливаться огнем? — усмехнулась Анна.

— Требуется второй игрок?

— Нет, требуется приложить определенные усилия... активизировать Колоду.

— Что-то вроде заклинания?

— Да.

— Ты его знаешь?

— Да.

— Прекрасно! — Никита отставил бокал и взъерошил волосы. — Тебе нужны мои карты. Как мы их поделим?

— Ты сыграешь одну партию и отдашь Колоду мне.

— Отдам?

— Или подаришь. Главное — добровольно.

— Так вот в чем дело! — Крылов откинулся на спинку дивана и широко улыбнулся. Впервые с начала разговора улыбнулся по-настоящему. Искренне. От души. — Добровольно! Поэтому ты пришла договариваться? Иначе бы украла? Да? Украла бы?

Анна молчала.

— Добровольно отдать. Подарить... Мне не нравится, как это звучит. Есть в этих словах какая-то неправильность... Почему подарить? Я могу их тебе добровольно продать? Или добровольно дать на время?

«Может, позвонить навам, продиктовать им адрес Никиты и поделить с Генбеком награду?»

— А если я захочу сыграть еще раз?

— После того, как я расскажу тебе о них все, что знаю, уверена, ты не захочешь играть в эти карты больше одного раза, — огрызнулась Анна. — А возможно, вообще не захочешь в них играть.

— Звучит угрожающе. — Крылов понял, что переборщил, и подобрался. — Не обижайся, я ведь еще не до конца...

— Ты думаешь, у тебя пакетик леденцов в кармане? Или палочка-выручалочка? На счастливый билет не рассчитывай, тебе предложат сыграть, по-крупному сыграть, но выигрыша никто не гарантирует.

Никита не отвечал пару минут. Молча смотрел в черные глаза Анны. Держал взгляд. И не проиграл.

— Что ты решил? — тихо спросила девушка.

— Запусти...

— Активизируй, — эхом поправила его Анна.

— Активизируй карты.

— Ты подаришь их мне после первой игры?

— Да.

— Я хочу, чтобы ты поклялся.

— Только после того, как окончательно поверю, что они волшебные. Только после того, как начну игру.

— Ты поверишь, — пообещала девушка.

И отвела взгляд. Она знала, как заставить мужчину сделать то, что от него требуется.

* * *

Ресторан «Сирена».
Москва, улица Большая Спасская,
4 ноября, четверг, 22.23

— Абонент не отвечает или временно недоступен. Попробуйте перезвонить позднее...

Эльдар с яростью посмотрел на трубку мобильного телефона и громко выругался. Он уже два часа не мог дозвониться до Анны.

Когда девушка предупредила, что они не увидятся, Ахметов отнесся к сообщению спокойно — такое случалось не единожды. Но позже, вспомнив вчерашнее утро и возникшую тогда тяжелую неловкость, Эльдар вдруг подумал, что отсутствие Анны может быть связано с этими событиями. «Женщины, черт бы их побрал! Женщины! На словах она желает независимости и свободы, а на деле мечтает о семье и детишках...» Неужели Анна действительно ждет, что он сделает ей предложение? Это невозможно! И снова отчетливая мысль: «Я не хочу ее терять!»

Ахметов продержался до шести часов вечера, а затем принялся названивать. Хотел услышать ее хрипловатый голос. А если получится — уговорить встретиться. Он знал, что скажет на этой встрече. Черт с ними, с традициями, ему нужна эта женщина!

— Абонент не отвечает или временно недоступен. Попробуйте перезвонить позднее...

— Дерьмо!!

— Приехали, Эльдар Альбертович.

Занятый своими проблемами, Ахметов не заметил, что «Мерседес» остановился возле ресторана, и непонимающе взглянул на Даньшина:

— Что?

— Приехали. Ресторан «Сирена», Эльдар Альбертович.

Встреча проводилась на нейтральной территории, гарантии безопасности дал Чемберлен, поэтому Ахметов ограничился всего двумя телохранителями. Эльдар выбрался из машины, угрюмо посмотрел на телефон, процедил еще одно ругательство и раздраженно засунул трубку в карман пиджака. Он не узнавал себя — жизнь висит на волоске, а он волнуется о том, что не может дозвониться до женщины?

Впрочем, со стороны могло показаться, что Ахметов волнуется из-за предстоящих переговоров. Во всяком случае, Давид Цвания решил именно так:

— Не все так плохо, Эльдар, в конце концов, это всего лишь бизнес.

— Не буду врать, что рад тебя видеть. — Ахметов опустился за столик и небрежным жестом отодвинул от себя меню. — Но лучше встречаться здесь, чем в каком-нибудь другом месте.

— И при других обстоятельствах.

— Вот именно.

— Я рад, что вы проявили благоразумие. — Давид улыбнулся. — Нет, действительно рад. Я уважаю вас: тебя, Никиту. Вы превратили свое казино в отличное предприятие.

— Лучше бы не превращали. Завистников было бы меньше.

— Ерунда, — махнул рукой Цвания. — Завистники всегда найдутся, а вот мы, кстати, еще можем стать друзьями.

Ахметов молча посмотрел на Давида. Крупный, пузатый, с обвисшими, словно у бульдога, щеками, Цвания был похож на дешевого громилу, но Эльдар знал, что это впечатление обманчиво. Давид не обладал тонким умом, но звериной хитростью мог поделиться с кем угодно. К тому же он действительно был неплохим игроком.

— Оставьте нас в покое, — предложил Ахметов. — И будем друзьями.

— К сожалению, это невозможно, — рассмеялся Давид. — Решение принято, будем играть.

— Не боишься проиграть?

На мгновение, всего на одно мгновение в глазах Цвания сверкнул металл. Не чугунная болванка, а острый стальной клинок. На мгновение перед Эльдаром оказался настоящий Давид, беспощадный выходец из южных колоний, зубами прогрызший себе дорогу наверх. И снова — интеллигентный деловой человек.

— Именно поэтому нас называют игроками, Эльдар, — мы готовы мириться с вероятностью проигрыша. Понимание, что можно потерять все, мобилизует, заставляет напрячься, возбуждает, это, если угодно, и есть настоящая жизнь.

— Которой вы готовы рискнуть?

Цвания откинулся на спинку кресла.

— Эльдар, я не рассказывал, откуда у меня появился дом на Рублевке?

— Мы не настолько близки.

— Я его выиграл, — усмехнулся Давид, с любопытством наблюдая за реакцией Ахметова. Лицо Эльдара осталось непроницаемым. — Все было так же, как сейчас: оценили недвижимость, сели за карточный стол, а через три часа я поднялся из-за него владельцем отличного особняка.

— Дважды в одну воронку снаряд не залетает, — обронил Ахметов.

Цвания скривился, но сдержался, перешел на деловой тон:

— Вы решили, где будем играть?

— Бизнес-центр «Нефтяная вышка», — мгновенно отреагировал Эльдар.

Чемберлен предложил четыре места проведения игры, в которых, по его мнению, сторонам ничего не угрожало. Давид забраковал два из них, и Ахметову предстояло принять окончательное решение. Посоветовавшись с Никитой, Эльдар остановил выбор на бизнес-центре на проспекте Вернадского, управляющий которого, заядлый игрок, хорошо знал Крылова.

— Хорошо, пусть будет «Вышка». Правила?

— Простой покер колодой пятьдесят два листа.

— Без джокеров?

— Без.

— Правила ставок?

— Для начала у вас и у Никиты будет по полмиллиона.

— Для разминки.

— Да, чтобы втянуться. Свыше этой суммы начинается игра на казино, которые мы оцениваем в тридцать миллионов каждое.

— На самом деле они стоят дороже, — улыбнулся Цвания, — но я согласен — к чему затягивать?

— Тот, кто первым проигрывает пятьдесят миллионов, лишается казино, — сухо продолжил Эльдар. — Отказываться от продолжения партии запрещено, это означает капитуляцию.

— Согласен.

— На игре будет присутствовать квалифицированный юрист, который сразу же оформит все необходимые бумаги. Безопасность обеспечивает управляющий «Вышки». Охрана игроков на территорию бизнес-центра не заходит. С нашей стороны будем я и Никита. Я должен знать, кто приедет с вами.

— Какадзе, мой заместитель по общим вопросам.

— Никакого оружия.

— Разумеется.

— На игру отводится шесть часов, — продолжил Ахметов. — Если за это время не будет выявлен победитель, то либо добавляются еще три часа, либо объявляется последняя партия. Решение примем на месте.

— Хорошо.

— Теперь что касается игроков...

Никита сразу предупредил Цвания, что не будет играть один на один — подобные разновидности покера хороши для казино, но не для серьезной игры на большие деньги. Крылов предложил классические правила: пять человек за столом, никаких джокеров и переходящее дилерство. Понятно, что в определенный момент приглашенная троица превратится в статистов, но до этого времени они будут оживлять игру, перебирать колоду, обеспечивая Давиду и Никите интересные комбинации. Цвания согласился — у его покладистости были причины.

— Вы предложили семь кандидатур, — хмуро произнес Ахметов. — Четверо из предложенных игроков нас абсолютно не устраивают. Еще один под вопросом... — А вот теперь Эльдар старательно изучал лицо собеседника, пытаясь понять, правильно ли вычислены подставные. — Кто такой Копытов?

— Довольно крупный бандит с юга Москвы, — ответил Давид. — Хороший игрок, за которого поручились хорошие люди.

— В полицейской картотеке о нем практически ничего нет.

— Я не собирался приглашать шпану с десятком приводов в неделю.

— Ладно, — буркнул Ахметов после краткого раздумья. — Пусть будет Копытов.

* * *

Частный жилой дом.
Подмосковье, Люберцы,
4 ноября, четверг, 23.06

Визит одного из лидеров Саббат в Тайный Город планировался очень тщательно: подбиралось время, уточнялись детали, готовились отвлекающие действия. Опытные слуги не забыли ни об одной мелочи, а уж обустройству дома, которому предстояло стать резиденцией Александра, уделили самое пристальное внимание. Доверенные помощники из числа обычных челов прибыли в Москву за две недели до появления барона, заняли заранее снятый особняк на окраине Люберец и принялись вносить некоторые изменения, жизненно необходимые для комфортного проживания масанов. В первую очередь, разумеется, решалась проблема окон. Там, где это было возможно, их закрашивали, после чего закладывали проемы изнутри кирпичом. На некоторые крепили маскирующие панели — с улицы создавалось впечатление, что видно внутреннее убранство комнат. Но самые большие окна пришлось, во избежание подозрений, занавесить плотными гардинами. Конечно же, в несколько слоев. Конечно же, закрепили гардины так, что оторвать их можно было только с куском стены, но все равно, находясь в гостиной, Клаудия, случалось, бросала подозрительные взгляды на те места, где должны были быть окна. И Жан-Жак бросал. А вот Александр — никогда. И привычно занял самую большую комнату в доме, абсолютно спокойно относясь к мысли, что от смертоносного света его отделяют лишь куски ткани.

Впрочем, после захода солнца неуверенность насчет окон оставила Клаудию, сейчас ее беспокоили другие вещи:

— Чернышев сказал, что Мамоцких отдал шкатулку добровольно. Никита Крылов, ее нынешний владелец, не угрожал Ефиму, не требовал в качестве уплаты долга именно шкатулку. Крылов не знал о ее существовании. Он стал владельцем правильно.

— Что это меняет? — пожал плечами Бруджа.

— Многое, — негромко ответила девушка. — В первую очередь то, что у такого владельца забирать шкатулку надо по всем правилам. Иначе ты не сможешь ею воспользоваться.

— Я помню обо всех ограничениях, — проворчал барон. — И пока не вижу повода для беспокойства: у кого бы ни находилась шкатулка, мы все равно будем действовать через Роберто. Чернышев предложит цену, купит, а потом подарит шкатулку мне. Добровольно.

— Крылов — коллекционер.

— Почему ты так решила?

— Нормальный чел никогда бы не заплатил за шкатулку такие деньги.

— Боишься, что Крылов откажется продавать Колоду? — прищурился Бруджа.

— Предполагаю, — уклонилась от прямого ответа Клаудия.

— Я могу дать такую цену, что он забудет о своей мании коллекционирования.

— Ты правильно сказал, Александр: коллекционирование — это мания. Подобные болезни трудно лечить золотом.

— Ты увидела новые неприятности в нашем будущем? — нахмурился барон. — Почему не сказала сразу?

— Почему? — девушка изогнула бровь, давая понять, что удивлена и вопросом, и тоном, которым он был задан, после чего произнесла: — Потому.

И отвернулась.

Бруджа в бешенстве сжал кулаки. Будь на месте Клаудии кто угодно другой, пусть и такой же классный предсказатель, как девушка, Александр давно бы придушил его. Или избил. Или *высушил*. Представители клана Бруджа легко впадали в ярость, вспыхивали по самому незначительному поводу и не всегда контролировали себя в гневе. Но Клаудия была единственной дочерью барона, и весь клан... Да что там клан? Все знали, что грозный Александр любит ее гораздо сильнее, чем троих сыновей. Клаудия была любимицей старого вождя. Ей позволялось очень многое.

— Ты увидела что-то новое? — поинтересовался Бруджа, когда скулы перестало сводить от бешенства, *иглы* спрятались и он снова мог нормально говорить.

— Я с самого начала знала, что именно из-за Крылова наши планы едва не сорвутся, но до сих пор не вижу — почему.

— Крылов начнет игру?

— Скорее всего.

— Обычный чел не сможет активизировать шкатулку и начать партию. — Барон прикоснулся к мерцающему на груди рубину. — Крылов — маг?

— Не знаю... Я не вижу таких подробностей.

— Ничего страшного, — усмехнулся Александр. — Жан-Жак проверит и доложит.

Ефим Мамоцких смог назвать Чернышеву только имя и место работы Крылова — больше он ничего не знал. Роберто посетил игорный дом, убедился, что одним из владельцев «Двух Королей» действительно является Никита Крылов, и с этими новостями вернулся в Люберцы. Дальше должен был действовать маг, и барон уже проинструктировал помощника.

— Жан-Жак отправится в Москву через двадцать минут.

— Набег продолжается, — задумчиво произнесла Клаудия. — Воины Робене оказались крепче, чем мы думали.

— Или навы потеряли хватку.

— Я бы на это не надеялась.

Бруджа рассчитывали, что охотники Темного Двора

завершат свою работу еще прошлой ночью, и были неприятно удивлены, узнав, что несколько масанов Робене оставались на свободе и зачистка города продолжается.

— В сложившихся обстоятельствах у нас нет выбора, — развел руками Бруджа. — Необходимо отыскать шкатулку как можно быстрее, так что придется рискнуть. Жан-Жак опытный воин и сможет избежать встречи с охотниками.

— Ты не хочешь отправиться вместе с ним?

Барон прищурился.

— Не хочу.

— Ты должен мне одно желание, Александр. — Клаудия холодно улыбнулась. — Поезжай.

* * *

Жилой комплекс «Воробьевы горы». Москва, улица Мосфильмовская, 4 ноября, четверг, 23.41

— Я могу остаться и посмотреть? — Крылов хмуро посмотрел на Анну. — Я хочу видеть.

— Не просто можешь — обязан остаться, — усмехнулась девушка. — Ты — честный владелец Колоды Судьбы. Ритуал проводится для тебя, иначе он не имеет смысла.

Никита криво усмехнулся. Он до сих пор и верил, и не верил Анне. ХОТЕЛ верить, почти не сомневался... но не мог до конца принять, что все это происходит с ним, в его доме, в его кабинете. И боялся, что стал жертвой розыгрыша, что вот-вот раздастся звонок в дверь и на пороге появится хохочущий Эльдар: «Старик, ты поверил!!»

— Анна, только не обижайся, но твои действия какие-то...

— Картинные? — подсказала девушка.

— Да, — выдохнул Крылов. — Извини.

— Похоже на кино?

— Да.

Анна повертела в руке мел, над которым только что читала заклинание, и улыбнулась:

— Почему ты думал, что будет как-то иначе? Зерна истины есть везде: в кино, в книгах, в сказках, даже в дешевых брошюрах. Существуют традиции, на которые все опираются: и писатели, и шарлатаны, и подлинные маги. Другое дело, что не каждому дано провести магический ритуал, даже если он будет знать последовательность действий. Научиться этому невозможно, нужны способности.

В школе Зеленого Дома, которую Анна посещала по настоянию Сантьяги, кадровые сотрудники Службы утилизации подробно рассказывали о том, как правильно дурить головы столкнувшимся с магией челам. Жизнь изобилует сюрпризами, невозможно предусмотреть все на свете, а посему, если вы вынуждены проводить обряд в присутствии постороннего, старайтесь следовать инструкциям — это поможет минимизировать негативные последствия. Систематизированная и зазубренная ложь всегда будет лучше любой импровизации.

— Нужна особая предрасположенность?

— Именно.

— У тебя она есть?

«В представлениях челов магия прочно ассоциируется с чем-то древним, старинным, передающимся из поколения в поколение. Не разубеждайте в этом контрагента...»

— В моем роду почти все женщины...

— Ведьмы?

— Да.

«Большинство челов подсознательно уверены, что заклинания творят в строго определенное время, что положение Солнца, звезд, метеоритов и стрелок на часах оказывает существенное влияние на обряд. Не забывайте об этом, если хотите уверить контрагента в сложности проводимого ритуала, вовремя вставленное замечание, мол, «Луна как раз входит в дом Юпитера», придаст вашим действиям дополнительный вес...»[1]

---

[1] Постарайтесь не ошибиться, Луна действительно должна входить в дом Юпитера! Помните: среди контрагентов могут оказаться знатоки астрологии.

Сообщение, что заклинание придется творить ровно в полночь, Крылов выслушал очень внимательно и серьезно кивнул головой.

«Особое внимание челы уделяют антуражу. Магические действия ассоциируются у них с классическим набором аксессуаров: черные свечи, хрустальный шар, потертые книги, амулеты и надписи на теле...»[1]

Анна попросила Никиту свернуть ковер, поставила в центр кабинета маленький ломберный столик, водрузила на него шкатулку, рядом положила жезл, увенчанный горным хрусталем, после чего долго чертила вокруг сложный орнамент: пересекающиеся круги, треугольники и квадраты, пара рун для красоты, тройка общеизвестных алхимических символов — Крылов смотрел не отрываясь. Убедившись, что Никита достаточно проникся важностью момента, девушка зажгла семь свечей и пробормотала несколько слов на навском.

«В верованиях челов много внимания уделяется сексуальности ведьм. Контрагенты-мужчины должны испытать желание, без этого обряд покажется им пресным. Если возможно, проведите ритуал в вызывающей одежде».

Перед тем как приступить к подготовительным работам, Анна переоделась, сменила деловой костюм на черный шелковый балахон со стильными разрезами до бедер, смыла косметику, а пышные черные волосы перетянула черной повязкой с магическими символами.

Кабинет Крылова окончательно превратился в мастерскую чародея. Пламя свечей рисовало на стенах извилистые тени, тонкий аромат горящих благовоний дурманил голову, бормотание привлекательной ведьмы притягивало внимание. Здесь ощущался запах колдовства. Здесь творили магию! Здесь...

На то, чтобы понять, как активизируется Колода Судь-

---

[1] В универсамах Торговой Гильдии можно приобрести замечательный набор из экологически безопасных красок (только натуральные составляющие! 4 цвета!) и кисточек (3 вида), Номер 491 в каталоге «Аксессуары». Трафареты предлагаются отдельно.

бы, Анне потребовалось около пяти минут. Пять минут сканирования, чтобы определить запускающие арканы и убедиться, что Сен-Жермен не оставил скрытых ловушек. По правилам построения игровых артефактов, активизация не должна вызвать затруднений, и создатель Колоды сделал так, что запуск осуществлялся предельно просто.

— У нас мало времени, — откашлявшись, сообщил Никита.

До полуночи осталась одна минута. Анна улыбнулась.

— Последняя возможность все отменить.

Крылов сжал кулак:

— Ни за что.

— Ритуал скажет Колоде, что ты готов играть. И если ты откажешься...

— Меня ждут неприятности, — оборвал девушку Никита. — Я помню. Начинай!

А какой ответ она ожидала?

— Встань на колени и положи руку на шкатулку.

Крылов повиновался, ладонь легла на медальон. На мгновение тонкий аромат духов Анны перебил благовония, девушка оказалась совсем рядом с Никитой, их плечи соприкоснулись, но тут же, взяв в руки жезл, она поднялась и встала напротив Крылова. Теперь их разделяла шкатулка.

— Закрой глаза.

Часы ударили полночь, и в тот же миг в руку Никиты вонзились иглы. Легкое пощипывание, которое он ощущал раньше, прикасаясь к картам, сменилось яростными уколами, бьющими в кожу, в мышцы, в кости, приносящими боль. Крылов закричал, попытался отдернуть руку, но неведомая сила не позволила ему сделать это.

«Если вы хотите, чтобы контрагент гарантированно поверил в существование магии, сделайте ритуал более интерактивным, позвольте контрагенту поучаствовать в обрядах, пусть он почувствует себя соучастником таинства...»

Боль была сильной, резкой, но ушла очень быстро.

Иглы прошили руку Крылова, намертво связали его с Колодой Судьбы и исчезли, оставив только крик не пришедшего в себя Никиты. Впрочем, Анна позаботилась о том, чтобы соседи не услышали воплей нового владельца шкатулки.

— Инсеян бах! — Фраза не имела отношения к активизации, это была старая навская поговорка, зато звучала она внушительно и заставила Крылова отвлечься от переживаний. — Бар ирея фун!

Специально вызванный ветерок развевал черные волосы Анны, а кристалл, украшающий жезл, пылал желтым огнем, резко контрастирующим с сиянием огромных черных глаз.

— Ханда эрт нуан! — Девушка вскинула вверх руки, и балахон послушно соскользнул с плеч. — Куарт манна эрт!

Еще одна вспышка кристалла, призванная впечатлить Крылова, еще один порыв ветра, и последняя порция магической энергии в шкатулку.

— Мах дерт ианна эрт!

Ведьма театрально раскинула руки, показывая, что обряд закончен, и медленно опустилась на пол. Никита почувствовал, что неведомая сила ослабевает, но за мгновение до того, как он оторвал руку от шкатулки, Крылов ощутил укол в ладонь. А склонившись к медальону, увидел, что кончик выгравированного на щите веретена окрасился кровью. Его кровью. «Дела...» Никита потер ладонь и перевел взгляд на ведьму.

— Анна!

Девушка с трудом подняла голову, слабо улыбнулась, вновь опустилась на пол. «Демонстрируйте, что ритуал отнял у вас много сил...» Жезл валялся рядом с догорающей свечой.

— Анна! — Крылов поднял девушку на руки, отнес в спальню, уложил на кровать. Сбегал в гостиную, принес бокал с вином. — Анна, попей!

— Спасибо, Кит... — Она сделала маленький глоток, провела рукой по его щеке. — Я немного устала.

— Это настолько тяжело?

— Очень.

Ему пришлось склониться, чтобы расслышать тихий голос девушки.

— Очень тяжело...

Ее руки обвились вокруг шеи Крылова. Губы оказались совсем рядом. А еще ближе — за тонкой тканью его рубашки — ее жаркое тело. Упругая, сводящая с ума грудь, смуглая бархатистая кожа, округлые бедра...

— Ведьма, — прошептал Крылов. — Ведьма...

* * *

Бизнес-центр «Нефтяная Вышка».
Москва, проспект Вернадского,
4 ноября, четверг, 23.57

— Рыцари засекли масана!

— Только засекли?

— Подрались с ним.

— Помощь будет через две минуты!

— Район взят под усиленное наблюдение! Через четыре минуты мы полностью заблокируем зону. Ему не уйти!

Ажиотаж, который вызвало сообщение о появлении масана, объяснялся легко: по оценкам «ласвегасов», на Вернадского загнали последнего из проникших в город мятежников, и ушлые концы уже принимали ставки на то, кто его прикончит. Поскольку победителю состязания полагалась внушительная премия, в распоряжении Сантьяги неожиданно оказалась масса охотников, мечтающих лично поставить жирную точку на набеге.

— Это Ортега, мы будем через семьдесят секунд!

— Командор войны фон Стру. Мы появимся через минуту...

— Итак, дорогие друзья, у нас обозначились лидеры. Ортега и фон Стру уже рядом, уже дышат кровососу в спину. Кто же из них настигнет...

Иногда в эфир вклинивалась прямая трансляция «Тиградком».

— Это фея Русана, мы появимся на проспекте через сорок секунд!

— Подерутся? — Тамир Кумар, один из «ласвегасов», отвлекся от прослушивания переговоров и с улыбкой посмотрел на Сантьягу.

— Захар Треми, мы уже здесь!

— Не успеют, — хмыкнул Доминга, второй «лас-вегас», нав-предсказатель.

— У вас есть маяк в машину епископа Треми? — неожиданно спросил комиссар.

— Да, — ответил удивленный Тамир, проверив списки возможных вызовов.

— Сделайте мне портал.

— Хотите взять последнего мятежника живым? — догадался Доминга.

Несмотря на приказ Сантьяги и все усилия гарок, ни один из Робене не попал в Цитадель. Мятежники или погибали от рук охотников, или успевали покончить с собой.

— Совершенно верно...

И через несколько мгновений Сантьяга уже выходил из черного «Мазератти» Захара.

Но вместо епископа увидел его заместителя, Тихона, стоящего у прижавшегося к обочине бордового «Крайслера».

— Что здесь происходит?

— Вот. — Тихон кивнул на машину.

— А где Захар?

— Он...

Сантьяга заглянул в салон «Крайслера» и удивленно приподнял брови:

— Господа, вы почему до сих пор не у врачей?

Кожаные сиденья седана промокли от крови. Судя по остаточному магическому фону, рыцари пытались справиться со своими ранами при помощи заклинаний, но то ли сил у них уже не оставалось, то ли что напутали — кровь продолжала идти, и чуды слабели на глазах. «Вампира вовремя спугнули, — подумал комиссар, — иначе бы в гвардии стало двумя рыцарями меньше...»

— Он у нас все артефакты забрал, — едва слышно прохрипел сидящий в водительском кресле чуд. — И «дырки жизни»...

И потерял сознание.

— С этого и надо было начинать! — буркнул комиссар. — Тихон, «дырку жизни», быстро!

Масан сдернул с пояса свой артефакт и активизировал портал в приемный покой Московской обители.

— Мальчишки!

После последней войны Великих Домов в гвардию пришло слишком много молодых чудов. Им еще предстояло вырасти в классных магов, но, что такое дисциплина, они уже знали: сообщили об обнаружении противника и ни слова о своем бедственном положении, чтобы не отвлекать на себя внимание охотников.

Тихон по очереди вытащил рыцарей из машины, втолкнул в темный вихрь портала, после чего подошел к Сантьяге:

— Все.

— Отлично, — одобрил комиссар. — Ну а теперь вы мне скажете, куда направился Захар?

— Полиция! Капитан Треми. — Захар продемонстрировал удивленному охраннику — только что рядом никого не было! — жетон, но входить в подземный гараж пока не стал.

— Лейтенант Гаврилов! — поучаствовал в представлении молодой масан.

— Подозрительных чело... человеков не видели?

— Что случилось?

Облаченный в черную униформу мужик с сомнением посмотрел на масанов, но мало ли почему он не заметил приближения полицейских? Бывает. Может, задумался о чем... Тем более что жетоны не вызвали у охранника никаких подозрений.

— Ловим опасного преступника. Он мог укрыться в здании.

— Я не слышал ни о какой облаве, — нахмурился охранник. — Мы прослушиваем полицейские переговоры и знаем, что творится вокруг...

— Ты со мной спорить собрался? — Треми холодно посмотрел на бейдж собеседника. — Лоханенко, у тебя мозги есть? Да ты завтра же вылетишь с работы за препятствование полицейскому расследованию...

— Но...

— Тихо! — Повелительный тон заставил охранника замолчать. — Слушай сюда, Лоханенко, мы не местные, а из городского управления. И клиента ищем без лишнего шума. Понял? — Охранник кивнул. Из будки выдвинулся еще один чернорубашечник, Воков, судя по бейджу, но к Захару не подошел, замер позади товарища. — Сейчас здесь будут наши, а мы пока пойдем в гараж, осмотрим там все.

— В здании нет посторонних.

— Наш беглец — бывший спецназовец, — буркнул Треми. — Он специалист по охранным системам, известный хакер и маньяк. Он может сбрить у тебя усы, а ты и не заметишь. Мы его уже дважды упускали, но сейчас такое не повторится. Понятно?

— Так точно! — браво вытянулись стражи безопасности.

— И передай всем своим: если заметят что-нибудь неладное, пусть сообщают и сразу же прячутся, — добавил красок Гаврила. — Нам трупы вытаскивать неинтересно. А на этом парне сегодня уже трое повисли...

— Мы начали сжимать кольцо, комиссар, — доложил Ортега. — Еще минут пятнадцать, и зона будет полностью исследована.

Медленная скорость прочесывания объяснялась повышенным вниманием: масаны умели превращаться в туман, и охотникам приходилось прилагать массу сил при сканировании.

— Мы гарантируем, что он не уйдет, — добавил Тамир Кумар, один из «ласвегасов». — Мы отследим любой портал и построим «коридор-двойник».

На этот случай была предусмотрена резервная группа гарок.

— Очень хорошо. — Сантьяга внимательно посмотрел на бизнес-центр, ставший центральной точкой блокированной зоны, подумал и направился за руль «Мазератти». — Господа, в бизнес-центре есть челы?

— Как минимум десятка полтора охранников, — сообщил Тамир.

— А кто-нибудь из наших?

Заурядный чел способен прикончить масана только одним способом: подкараулить, когда тот заснет[1], и воспользоваться этим преимуществом. Во всех остальных случаях шансов у чела немного — или вампир его *высушит*, или разорвет на части.

Охранник, на тело которого Захар и Гаврила наткнулись в центре гаража, усыпить врага не сумел. Он не знал, как действовать, оставшись один на один с разъяренным масаном, да и вообще вряд ли верил в существование вампиров. Треми обмакнул пальцы в текущую из шеи кровь, попробовал на вкус: «Меньше трех минут», и настороженно оглянулся.

Враг где-то рядом.

— В подземном гараже «Нефтяной Вышки» идет бой!

— Мы нашли его!

— Там епископ Треми!

— Командор войны фон Стру! Мы идем!

— Это Сантьяга, я уже здесь!

---

[1] Рекомендуется применить «пыльцу Морфея».

— Что там происходит? — Лоханенко, не отрывая взгляд от сполохов, потянулся к кобуре.

— Вроде стреляют! — неуверенно пробормотал Воков.

— Может, звонить куда надо? Чтобы подмога пришла?

— Мы уже здесь!

Охранники синхронно развернулись и изумленно вытаращились на не пойми откуда взявшегося — опять! — молодого человека в короткой черной куртке, свободных штанах и крепких ботинках. А в гараж промчался — почему открылся шлагбаум? — приземистый черный автомобиль. Столько событий, столько вопросов... Лоханенко и Воков окончательно потеряли ориентацию.

— Эта, что происхо...

— Полиция! Лейтенант Тихонов. — В электрическом свете сверкнул серебряный жетон. — Оставайтесь, пожалуйста, на месте.

— Но там... Там... — Лоханенко указал на гараж. — Там...

Его напарник многозначительно закивал головой и утвердительно помычал.

— Я знаю, — успокаивающе улыбнулся лейтенант, — наши люди занимаются этим вопросом.

Теперь мимо собеседников красиво пролетели два сине-белых полицейских джипа: с завыванием сирен и миганием «люстр».

— Вы в гараж не ходите, — распорядился полицейский Тихонов. — Вы мне лучше расскажите, что видели...

Хосе Робене знал, что не вернется из набега. Некуда ему было возвращаться. Его первую семью гарки уничтожили в тысяча девятьсот сорок пятом. В те времена охваченная войной Европа привлекала вампиров со всего мира, и каратели Темного Двора работали не покладая рук. Хосе тогда спасся, ускользнул за океан, на пару десятилетий замкнулся, жил отшельником в южноамериканских джунглях. Потом вернулся в клан, вновь женился и... вновь все потерял во время последнего «похода очищения». Сил на следующую попытку у Хосе не осталось. Хотелось убивать, только убивать, не думая о будущем. Настоящим было прошлое, только воспоминания о тех, кого уже нет.

Хосе справил хорошие поминки по своим близким. Опытный, хитрый, он оставил за собой шлейф из семи *высушенных* челов, одного чуда и одного конца, того самого DJ Канция, смерть которого так опечалила клубную общественность Тайного Города. И сейчас переполненный силой Робене готовился принять самый главный бой в жизни.

— Заха...

Договорить Гаврила не успел. И отбить удар не смог. Вскинул меч, но упавший с потолка Хосе просчитал все возможные движения противника, и острое лезвие отделило голову молодого масана от туловища.

Тело еще стояло на ногах, даже рука, поднятая в попытке спастись, не успела опуститься, а Робене уже атаковал второго вампира. Ловко, точно, но предсмертный вскрик Гаврилы спас напарнику жизнь, заставил машинально отпрыгнуть в сторону, уклоняясь от разящего удара. Увернувшись от выпада, противник обернулся, показал лицо, и Хосе узнал Захара Треми. В Саббат его называли...

— Бастард!

Лицо епископа перекосилось. Но гнев плохой напарник во время сражения: отвлекшись на оскорбление, Захар едва не пропустил следующий удар Хосе и был вынужден отступить еще дальше.

— Бастард!!

Продолжая теснить Треми мечом, второй, свободной, рукой Робене активизировал взятый у рыцарей артефакт и направил во врага поток ледяных стрел. Хосе слышал, что в гараж въезжает машина, понял, что это могут быть только охотники, и искренне понадеялся, что успеет убить епископа. Гибель Захара стала бы огромной победой Саббат.

— Сдохни, Бастард!!

В следующем артефакте оказалось «Дыхание дракона», и Треми, получивший по ледяной стреле в бедро и плечо, не успел уклониться с должной скоростью — левый бок крепко опалило. Машина мчалась к соперникам, но движения Захара становились все более и более вялыми. Продержался бы он до прихода помощи? Маловероятно. И, понимая, что проигрывает, епископ принял единственно правильное решение: в тот самый момент, когда Робене занес клинок, Треми активизировал «дырку жизни» и провалился в портал.

— Стой!

Каким-то чудом Хосе успел нырнуть в затухающий вихрь, а на месте, где только что шел бой, остановился черный «Мазератти».

— Доминга! — Сантьяга выскочил из машины. — Они ушли в портал!

— Через пять секунд у вас будет «коридор-двойник»!

— Ситуация в «Нефтяной Вышке» выходит из-под контроля! Вы видите вихрь портала?! Бандит уходит! Уходит!!

Шасы, репортер и оператор «Тиградком», визжали так, словно единственный недобитый масан нес угрозу всему Тайному Городу. Журналисты примчались в бизнес-центр на плечах передовой группы охотников, и зрители, оплатившие пакет «Full House»[1], наблюдали за событиями в прямом эфире.

— Еще пива, брат Ляпсус?

— Охотно, брат Курвус.

— Не напомните, брат Ляпсус, на кого вы поставили ту сотню?

— На Ортегу, брат Курвус.

— Печально, брат Ляпсус, печально, — сочувственно пробасил толстый санитар. — Это не ваш протеже на эк-

[1] Подробнее о предоставляемых услугах узнайте в офисе «Тиградком» или на сайте: www.t-grad.com.

ране? Во-он тот, темненький, что яростно скачет по подземелью?

— Охота не завершена, брат Курвус, — напомнил врач.

И раздавшийся в приемном покое грохот подтвердил его слова. Сопение и воинственные возгласы не оставляли сомнений: реальная жизнь шагнула к ним с телевизионного экрана. Глянцевая жизнь, в которой всегда есть место подвигу. Эрлийцы переглянулись и не сговариваясь бросились на защиту родной обители, но если брат Ляпсус лишь размахивал руками, видимо, планируя напугать супостата суматошным мельтешением конечностей, то более практичный санитар нес табуретку, и в глазах его читалось выражение угрюмой сосредоточенности, такое же, как перед экзаменом по традиционному бальзамоварению.

Помимо всего прочего, вывалившись из портала, Захар ударился затылком о металлическую каталку, свáлился на пол и выронил катану. Хосе тоже пришлось несладко. Стараясь успеть за врагом, он прыгнул в портал «рыбкой» и врезался лицом в колено епископа Треми. Учитывая скорость полета, а также крепость масанских костей, удар оказался весьма болезненным. На некоторое время Робене потерял ориентацию. А когда открыл глаза, то сразу же получил еще один мощный удар в голову.

«Он же едва шевелил руками!» А в следующее мгновение в сознание Хосе прорвался радостный вопль:

— Курвус, ты герой! Ты его убил!!

Захар, также услышавший крик Ляпсуса, навалился на оглушенного Робене, одновременно нащупывая заткнутый за пояс...

— Не дай ему вырваться!

— Укуси его! Ты же масан, в конце концов!

Потерявшие свое единственное оружие эрлийцы хлопотали вокруг. Они уже отодвинули в стороны каталки, столики с аппаратурой и лекарствами и теперь следили за событиями с большим спокойствием.

— Захар, добей его!

— Бастард, — прошептал Хосе.

Память о погибших родных придала Робене сил. Он попытался спихнуть с себя епископа, но было поздно: Треми вытащил из-за пояса острый деревянный колышек и, всем телом навалившись на Хосе, вдавил его в сердце врага. Парализованный Робене раскинулся на полу.

— Ненавижу, всех вас ненавижу! Навские собаки! Твари...

Он не умирал — подобными вещами масана не проймешь, но не мог пошевелиться. Епископ откатился в сторону.

— Бастард! Ты слышишь меня? Будь ты проклят, Бастард...

— Я вижу, у вас все отлично! — Из вихря портала появился Сантьяга. — Захар, вы... Захар!!

Комиссар хотел остановить Треми, но не успел: окровавленный епископ отыскал свою катану, вернулся к проклинающему его Робене и в тот самый момент, когда белый франт появился из портала...

— Захар!!

Короткий взмах, покатившаяся голова.

— Все.

Обессиленный Захар рухнул рядом с убитым Хосе.

* * *

Коттеджный поселок «Царский Угол». Ближнее Подмосковье, 5 ноября, пятница, 00.16

Если Автандил Гори говорил: «Мне интересен этот проект», это означало, что он должен быть в курсе всего происходящего, должен знать о самых мелких подробностях и лично одобрять предпринимаемые шаги. Это означало, что его люди постоянно контролировали исполнителей, следя за точностью соблюдения инструкций, и докладывали Гори о малейших нарушениях. И еще это означало, что задуманное будет обязательно, ОБЯЗАТЕЛЬНО доведено до конца и один из главных московских уголовников получит то, чего хочет.

Поэтому, покинув «Сирену», Цвания без промедлений направился в загородный особняк Гори, чтобы лично доложить боссу результаты переговоров.

— Жаль.

— Жаль? — Давид удивленно посмотрел на Автандила. — Почему жаль?

— Никита хороший бизнесмен, — проворчал Гори. — И Эльдар хороший бизнесмен. Перспективные они, с огнем в глазах. Жаль, что не договорился ты с ними, жаль, что к нам не зазвал.

— Приползут, — пожал плечами Цвания. — Деваться им будет некуда.

— Если приползут — не возьму.

— Почему?

— Ломаные они будут, — медленно ответил Автандил. — Приползут — если приползут! — то от безысходности, не по воле. Из них тогда только лакеи получатся, а мне лакеи не нужны.

Гори помолчал, глядя на горящие в камине поленья.

— Доволен, Давид?

— Все складывается так, как мы хотели, — осторожно ответил Цвания.

— А за игру не опасаешься? Крылов ведь классно катает.

— Никита играет, — поправил босса Давид. — Но я не сомневаюсь в том, что успех гарантирован.

— Много авторитетных людей лежит сейчас в земле, — Автандил нехорошо улыбнулся, — только потому, что думали, что «успех гарантирован».

Давид уверенно повел рукой:

— Крылов может катать, может играть — неважно. У него нет шансов: против троих ему не устоять.

— Против троих?

— Двое из троих статистов — мои люди. Первоклассные незасвеченные каталы, я их за границей держал, берег для такого вот случая. Так что нет у Крылова шансов.

— Третий кто?

— Копытов, средней руки бандит с окраины.

— А он тебе зачем?

— Для ребят, — улыбнулся Давид. — У Копытова деньги есть, вот они его и пощиплют, в качестве небольшой премии.

С полминуты Автандил тяжело смотрел на Цвания, после чего кивнул:

— Хорошо.

— Завтра вечером «Два Короля» будут в нашей колоде, — твердо произнес Давид.

— Не я это сказал, — уточнил Гори.

— Я сказал, — кивнул Цвания. — И я отвечу.

* * *

***Жилой комплекс «Воробьевы горы».
Москва, улица Мосфильмовская,
5 ноября, пятница, 03.17***

— Резче! Резче!!

Девушка откинула назад голову, разметав по подушке длинные черные волосы.

— Еще!

Ее пальцы скользили по плечам мужчины, и иногда, в наиболее чувствительные моменты, длинные ногти впивались в кожу, оставляя красные полосы царапин.

— Еще!!

Происходящее не было сексом на скорую руку, они любили друг друга давно, со вкусом, наслаждались, не обращая внимания ни на что вокруг — это подтверждали и расцарапанные плечи мужчины, и скомканное постельное белье.

— А-а!

Голоса смешались. Мужской и женский, отрывистые, полные неподдельных эмоций, усталые и очень довольные. И очень искренние: они вместе достигли наивысшей точки наслаждения, их страсть выплеснулась яркой вспышкой, разорвала мир на тысячи осколков, на несколько мгновений оставив любовников наедине в опустевшей Вселенной.

— Как же здорово! Боже, как здорово!

Грудной, с легкой хрипотцой голос Анны. Девушка подалась вперед, поцеловала Никиту в губы, вновь откинулась на подушки, разбросав в стороны руки, улыбнулась.

— Хорошо!

— Просто здорово!

Они не могли думать ни о чем другом. И если в какой-то момент вокруг любовников и кружили призраки прошлого: Эльдар, Леночка, дела, заботы, обязательства, то страсть развеяла их в дым. Они потеряли счет времени, забыли обо всем, и лишь один вопрос читался иногда в их глазах: «Почему мы не нашли друг друга раньше?»

— Кит, неужели ты совсем не устал?

— Мне кажется, что я вижу прекрасный сон. — Крылов склонился над Анной, поцеловал ее маленькое ушко. — А во сне не устают.

И снова хриплый смех...

Крылов остановил просмотр, вытащил диск и убрал его в особый сейф, предназначенный для таких вот записей. На мгновение задумался, затем тряхнул головой и стер с жесткого диска исходный файл, пришедший с установленной в спальне камеры.

— Так будет лучше.

Видеоколлекция встреч с женщинами не была для Никиты фетишем, он не возбуждался, просматривая записи, не любовался собой. Диски служили охотничьими трофеями, подтверждением состоятельности. Квартира Никиты была оснащена скрытыми видеокамерами так, что он мог провести съемку в любом месте, и все побывавшие в доме женщины оставили след в сейфе.

— Встань на колени и положи руку на шкатулку.

Запись магического обряда Крылов смотрел предельно внимательно. Иногда он останавливал просмотр и возвращался на несколько кадров назад, стараясь отыскать хоть малейший намек на то, что все произошедшее в кабинете — обман, спектакль, водевиль под названием: «Голая ведьма творит заклинание». Но все было напрасно, как Никита ни старался, он не смог обнаружить фальши в поведении Анны. А все еще яркие воспоминания о пронзающей руку боли лучше всяких записей доказывали — он стал свидетелем колдовского ритуала.

«Она красавица. Она умница. И она — ведьма».

Файл с записью обряда Крылов предпочел стереть.

Отыскать Никиту Крылова оказалось не таким простым делом, как рассчитывал барон.

Узнав в «Двух Королях», что владелец еще не приезжал (об этом поведал взятый под ментальный контроль охранник), Бруджа воспользовался одним из самых распространенных в Тайном Городе заклинаний, отвел глаза челам и, проникнув в бухгалтерию, нашел среди записей паспортные данные Крылова. Окрыленные масаны направились по указанному в них адресу и... были крайне недовольны, никого не обнаружив в роскошной квартире на набережной Тараса Шевченко. Оставшуюся после родителей недвижимость Никита не жаловал, хотя и не продавал.

Раздраженные масаны вернулись в «Два Короля», вновь узнали, что Крылов не появлялся, и принялись осторожно проверять головы сотрудников, пытаясь найти чела, знающего, где может находиться Никита. Им повезло с третьей попытки: в туалет забрел Даньшин и, сидя на унитазе, дал короткое интервью вампирам. Разумеется, мгновенно исчезнувшее из его памяти.

Новый адрес вкупе с заверениями Даньшина в том, что Никита гарантированно находится дома, улучшили настроение масанов. До восхода солнца оставалось еще много времени, и Бруджа решил навестить Крылова.

Никита подключился к камере в спальне, убедился, что Анна спит, выключил компьютер и поставил на стол шкатулку.

«Ну, что? Настоящая ведьма, настоящее колдовство, настоящие волшебные карты. Пора играть?»

Надо играть! В этом Крылов не сомневался. Если все, что рассказывала Анна, — правда, а Никита верил девушке, то играть надо обязательно. Ибо в этом случае ему предстоит самая непредсказуемая, самая страшная и самая захватывающая в мире игра по самым высоким ставкам. И все его достижения и подвиги, весь заработанный авторитет игрока экстракласса можно считать лишь тренировкой перед этой, самой главной в жизни партией. Упустить такую возможность Крылов не мог, как не может настоящий летчик отказаться от полета в космос, а подводник — от перспективы побывать на дне Марианской впадины. Есть вещи, от которых не откажется профессионал, вызов, который надо принять, чтобы до конца жизни было не стыдно смотреть в зеркало.

«Колода Судьбы? Отлично!»

Памятуя о наставлениях Анны, Никита перенес шкатулку на пол, на котором еще оставались полустершиеся следы нарисованных девушкой знаков, поставил примерно в центре кабинета и раскрыл.

И ничего не случилось. Две колоды карт безмятежно покоились на зеленом бархате.

«Не так! Черт побери, я все забыл!»

Крылов закрыл крышку, глубоко вздохнул, сосредоточился, положил правую ладонь на медальон и громко, отчетливо и абсолютно серьезно произнес:

— Fata viam inveniunt![1] По праву господина Колоды Судьбы я требую, чтобы линии грядущего обволокли Королевский Крест! Пусть начнется игра!

Где расположены окна нужной квартиры, масанам подсказал охранник здания. Он же любезно подтвердил, что Никита пребывает дома. В полном одиночестве. Последнее заявление сначала показалось барону странным: незаметным, легким мазком пощупав здание, Бруджа увидел, что Крылов проводит время с женщиной. Но уже че-

[1] Судьбы находят путь *(лат.)*.

рез мгновение все встало на свои места — в квартире Никиты находилась ведьма. Не самая сильная на свете, но вполне способная незаметно пройти мимо охранника.

Ведьма в доме... Не она ли станет причиной проблем, о которых предупреждала Клаудия? Но в отсутствие информации размышлять на эту тему было бессмысленно. Барон отпустил охранника и приказал Жан-Жаку подняться к окнам, посмотреть, что происходит в квартире.

— Пусть начнется игра!

Шкатулку окутала едва заметная бордовая дымка, крышка чуть приподнялась, стенки опрокинулись, увеличились в размерах, расплылись в глазах, не позволяя наблюдателю сосредоточиться, бордовая дымка стала гуще, а когда рассеялась — на полу перед Крыловым появился маленький столик, покрытый зеленым сукном.

«Колода Судьбы предлагает только одну игру — «Королевский Крест», — вспомнил Никита слова Анны. — Это парный пасьянс, у тебя будет противник, которого следует обыграть».

Расклад пасьянса соответствовал названию. В центре столика расположились восемь королей, четыре красных и четыре черных, базовые карты, выложенные в виде креста. Перед каждым игроком — ряд тузов одного цвета, Крылову достались красные. Справа находилась закрытая колода, слева оставалось место для талона[1].

— Обалдеть! — Никита провел ладонью по зеленому сукну, взял в руки туза — почувствовал знакомое покалывание в подушечках пальцев, покачал головой. — Это все — правда.

И вздрогнул — противник открыл первую карту.

Верхний лист Колоды поднялся в воздух, медленно перевернулся, демонстрируя ошарашенному Крылову свое значение — двойка пик, — и медленно лег на червового

[1] Стопка, в которую при перелистывании укладываются карты, не подходящие для раскладки.

туза, перекрыв Никите ход в этой стопке. Следом открылась четверка треф. Невидимый соперник поколебался и отправил карту в талон.

Руки Крылова задрожали. Он был готов ко всему, он поверил в магию и испытал боль во время ритуала, он принял случившееся, но карты, спокойно плывущие по воздуху, выбили его из колеи.

— Соберись, — приказал себе Никита, успокаивая дыхание. — Соберись, пора делать ход.

И потянулся к Колоде.

— Можно ли говорить о том, что набег мятежников закончился?

— Я абсолютно уверен в этом. — Интервьюируемый франт в элегантном светло-сером костюме помолчал. — Можете считать мои слова официальным заявлением Темного Двора: в настоящий момент в Тайном Городе не осталось масанов Саббат. Уничтожено семнадцать мятежников, троим удалось уйти. Мы потеряли четверых воинов, двоих из клана Треми и двоих из клана Гангрел. О жертвах среди мирного населения будет сообщено завтра.

— Комиссар, всех интересует, когда прекратятся набеги?

Сантьяга пожал плечами:

— Мы работаем над этим.

Улыбнулся.

Барон стиснул зубы и выключил установленный в машине телевизор. Проклятый нав! «Мы работаем над этим!» Сколько столетий продолжается эта «работа»? Сколько свободных воинов погибло?!

Бруджа давно стал хладнокровным циником, равнодушным, проявляющим эмоции только в качестве элемента игры, но Сантьяга вызывал у него дикую ненависть. Такому приливу чувств позавидовал бы любой юнец.

— Проклятая тварь!

— Барон, чел начал игру!

Александр посмотрел на Жан-Жака, снова на экран,

где продолжал улыбаться комиссар Темного Двора, выключил телевизор и коротко кивнул:

— Возвращаемся.

Слабый фон магии Крови, который оставлял Жан-Жак, не остался не замеченным Анной. Девушка уловила изменения в привычной энергетической картине, обратила на них внимание и, не открывая глаз и продолжая делать вид, что спит, принялась сканировать окружающее пространство. В соседнюю квартиру пришел маг? Работает артефакт? Или где-то далеко идет магическая дуэль, а сюда долетели остаточные следы? Жан-Жак слишком хорошо скрывал следы своего присутствия, чтобы Анна мгновенно засекла его. Возможно, если бы сканирование продолжилось чуть дольше, девушке удалось бы вычислить визитера, но вспышка магической энергии стерла создаваемый масаном фон, закрыла его от поиска, позволила скрыться.

Анна же, почувствовав, что Никита активизировал артефакт, открыла глаза, перевернулась на спину и улыбнулась.

Игра началась.

ГЛАВА 3

— Никто не говорит о массовых убийствах, комиссар! Уничтожению подвергнутся только хищные челы: аристократия, военные и духовенство. — Кардинал Ги Луминар выразительно посмотрел на Сантьягу. — Перебьем тех, кто сможет организовать сопротивление, кто сможет поднять голову. Остальные пусть плодятся.

— Нам ведь нужна пища!

— Мы все предусмотрели!

— Это будут фермы по выращиванию пищи!

— Окончательное решение еще не принято, — пояснил Ги. — Я, например, считаю, что надо загнать челов в четко ограниченные области и предоставить им определенную автономию.

— Правильно, — кивнул Мануэль Робене. — Мы даже разработали для них законы. — Он бросил на стол свернутые в трубочку листы. — Назвали их Догмами Покорности.

Лидеры кланов встретили сообщение дружным хохотом. Комиссар Темного Двора дотронулся пальцем до развернувшихся на столе бумажек, помолчал и вежливо улыбнулся:

— Удачное название.

— Мы планируем начать вторжение из Восточной Европы, — вновь вернул себе слово Луминар. — Пойдем широким фронтом. Носферату отвлекаются на Балканы, остальные — строго на запад. По мере продвижения чистим территорию и сбрасываем недобитых челов в Атлантику.

— По нашим оценкам, контроль над Европой будет установлен в течение девяти-двенадцати месяцев.

— Наши планы укладываются в стратегию Великих Домов, не так ли?

Последний вопрос задал Сила Треми, епископ одного из самых непредсказуемых кланов Масан. Осторожный Сила долго молчал, наблюдал за Сантьягой, пытаясь понять, для чего навы потребовали созыва этого совещания. Не понял — Сантьяга умел быть бесстрастным — и принялся задавать уточняющие вопросы:

— Мы знаем, какая работа ведется с человскими колдунами, и понимаем, во что она выльется. Будет большая кровь. Разве наше участие не на руку Великим Домам?

Комиссар помолчал, словно надеясь, что вопрос затеряется в шуме многоголосого совещания, но дождался лишь того, что все кардиналы и епископы замолчали и повернули головы в его сторону. Тем, кто не услышал Треми, вопрос шепотом пересказали помощники. Уклониться от ответа было невозможно, и все понимали, что именно сейчас боевой лидер самого старого Великого Дома выскажет подлинное мнение Тайного Города в отношении действий масанов.

— Разве наше участие вам не на руку?

— Не сейчас, — дипломатично ответил Сантьяга.

Вампиры разочарованно выдохнули.

— В чем дело?

— Мы специально рассказали вам, как именно строим работу против челов, — громко произнес комиссар. Он поднялся на ноги и теперь, с высоты своего роста, мог видеть всех собравшихся в зале масанов. — Предсказатели видят в будущем что-то очень странное. Такое, с чем нам еще не доводилось сталкиваться. Они не могут ничего объяснить, поэтому мы приняли решение придерживаться осторожной тактики. Идем за спинами ренегатов. Пусть челы втянутся в гражданскую войну, пусть пойдут друг на друга, пусть ослабнут — тогда мы нанесем удар. Поверьте, время горячего конфликта еще не подошло.

— И сколько Великие Дома намерены ждать? — язвительно осведомился кто-то из Носферату.

— Не меньше года.

— Это невозможно!

— Смешно!

— Для чего мы шли из Африки? Чтобы ждать еще год?

— Может, вернемся в Африку и сначала подчиним себе ее?

Предложение было встречено одобрительным смехом. Вожди хлопали друг друга по плечам и повторяли понравившуюся шутку. «Подчиним себе Африку!» Это казалось реальным. Очень реальным. И Сантьяга это понимал, хотя оставался спокойным и бесстрастным.

Вампиры осознали свою силу.

Взгляд комиссара нашел скромно стоящего у стены Лазаря Гангрела, затем переместился на второго масана, не поддавшегося всеобщему веселью, — Силу Треми. Двое. Всего два рассудительных вампира на всю семью. Причем второй лишь епископ, а первый — никто. Пока никто. И крайне мало времени. А потом Сантьяга увидел холодные глаза Александра Бруджа:

— Год — это слишком!

— Хорошо, пусть не год! — Мощный голос комиссара перекрыл поднявшийся в зале шум. — Но посудите сами: сейчас весна. Ночи, единственное доступное вам время для серьезных боев, очень коротки. В этих условиях вторжение

превратится в фарс. О каком эффекте внезапности можно говорить, если не будет темпа? Если вы будете продвигаться на пару миль за ночь? Слухи о появлении армии приведут к тому, что сначала от вас разбежится пища, лишив возможности пополнять запас Крови, а затем вы начнете встречать организованное сопротивление.

— Они не устоят против нас! — рявкнул Бруджа. И висящий на его груди огромный рубин тускло сверкнул, осветив кровавой вспышкой лица ближайших масанов.

Малкавианы только фыркнули в ответ на слова Сантьяги. Гангрелы и Треми закачали головами, начали что-то обсуждать, Носферату промолчали.

— Надо подождать хотя бы до сентября и сполна использовать удлинившиеся ночи! К этому времени мы прогнозируем серьезные беспорядки у челов и, вполне возможно, отправим в Европу свои войска.

— А если не отправите?

— Если вы решите, что справитесь сами, — позволил себе улыбку комиссар, — мы не будем возражать. Воюйте на здоровье.

— Пойдете по протоптанной нами дорожке?

— Только если вы откажетесь идти вместе.

— Как он повернул, а? — Носферату рассмеялся. — Хитер!

Ги Луминар и Мануэль Робене недовольно переглянулись. Им не понравилось, что лидеры семьи прислушиваются к словам нава.

— Вижу, тебя расстроили слова Сантьяги, — усмехнулся Александр, подойдя к Силе Треми.

Молодого собеседника Силы, Лазаря Гангрела, Бруджа не удостоил даже кивком, просто не заметил. Александр слышал, что Лазарь пользуется авторитетом в своем клане, но ведь не будешь здороваться с каждым известным драчуном?

— Я разочарован, — коротко ответил Треми.

— Мы никогда не подчинялись Великим Домам, — намеренно громко бросил Александр. — Мы не зависим от их Ис-

точников и не живем в Тайном Городе. Мы вольны делать все, что сочтем нужным.

— Это так, — согласился Сила.

— И я скажу, — еще более повысил голос Бруджа, — мне не понравилось, что белый франт стал указывать нам, когда воевать! Можно подумать, от его слова зависит, быть или не быть войне! Мы сами определяем время, когда идти за добычей!

— В словах комиссара есть резон, — подал голос Лазарь. — Логично объединять усилия, а не действовать поодиночке.

Александр высокомерно посмотрел на молодого воина.

— Сантьяга не указывал нам, а просил. — Бруджа вперил пристальный взгляд в Треми. — Ведь так, Сила?

— Так, — тут же ответил Треми.

— Так, — поддакнул Лазарь.

Но когда Александр оставил Силу и Гангрела, присоединившись к Робене и Луминару, Лазарь, угрюмо глядя на троицу кардиналов, очень-очень тихо, только для Треми, пробурчал:

— Они считают себя главными.

— Только они сумели сохранить Амулеты Крови своих кланов, — одними губами прошептал Треми. — Это поднимает их выше нас.

Когда-то их было семь — по числу кланов семьи Масан — семь легендарных Амулетов Крови, дающих своим владельцам колоссальную силу. И только три кардинала ухитрились сохранить реликвии предков. Немудрено, что они держались особняком, считали себя вправе говорить от всех масанов и никогда не заигрывали с Великими Домами. Алое Безумие, сияющее на груди Бруджи. Диадема Теней у Мануэля Робене. Пара Драконьих Игл на поясе Ги Луминара.

— Они пытаются заставить нас думать, что Сантьяга просил, а не приказывал. Но ведь у него есть гарки...

— А что было потом? — зачарованно спросил Чернышев.

— Потом наступили дни славы, месяцы упоительной

охоты, самый величественный период в истории семьи Масан, — после короткой паузы ответила Клаудия. — Мы гоняли челов по Европе, мы рвали их на куски, мы упивались их кровью. Великие Дома не мешали: в тот момент они пытались свалить Церковь, натравливая на нее человских колдунов. Это была отличная атака на человскую цивилизацию, и наши действия были на руку Тайному Городу.

Увлеченный Роберто не отдавал себе отчет в том, что девушка рассказывает о войне с его предками, об убийстве его соплеменников. Сейчас Чернышев был на ее стороне.

— Мир зашатался, мы решили, что время пришло, и все кланы объединились для святой войны. — Клаудия презрительно усмехнулась. — Это сейчас Гангрелы и Треми уверяют, что всегда были верны Темному Двору. А в те времена они бились за власть на планете не менее жестоко, чем остальные. Мы поверили, что должны сменить челов, что Земля станет лунным миром, что наступит эпоха Масан. Мы поверили... Да и как мы могли не поверить? Ведь нас было много, каждый из нас гораздо сильнее чела, и в отличие от них мы сплотились — у нас была цель.

Девушка не сказала главного — масаны не просто сплотились, они осознали свою силу. Давнее разделение семьи на обособленные кланы было следствием образа жизни: вампирам надо пить кровь разумных и по возможности скрывать свое существование. Семья рассеялась по планете, масаны группировались вокруг наиболее населенных районов, образуя автономные органы управления и собственную аристократию. Единого властелина у вампиров никогда не было, каждый клан развивался самостоятельно и, несмотря на связи с остальными масанами и Тайным Городом, считал себя независимым племенем. Однако рано или поздно приходит понимание того, что, сложив пальцы в кулак, можно добиться многого. Собравшиеся вместе вожди неожиданно увидели, какие перспективы открывает объединение семьи, и в них взыграло честолюбие.

— Разумеется, мы не собирались истреблять челов, предполагалось оставить за ними довольно обширные автономные области. Но хозяевами на планете должны были стать масаны. До поры Великие Дома смотрели на наши действия благожелательно, а потом... — Девушка прищурилась. — А потом была кровавая баня, «сезон истинных чудес», во время которого человские Инквизиторы поставили Тайный Город на колени, и все перевернулось с ног на голову. Наша свобода стала одним из пунктов ультиматума, выставленного Великим Домам. Принятого ультиматума. Мы получили приказ отступить. — Клаудия грустно улыбнулась. — Мы осмелились ослушаться.

И разъяренные поражением гарки набросились на вампиров, как стая псов. Элитные воины Нави, нечувствительные к магии Крови, непригодные в качестве *пищи*, не умеющие не исполнять приказы князя. И если повелитель говорил: «Без жалости», гарки понимали его слова буквально. Роберто доводилось слышать о том кошмарном для масанов периоде, о «кладовых братской любви» и «купании в лучах славы», о Трибунале Крови и о белом франте Сантьяге — карающей длани князя Темного Двора. И любой масан, которому удалось пережить те события, заходился от ненависти при одном упоминании проклятого имени.

— Я думаю, помимо человского ультиматума, у Великих Домов был еще один повод для борьбы с нами, — продолжила Клаудия. — Ведь если доминирующей на планете станет раса из Тайного Города, ему придет конец. Даже сотрудничая с челами во время войны с гиперборейцами, Великие Дома продолжали скрывать свое местонахождение. Тайна гарантирует независимость, а независимость — свободу. И они никогда не допустят, чтобы положение изменилось.

— А как же Инквизиторы? Они ведь знали, где находится Тайный Город.

— Великие Дома потребовали гарантий сохранения статус-кво, и церковники очень быстро уменьшили количество знающих истину челов.

— Политика, — пробормотал Чернышев.

— Да, политика... — Девушка откинулась на подушку и заложила руки за голову. — Возможно, у нас был шанс. Инквизиторы здорово потрепали Великие Дома, и мы сражались с ними на равных, но проклятому Сантьяге удалось перетянуть на свою сторону Треми и Гангрел. Это послужило началом Раскола, идеологом которого стал Лазарь Гангрел, в то время еще очень молодой, но уже авторитетный воин. Он провозгласил принципы самоограничения, призывал соблюдать режим секретности и подчиниться Великим Домам.

— Он рисковал, — хмыкнул Роберто, любуясь лежащей рядом девушкой.

— Мой отец и другие лидеры кланов готовили убийство Лазаря, — не стала скрывать Клаудия. — Они понимали, к чему приведет Раскол, и пытались избежать его. Если бы вся семья сказала: «Нет!», Великим Домам пришлось бы придумать что-нибудь другое. А так... — Она вздохнула. — Нас опередили всего на два дня. На сорок восемь часов, которые стоили масанам тысяч жизней. Лазарь Гангрел и Сила Треми, отец Захара, вырезали в своих кланах всех несогласных. Никого не жалели, убрали даже кардинала Треми и двух старейшин Гангрел, а после присягнули на верность Темному Двору. Началось брожение. Бруджа, Робене и Луминар заняли самую непримиримую позицию, остальные кланы разделились. И с тех пор идет война.

Некоторое время Чернышев молчал, думая о чем-то своем, а затем тихо заметил:

— В гражданской войне не бывает победителей.

Он знал, о чем говорил.

— Согласна, — задумчиво ответила Клаудия.

— Твой отец хочет закончить ее?

— Хочет найти выход. — Девушка задумчиво потерла висок. — Некоторое время назад погиб Лазарь, и, по нашим оценкам, сейчас у Сантьяги нарастают проблемы с масанами. Епископ Гангрел имел огромный авторитет, был неформальным лидером, к слову которого прислушивалась вся семья. Он даже отказывался стать кардиналом или старейшиной — ему это не было нужно... — Помолчала. В глазах Клаудии появилось отрешенное выражение: сейчас рядом с Чернышевым лежала не распутная красавица, а предсказательница клана, которая вновь принялась анализировать известные ей факты. Машинально. Потому что, несмотря на всю манерность в поведении, это действительно было для нее важно. — Лазаря уважали, поскольку он был одним из немногих, кто еще помнит Раскол. Он был с ног до головы замазан кровью братьев, но ему прощали все, ибо он не боялся отстаивать перед Великими Домами интересы семьи. С другой стороны, епископ был предан навам, и его пример удерживал масанов в повиновении лучше любой пропаганды. У Сантьяги до сих пор нет равноценной замены Лазарю, он потерял мощную объединяющую силу, и у нас появился шанс.

— Выдернуть Камарилла из-под власти темных? — не сдержался Роберто.

— Примерно так...

Клаудия неожиданно замолчала, поймав себя на том, что чуть не сболтнула лишнего. Ведь одно дело болтать об истории семьи, и совсем другое — о ближайших планах тех, кто эту историю творит. Чернышев понял, что продолжения не будет, понял, почему, и, не желая затягивать возникшую паузу, легко коснулся груди девушки. В восхитительных, идеальной формы округлостях.

— Хочешь еще?

Она протянула руку, холодные пальцы дотронулись до губ Роберто. Он поцеловал нежные подушечки, бордовые ногти, мягкую ладонь.

— Хочу.

— Любовь масана затягивает...

В ее глазах мелькнула улыбка. Чернышев подался вперед, заглянул прямо в красные зрачки.

— Ты ведь не используешь магию? Все по-настоящему?

Клаудия помолчала, дотянулась до любовника и после долгого поцелуя прошептала:

— Никакой магии. Все по-настоящему.

Все по-настоящему. Так, как не было у Роберто никогда в жизни. А будет ли еще когда-нибудь? Кто знает? Упивающийся счастливыми минутами Чернышев не думал об этом. Он не думал ни о чем, кроме лежащей рядом женщины. Холодной, как лед, и горячей, как вулкан. Женщине, красивее которой невозможно отыскать на всем белом свете. Женщине, страшнее которой он никогда не встретит. Рожденная убивать дарила ему любовь.

У них все было по-настоящему.

Клаудия встретила Чернышева, лежа на кровати. Тончайший белый пеньюар и необычайно светлая кожа резко контрастировали с черным постельным бельем. Хрупкая девушка была похожа на изящную мраморную статуэтку, выточенную великим мастером, — совершенную и холодную. Даже волосы за ту пару часов, что Роберто не видел Клаудию, поменяли цвет, теперь они были белыми, с едва уловимым золотым отливом.

Я спросил сегодня у менялы,
Что дает за полтумана по рублю,
Как сказать мне для прекрасной Лалы
По-персидски нежное «люблю»?

Она продекламировала на память, глядя не в раскрытую книгу, а на замершего в дверях Чернышева.

Поцелуй названья не имеет,
Поцелуй не надпись на гробах.
Красной розой поцелуи веют,
Лепестками тая на губах, —

мягко продолжил Роберто.

От любви не требуют поруки,
С нею знают радость и беду.
«Ты — моя» сказать лишь могут руки,
Что срывали черную чадру.

На губах девушки заиграла улыбка, в глазах вспыхнул алый огонь. Клаудия закрыла книгу и, не спуская глаз с Чернышева, чуть потянулась. Прозрачный шелк не скрывал прелестные формы: узкие бедра, плоский животик, стройная шея, ломкая линия плеч и нежные округлости небольшой груди. Изящные полушария с темными, почти черными сосками... дымка пеньюара лишь подчеркивала их прелесть.

— Отец и Жан-Жак уехали, — негромко произнесла девушка. — Мы одни.

— Я знаю.

Роберто медленно присел на кровать. Он не мог оторвать взгляд от Клаудии, от тонких линий лица, от глаз, показавшихся еще более огромными, чем обычно, от бордовых, почти черных губ. Таких чувственных, таких манящих...

— Всем в клане известно, что меня привлекают не только масаны, но все делают вид, что ничего не знают. А враги называют меня...

— Глазами Спящего, — перебил девушку Чернышев. — Ты великолепная предсказательница.

— Нет, — улыбнулась Клаудия. — Они называют меня Римской Шлюхой.

— Если ты еще раз произнесешь эти слова, я тебя ударю, — тихо, но очень твердо сказал Роберто.

— Ударишь?

— Да.

Аромат ее кожи пьянил. Девушка находилась в сантиметрах, в одном движенье, и вся ее защита — белый иней шелка.

Узкая ладонь легла на щеку Чернышева. Изящные пальцы с бордовыми ногтями ласково скользнули по подбородку, шее, прокрались под рубашку, замерли на плече, принеся с собой холод и желание.

— Ты такой горячий, — прошептала Клаудия. — Ты обжигаешь...

Она искала его тепла, он тянулся к страсти холода.

Можно ли разжечь пожар в медленно бьющемся сердце утонченной красавицы?

И первый же поцелуй показал — можно. Роберто потерял голову, коснувшись мягких прохладных губ. И сделал движенье, смахнул шелковый иней с плеч Клаудии и не заметил, как сам остался без одежды. Ледяная страсть сплела их тела, заставила осыпать поцелуями совершенное тело богини, рожденной убивать. А потом он вошел в нее, в богиню, и вспыхнули алые зрачки девушки, и холодный айсберг превратился в пылающий огнем вулкан. Обжигающее дыхание, становящееся все более и более прерывистым, негромкие возгласы, ее руки на его шее, ее гибкое, послушное тело. Роберто чувствовал, что готов заниматься любовью часами, готов сжигать себя дотла, лишь бы не обрывать возникшую между ним и Клаудией связь.

«Любовь масана затягивает...»

И в то же время мечтал вместе подняться на пик наслаждения. Пережить упоительный момент полного единения с женщиной, секунду максимального слияния, миг, когда даже Спящий не знает, где чья душа и где чье тело. Он чувствовал, что они вот-вот окажутся на вершине.

— Сейчас! Сейчас!!

— Роберто!

То ли позвала, то ли простонала. И когда Чернышев увидел глаза девушки, то понял, ЧЕГО она хочет. Но не отпрянул, даже не вздрогнул, склонился к Клаудии, позволяя ей делать все, что заблагорассудится. Склонился так, чтобы бордовые губы оказались рядом с его шеей. И не сбился с ритма, когда *иглы* вонзились в вену. И взлетел на вершину вместе с кровавой богиней, заревел от восторга, захрипел от сладострастия, вдохнул ее стоны и крики.

— Тебе надо восстановить кровь. — Клаудия протянула Роберто бокал с бальзамом. — Я старалась ограничивать себя, но...

— В такие моменты ты теряешь голову.

— Трудно удержаться, когда хочешь мужчину и так... и так...

Не из-за этого ли там, на вершине, их слияние оказалось столь тесным? Близким, как ни с кем другим? Незабываемым.

«Любовь масана затягивает...» Чернышев еще не понял, что отныне для него перестали существовать другие женщины. Он взъерошил Клаудии волосы, потянулся, прикоснулся к ее губам. Почувствовал солоноватый привкус, но поцелуй из-за этого стал только крепче. Отодвинулся, залпом выпил бокал, схватил девушку в охапку и прижал к себе. На ее груди и шее застыли капельки крови, ее совершенное тело было холодно, но в глубине красных глаз пылало обжигающее пламя.

— Я хочу тебя...

* * *

«К сожалению, в представлении большинства людей, игорный бизнес до сих пор ассоциируется с криминалом. Увы, но это факт. Я понимаю, что наследие девяностых годов изжить тяжело: бритые затылки, малиновые пиджаки и казино — типаж сложился. Накладывают отпечаток и голливудские кинофильмы, подробно рассказывающие о том, что все американские игорные заведения принадлежат мафии. Но в США другой менталитет, граждане этой страны с почтением относятся к организованной преступности и не видят ничего дурного в том, чтобы подарить уголовнику пару долларов. Наши же сограждане в большинстве своем бандитов недолюбливают, кормить их не желают, а потому, поверьте профессионалу на слово: казино, с ярко выраженной криминальной окраской, давным-давно прогорели. Русский игорный бизнес вышел из тени, к нам приходит все больше серьезных, а главное — честных инвесторов, и если я, к примеру, захочу купить какое-нибудь казино, я просто сделаю его владельцам выгодное предложение...» ***(из интервью Д.З.Цвания газете «Труд»)***

«Заявление Сантьяги, в котором комиссар Темного Двора официально подтвердил, что все проникшие в город мятежные масаны уничтожены, успокоило общественность. Глубокое одобрение вызвало и сообщение о том, что в течение ближайшего месяца гарки предпримут внеочередной «поход очищения» с целью продемонстрировать Саббат неудовольствие Великого Дома Навь. Все успокоились, но вопросы, как говорится, остались. И первый из них...» ***(«Тиградком»)***

* * *

Частный жилой дом.
Подмосковье, Люберцы,
5 ноября, пятница, 08.14

Солнце давно взошло. Неяркое, редко показывающееся из-за ноябрьских облаков, но все равно смертоносное для любого масана. Надежные стены, заложенные окна, запертые на все замки двери — вампиры сделали все, чтобы не допустить внутрь лучи жестокого светила. Вампиры не желали играть с огнем, старались не покидать внутренние комнаты, а вот их лидер, барон Бруджа, к доводам разума не прислушивался, и совещание по итогам ночи проходило в его любимой гостиной, гигантские окна которой были закрыты лишь толстыми гардинами.

— Никита Крылов начал игру. — Жан-Жак, стоящий за спиной Александра, угадал желание хозяина и наполнил его бокал красным вином. — Что скажешь, дочь?

Бруджа сделал глоток, но, несмотря на заданный вопрос, обратил взгляд не на девушку, занявшую кресло напротив, а на стоящего у окна Чернышева. Даже не на него, на отметины, оставленные Клаудией на шее Роберто, — на две аккуратные ранки. Внешне барон оставался невозмутим, но долгий взгляд говорил сам за себя. Три холодных красных глаза взирали на Чернышева, Роберто стало зябко.

— Партию в «Королевский Крест» не рекомендуется прерывать, — напомнила Клаудия. — Придется ждать, когда Крылов закончит игру.

Она элегантным жестом поправила светлый локон и вновь закуталась в шаль.

— Ты можешь предсказать, что будет дальше?

Темно-зеленые губы изогнулись:

— Если ты не уверен в предпринимаемых шагах — бросай монетки. Я предсказательница, а не нянька. Я сказала, что наше предприятие, скорее всего, увенчается успехом, и не надо бегать ко мне по любому поводу. Поступай так, как будто меня здесь нет.

Жан-Жак напоминал статую, всем своим видом слуга показывал, что не слышал ни слова. Чернышев же, впервые видевший, как Клаудия устраивает отцу выволочку, опешил: он не представлял, что барон способен стерпеть подобное обращение.

— Иногда мне кажется, что тебя здесь действительно нет.

Александр вновь против воли посмотрел на отметины Роберто. Чернышев понял, что ему еще придется ответить барону за сегодняшнюю ночь. Но, как ни странно, эта мысль не испугала. За такую ночь ничего не жалко. И когда Бруджа в следующий раз покосился на отметины, Роберто вызывающе вскинул подбородок, заставив Александра удивленно приподнять брови.

— Кто активизировал шкатулку? — поинтересовалась Клаудия. — Сам Крылов?

— Мы не поняли, маг он или нет, — после короткой паузы признал барон. — Рядом работал артефакт, и, чтобы разделить энергетический фон, требовалось плотное сканирование...

— Почему вы его не применили?

— В его квартире была ведьма.

— Любовница?

— Да. Ее зовут Анна Курбатова.

Чтобы узнать это имя, вампирам пришлось вернуться в «Два Короля» и вновь допросить несчастного Даньшина. Только на этот раз Бруджа не тратил времени на поиск нужного чела, а просто вызвал Владимира при помощи магии в подземный гараж казино, где и провел короткое интервью.

— Одновременно Анна является любовницей компаньона Крылова.

— Какая испорченная девушка, — бесстрастно произнесла Клаудия.

Александр промолчал. Дождался, когда Жан-Жак наполнит опустевший бокал вином, и продолжил:

— Я предполагаю следующее: Мамоцких принес Крылову Колоду Судьбы, надеясь на списание долга. Крылов, или зная, или догадываясь о свойствах карт, согласился взять их. То есть он — честный владелец.

— Что значит: «или зная, или догадываясь»? — набрался смелости спросить Чернышев.

— Или Крылов знает о Тайном Городе и сразу понял, что ему достался редкий артефакт, или же он просто почувствовал идущую от карт энергию.

— Но почему ее не почувствовал Мамоцких?

— Потому что он не был честным владельцем, — пожала плечами Клаудия. — Колода его игнорировала.

— И наша задача заполучить шкатулку так, чтобы честным владельцем стал барон.

— Иначе все бессмысленно.

— Вы вполне можете переговорить потом. — Александр демонстративно отвернулся к окну. — Сейчас нам надо решить, что делать дальше.

Роберто неожиданно подумал, что от смерти Бруджу защищает всего несколько слоев плотной ткани. Сорви он гардины, и... Впрочем, Клаудия наверняка пострадает, а этого Чернышев допустить не мог.

— Учитывая обстоятельства, я бы постаралась получить информацию о наших новых друзьях, — негромко проговорила девушка. — Знают ли они о Тайном Городе? И, если знают, какое положение занимают в нем? На кого работают? Кто числится у них в друзьях?

— Это понятно... — начал было Александр, но Клаудия не позволила себя перебить.

— Располагая подробными сведениями, мы сможем

проанализировать ситуацию и решить, что делать дальше. Допустим, парочка работает на себя, в этом случае договориться с ними не составит труда, особенно если Крылов не маг. Мы уберем Курбатову и запугаем Крылова.

— Позвольте заметить, что Анна Курбатова почувствовала меня и принялась профессионально сканировать окрестности, — напомнил Жан-Жак. — Я считаю, она прошла обучение в школе Тайного Города.

— И мы не сможем просто так ее убрать, — перехватил инициативу Бруджа. — Спасибо, Жан-Жак. — Слуга кивнул. — В Тайном Городе узнают о ее смерти и начнут копать.

— Все, о чем ты говоришь, Александр, решается правильным планированием, — холодно возразила Клаудия. — После смерти Анны у нас будет от двенадцати часов до суток. Этого времени вполне достаточно, чтобы завершить партию в «Королевский Крест». Нам ведь известно, какие проблемы старается решить Крылов?

— Мы имеем представление, — помолчав, кивнул барон. — В «Двух Королях» мне удалось допросить знающего чела, и я догадываюсь, что сейчас занимает Крылова.

— Мы знаем его проблемы, мы знаем, как их решить, и у нас будет не менее двенадцати часов. Вполне достаточно, чтобы завладеть Колодой Судьбы и покинуть Москву. — Клаудия поднялась на ноги. — Дайте мне больше информации, и я загляну в будущее. Но не думайте, что в нем что-то изменится, если вы будете сидеть на месте.

— На месте никто не сидит. — Александр тоже поднялся. — А если выяснится, что Курбатова работает на Темный Двор? И возникнет вероятность ловушки?

— Дай мне информацию, — повторила девушка. — И я расскажу все, что увижу. Тебе останется лишь принять решение.

Барон посмотрел на Жан-Жака, перевел взгляд на подобравшегося Чернышева, вновь взглянул в глаза дочери:

— Я хочу, чтобы вы все знали: я приехал в Москву за Колодой Судьбы и без нее не уеду.

* * *

Жилой комплекс «Воробьевы горы».
Москва, улица Мосфильмовская,
5 ноября, пятница, 08.39

По понятным причинам Никита позвонил домработнице и предоставил ей лишний выходной день — не хотел, чтобы она увидела в его квартире Анну и следы проведенного ритуала. Соответственно, завтрак Крылову пришлось готовить самостоятельно...

— Судя по запаху, у тебя получился отличный кофе!

Вышедшая на кухню девушка поцеловала Никиту в щеку и уселась на разделочный стол.

— Секретный рецепт, — улыбнулся Крылов.

Анна оделась в его рубашку — традиционный домашний халатик для девушки в холостяцкой квартире.

— Судя по футболке, ты совсем не умеешь пользоваться соковыжималкой.

Она насмешливо посмотрела на желтые пятна на животе любовника.

— Фрукт вырвался из рук и брызнул. — Никита положил на тарелку последний тост. — Прошу к столу. Или вас отнести?

Крылов подошел ближе, легко взял Анну на руки и донес до табурета.

— Располагайтесь.

И удостоился быстрого взмаха пушистых ресниц.

— Знаешь, меня нечасто угощают собственноручно приготовленным завтраком.

— Только не думай, что праздник будет продолжаться вечно, — усмехнулся Никита. — У меня есть домработница. — Он взял на вилку добрую половину своего омлета. — Как есть хочется!

Девушка с улыбкой пригубила апельсиновый сок. Отставила бокал, потянулась. Поймала себя на мысли, что ей хорошо. Просто хорошо. Что ей приятно сидеть на этой кухне и наблюдать, как шевелит ушами жующий напротив Кит. Приятно ощущать его запах, исходящий от рубашки, и вспоминать, как упоительно прекрасно было в его объятиях.

«Я что, влюбилась?»

«Не будь дурой! Сначала дело».

«Что еще за дело? — Ленивая расслабленность. — Мне так хорошо...»

«Возьми с него слово, что он отдаст Колоду Судьбы!»

— Вчера я начал раскладывать пасьянс, — сообщил Крылов.

— Знаю, — спокойно ответила Анна.

Не ожидавший такой осведомленности Никита удивленно поднял брови:

— Отку... Ах да, ты ведь ведьма!

— Я почувствовала движение сил. Услышала, как ты начал плести сеть заклинаний.

«Напомни об обещании! Пусть он даст клятву!»

— Сначала я хотел подождать. Ну... понимаешь, попробовать потом, в более спокойной обстановке... Но подумал: какого черта?! У меня проблемы, я их решаю, если карты помогут — тем лучше.

— Сегодня сложный день, — негромко произнесла девушка.

— Предстоит сыграть пару партий, — улыбнулся Крылов. — Ничего особенного.

— Ты поставил свое казино.

— Игорный дом, — поправил ее Никита. — «Два Короля» — это игорный дом, а не казино.

— Сути дела это не меняет — ты поставишь его на кон...

— И выиграю! — Крылов буквально излучал уверенность. — И твоя Колода здесь ни при чем: я знал, что выиграю, когда соглашался на предложение. Другого и быть не может, я — Игрок.

— У тебя хороший расклад в «Королевском Кресте»?

— Я выиграю, — повторил Никита.

— Я буду болеть за тебя.

Крылов замолчал, несколько мгновений не отрываясь смотрел в черные глаза Анны, выражение его лица немного смягчилось.

— Спасибо. — И положил ладонь на руку девушки: — Выходи за меня замуж.

Намазанный джемом тост, направляющийся ко рту Анны, замер.

— Я хочу, чтобы ты стала моей женой.

Внешне девушка осталась спокойной. Вернула тост на тарелку, взяла чашку с кофе, сделала маленький глоток. Но внутри — дрожала. Дрожала, как сопливая девчонка. Как будто слышала подобное предложение в первый раз.

«На этот раз все будет иначе!»

«Почему ты так думаешь?»

«Мне хорошо с Никитой. Я хочу быть с ним».

«Забываешь о проблемах...»

— Есть Эльдар, — тихо сказала девушка.

— То, что у вас было, меня не касается, — твердо произнес Крылов. — А если ты на что-то надеешься, то напрасно: его семья придерживается старых заветов, Эльдар никогда не женится на тебе.

Анна молча взялась за тост, откусила. Салфеткой стерла с губ джем. Еще один глоток кофе.

— Он твой друг.

Его ладонь, прижимающая кисть девушки к столу, не дрогнула.

— Пусть это тебя не волнует. Я все улажу.

— Еще он твой компаньон.

— Я сказал: я все улажу. — Крылов тоже глотнул кофе. — Бизнес можно поделить. Я могу выкупить его долю. Или найти того, кто выкупит.

— Ты пойдешь на это ради меня?

— Да.

Как и любой маг, Анна прекрасно умела отличать правду от лжи. Никита говорил искренне. У девушки перехватило дыхание.

— Но ведь ты ничего не знаешь обо мне.

— Мне кажется, я уже знаю о тебе гораздо больше,

чем Эльдар. Он идиот, он не разглядел, какое сокровище держал в руках.

Крылов говорил очень спокойно, хладнокровно. Не признания чувствительного юноши выслушивала Анна, нет, романтические слова произносились обдуманным деловым тоном. Перед ней сидел взрослый, уверенный, предельно собранный мужчина, принявший решение бросить к ее ногам все. Абсолютно все.

— Остальное ты расскажешь потом. У нас будет очень много времени. У нас с тобой будет очень много времени. У тебя и у меня. Вместе.

Он сжал ее руку.

И вдруг Анна поняла, скажи она сейчас: Кит, позвони Эльдару и все расскажи — позвонит, скажет. Крылов — Игрок. Он быстро принимает решения, и если уж собрался сорвать банк, он найдет способы это сделать. Любые способы. «Я для него важна!»

— Кит, я...

— Тебе нужно подумать? — подсказал Крылов.

— А ты думал, я брошусь тебе на шею? — огрызнулась девушка.

Предложение Никиты стряхнуло с Анны блаженно-романтическое настроение. Открыв глаза, выйдя на кухню и увидев хозяйствующего Крылова, девушка была почти счастлива. Жаль, что продлилось это недолго, пора возвращаться в реальную жизнь. А в реальной жизни Анна еще не знала, как ей вести себя с Эльдаром.

«Он никогда не женится на тебе!»

«Знаю!»

Но как отнесется Ахметов к известию, что она уходит к Никите? Не тот человек Эльдар, чтобы простить такое оскорбление.

— Я тебя не тороплю. — Крылов деликатно позволил Анне хотя бы немного привести в порядок мысли. — Но ты должна знать: независимо от твоего решения наши с Эльдаром дорожки разойдутся. Теперь я точно не смогу видеть вас вместе.

— Ты слишком увлечен...

— Я все продумал.

— Продумал? — Голос девушки похолодел. — Что может быть глупее, чем затевать с компаньоном свару в такой момент? Ты забыл о Цвания? Ему очень понравится, если вы с Эльдаром разругаетесь.

— Стоп, стоп, стоп! — Никита улыбнулся и выставил перед собой ладони. — Разумеется, все вопросы с Эльдаром мы будем решать после того, как уладим ситуацию с Цвания и Гори.

— А ты уверен, что, выиграв у Цвания казино, ты уладишь ситуацию?

— Уверен. Эльдар обеспечил нам очень хорошего третейского судью — Чемберлена. Гори не посмеет нарушить правила.

— Он сам себе правила.

— Будь это так, никакой игры не потребовалось бы.

Резонно. Анна вздохнула и покачала головой:

— Вернемся к твоему вопросу после кризиса. Хорошо?

— То есть после сегодняшней игры?

Девушка отвела глаза:

— Я сказала: когда все закончится. Сейчас тебе надо думать о других вещах.

— Вот именно, что сейчас я не могу думать о других вещах. — Никита перегнулся через стол. — Ты умная и красивая. Я никому тебя не отдам.

— А еще я ведьма, — прошептала Анна.

— Тем лучше.

— Мне надо ехать. — Анна смотрела прямо в глаза мужчины.

— Увидимся вечером?

— Я встречу вас после игры.

— Договорились.

— Но пока мы должны быть осторожны.

— Договорились.

Она поцеловала Никиту в губы:

— Удачи...

* * *

Молодежный клуб «ТарантасЪ».
Москва, улица Красноказарменная,
5 ноября, пятница, 09.01

— Про меня все уже говорят, мол, везунчик, мля, подкову от слона нашел, — посетовал Копыто. — Никто играть не хочет, деньги берегут, суки. А ты обещал, что я заработаю много.

Уйбуй примчался в «ТарантасЪ» рано утром, почти сорок минут слонялся вокруг клуба и периодически тряс ручки запертых дверей. При появлении Харция Копыто разве что не взвыл от восторга, нетерпеливо увлек конца в его кабинет и принялся живо излагать проблемы.

— Ребята, в натуре, недовольны. Горбатились, говорят, сколько ему — это тебе, значит — надо было, а артефакт не работает. Эту... — дикарь на мгновение сбился, припоминая нужное слово, — прибыль не дает. А если прибыли нет — надо с концом базарить. Почему обманул.

Большую часть вчерашнего вечера Копыто пребывал в эйфории: великий фюрер сообщил верному уйбую, что договорился насчет серьезной игры с челами и согласен выделить крупную сумму наличными из семейной казны. На радостях была организована небольшая оргия, в ходе которой въедливый скандалист Иголка и посеял в начальнике сомнения. «Челы за свои бабки кому хошь глотку перегрызут. Это же звери, мля, хуже хванов. Им даже магией не разрешают заниматься, потому что психи. Просекут, что ты выигрываешь постоянно, подумают, что шулер, — и кранты. Замочат, сам не заметишь как. Это тебе не наших по мелочам обыгрывать...» Горячие слова и дополнительная бутылка виски заставили Копыто задуматься. Мотивы Иголки были ясны. Уйбуйская судьба его, разумеется, абсолютно не волновала, Иголка заботился о себе — если Копыто не принесет деньги, взбешенный фюрер повесит всю десятку. А значит, беспокоился скандалист искренне, и на его шепот следовало обратить внимание. Придя к этому выводу и заставив Иголку повторить свои аргументы еще раз, уйбуй понял, что нуждается в дополнительном тренинге. Артефакт артефактом, но серьезная игра требует серьезной подготовки.

Оставалось убедить конца поделиться опытом. Желательно — бесплатно.

— Харций, я репрессии не люблю. Даже когда Гниличей за измену вешаю, вот здесь... — уйбуй ткнул себя в грудь пальцем, — вот здесь, в натуре, покалывает. И к тебе я по дружбе пришел, чтобы, значит, рассказать, какие настроения у моих ребят поднимаются. Плохие настроения поднимаются...

— Я все понял, — перебил дикаря конец.

— Правда понял? — недоверчиво осведомился уйбуй. — А то я могу повторить.

— Не надо! — Харций покрутил в пальцах карандаш. — Эх, Копыто, на тебя такое счастье свалилось, такие перспективы открылись. Только успевай поворачиваться!

Мягко говоря, конец лукавил: слабенький, почти разрядившийся артефакт трудно было назвать свалившимся счастьем. И, увидев дикаря у дверей клуба, Харций в первый момент подумал, что Копыто потребует забрать неработающий артефакт и расплатиться за услуги деньгами. Но, как ни странно, пока дикарю везло...

— Поймал удачу за хвост — не зевай. Шансом следует правильно распорядиться...

— Научи!

Конец давно догадался, что именно это и было главной целью уйбуйского визита: дикарю зачем-то потребовалась инструкция по применению «Повелителя Вероятностей». И первой мыслью Харция стало: «А что я за это буду иметь?» Но, подумав, конец отказался от идеи стрясти с Копыто пару монет: в недалеком будущем их ожидал совместный проект, так что не стоило злить уйбуя. Конец посмотрел на часы.

— Ладно, проведу для тебя мастер-класс.

— Мастер куда? — не понял Копыто.

— Ты в школе учился?

— А ты, в натуре, полицейский, что ли, чтобы вопросы всякие задавать? Я к тебе с конкретным делом пришел.

Харций закатил глаза.

— Копыто, дружочек, перво-наперво ты должен понять, что демонстрировать свою везучесть на первой же сдаче не следует. Опытные игроки никогда не ставят большие деньги сразу, особенно если играют с незнакомцами. Поэтому, получив на первой раздаче тузовое каре, не спеши поднимать ставки до неба. Лучше поторгуйся, попробуй поднять по маленькой, а потом сбрось карты втемную.

— Почему?! — Столь трусливое поведение за карточным столом было противно самой сути Красных Шапок. — Если у меня тузовое каре, я должен выиграть!!

Тупые друзья, они как тупые ножи: вроде и вреда принести не могут, а раздражают.

— Не надо действовать нахрапом. Это как с женщинами. Представь, что ты с женщиной... — Физиономия уйбуя изменилась так, что конец поморщился. — Нет. Лучше не представляй.

— Это почему?

— Слушай, вот у тебя тузовое каре. И много ты выиграешь, если сразу же начнешь поднимать ставки? — Харций тоже повысил голос, и опомнившийся Копыто притих: спорить с концами относительно нюансов игры не позволял себе даже Сантьяга. — Никогда не спеши в незнакомой компании! Не торопись! Ты во что будешь играть?

— В покер.

— Изучи своих партнеров. Посмотри, кто как реагирует на свои карты, на проигрыш, на выигрыш. Не суетись. С твоим артефактом деньги от тебя никуда не денутся, а будешь меня слушать — шулером не прослывешь.

— Уже, — пробурчал Копыто. — Все разбегаются, мля, я же говорил.

Уйбуй набрал в легкие воздух, планируя повторить горестное повествование о своих проблемах, но ушлый конец не позволил себя перебить:

— Лохов заманивать надо, Копыто, прикармливать, доводить до кондиции, разжигать азарт, чтобы потом раз — и все деньги забрать. Одним ходом, пока не опомнились. Стоит им почуять неладное — мигом с крючка соскочат, и плакала наша прибыль. Игра, дружочек, это искусство. Это тебе не голых баб из мрамора высекать, тут думать надо. Да и талант нужен.

— А у меня он есть?

— Кто?

— Талант.

Харций почесал в затылке, учитывая обстоятельства, отвечать следовало дипломатично.

— У тебя, дружочек, есть гораздо больше. У тебя есть уникальный артефакт, и твоя задача — правильно его использовать. С умом.

— Если в первую раздачу приходят четыре туза, я их сбрасываю, — послушно повторил Копыто. — Правильно?

Конец закусил губу, подавил ругательство, глубоко вздохнул, улыбнулся.

— Копыто, дружочек, послушай меня еще раз. Ты должен подождать, пока остальные игроки не решат, что ты достаточно безопасен, и не начнут относиться к тебе как к равному по силам. А еще лучше — как к более слабому. Подожди, пока у них на руках не окажется хорошая карта, пока они не начнут торговаться по-крупному, и тогда выстреливай.

— Дробовик мне вряд ли разрешат взять с собой, — посетовал Копыто. — Ничего, если я из пистолета?

Харций поперхнулся.

— А кого валить первым?

Уйбуя удалось выпроводить только через час. Копыто честно зазубрил все полученные наставления, но Харций не был уверен, что дикарь понял хотя бы половину того, что ему втолковывалось. Впрочем, у него есть «Повелитель Вероятностей» и десять вооруженных бойцов — выкрутится. Подумав так, конец выбросил Копыто из головы и занялся гораздо более важными делами: бизнесом.

Финансовые отчеты радовали глаз. События развивались даже лучше, чем планировал Харций: открытие клуба прошло блестяще, студенты распробовали новое заведение, остались довольны и охотно пошли в него, попутно рассказывая знакомым и приятелям о замечательном месте. Поток клиентов возрастал день ото дня, шпана и уголовники не приближались к дверям клуба ближе чем на сто ярдов, и Харций весело подсчитывал прибыль. Конец прекрасно понимал, что сейчас на него играет фактор новизны, что любой открывшийся клуб всегда вызывает любопытство, и его задача — правильно воспользоваться первоначальным успехом и добиться, чтобы непредсказуемая человская молодежь не просто заглядывала в заведение, а зачастила, протоптала тропинки, принося в карманах хрустящие ассигнации. И Харций старался. Подслушивал, о чем говорили посетители, какие недостатки видели они в заведении, и оперативно устранял их: убрал два автомата, не понравившихся большинству посетителей, сменил музыкальный репертуар в баре, перекрасил дверь в женском туалете. Очередные подслушивания показывали, что усилия не остались незамеченными, изменения клиентам понравились, что, в свою очередь, благоприятно сказалось на доходах.

Я на тебе никогда не женюсь,
Я лучше съем перед загсом свой паспорт!
Я улечу, убегу, испарюсь,
Но на тебе ни за что не женюсь!

Мурлыча под нос любимую песенку, Харций отыскал итоговую строчку, прочитал сумму, перестал петь, хмыкнул, вернулся на пару разделов назад и нахмурился: выручка игровых автоматов оказалась меньше, чем он рассчитывал. Ощутимо меньше, почти на десять процентов по сравнению с предыдущим днем. И это никак не увязывалось с увеличившейся в очередной раз выручкой бара.

«У меня уже начали подворовывать?» Харций нажал на кнопку интеркома, вызывая администратора.

— Бинций, вчера ведь много народу было?

— Полно, — подтвердил помощник.

— В автоматы много играли?

— Много. А что?

— Да так, проверяю кое-что...

Харций включил компьютер, проверил автоматически приходящие отчеты из игрового зала и удивленно присвистнул: слишком много выигрышей. Необычайно много, особенно если учесть, что хитроумный конец решил немного смухлевать и в самые горячие часы переводил автоматы в режим минимальной вероятности выигрыша, рассудив, что «принявшие на грудь» посетители вряд ли почувствуют разницу. До сих пор тактика срабатывала, прибыль от игральных автоматов соперничала с доходами от бара, и вот — осечка. Случайность?

Харций выключил компьютер и задумчиво потер подбородок.

* * *

Жилой комплекс «Воробьевы горы».
Москва, улица Мосфильмовская,
5 ноября, пятница, 10.15

Она ведьма. Она умна. Она красива. Она будет моей!

Проводив Анну, Никита не переставал думать о ней. «Я влюбился?» Но он чувствовал, что относится к девушке совсем иначе, чем к обычным своим подругам, к тем, в кого он именно влюблялся, кого торопливо тащил в постель, трахал в кабинете или машине, кому оплачивал видеоклипы. Он давно наблюдал за Анной, давно прошел стадию горячего «хочу!», и его чувства к девушке стали глубже. Крылов не был влюблен. Он любил.

Он прошел в кабинет, некоторое время стоял в дверях, задумчиво глядя на разложенные карты и не ощущая никакого желания продолжить игру. «Колода Судьбы уже определила мою судьбу. Если бы не она, я бы не сблизился с Анной...» И снова увидел ее черные глаза. Большие. Смеющиеся. И улыбнулся.

«Анна...»

Крылов покосился на письменный стол, в тумбе которого прятался сейф, и вдруг подумал, что следует уничтожить старые записи. Жизнь полна неожиданностей, а ему очень не хотелось бы, чтобы Анна нашла диски с красотками.

Никита сделал шаг...

— Как я понимаю, играть ты сегодня не будешь?

Крылов отшатнулся, как от удара. Первая реакция — страх: «Неужели Цвания послал убийц?»

— Кто здесь?

— Глаза разуй, — сварливо предложили Крылову.

— Куда разуть?

— Вниз.

Никита опустил взгляд.

ЭТО стояло по ту сторону карточного столика. Нет, правильнее сказать — ЭТОТ.

Человечек. Судя по внешнему виду — мужчина. Ростом не более пятнадцати дюймов. Но сколько уверенности в позе! Нога выставлена вперед, руки скрещены на груди, подбородок вскинут вверх. Человечек... (Дух? Привидение?) носил красный, с золотым шитьем камзол, кружевную сорочку, чулки и туфли с пряжками.

«Сон? Да нет, не сон. Он настоящий...»

— Язык проглотил?

Сильного удивления Крылов не испытал. Едва он понял, что голос принадлежит не проникшему в квартиру убийце, а необычному существу, страх исчез, Никита подошел к столику, присел на корточки и кивнул:

— Привет.

— Хорошо, что ты не закричал, — высокомерно сообщил человечек. — Я не люблю нервных игроков.

— Разве игрок может быть нервным?

— В яблочко! Нестабильная психика не позволит подняться выше среднего уровня. Ты чел?

— Кто?

— Судя по тупости — чел. Меня зовут маркиз Барабао.

Карапуз замолчал, предоставляя собеседнику возможность выразить восторг по этому поводу.

— Никита Крылов, — буркнул Никита. — Выпьешь?

— Ты склонен к алкоголизму?

— Это вместо рукопожатия.

Крылов с удовлетворением заметил, что ему удалось слегка обескуражить человечка. Маркиз, судя по всему, был известной фигурой, привык к узнаванию и сейчас явно не знал, как себя вести.

— Ты из Колоды выскочил?

— Совершенно верно. — Барабао ответил почти нормальным тоном, высокомерия в нем сильно поубавилось. — Она... моя обитель.

— Ты мой противник? В смысле, я играю с тобой?

— Ты что-то говорил об алкоголе... — припомнил маркиз.

— Коньяк?

— Охотно.

Самые маленькие в доме рюмки нашлись в посудном шкафу на кухне. Принеся их, Никита разлил коньяк, аромат которого заставил Барабао шумно втянуть ноздрями воздух и одобрительно улыбнуться, и предложил:

— Ваше здоровье.

— Бессмысленно, — отрезал маркиз. — У меня здоровья или очень много, или совсем нет. Это как посмотреть. — И лихо влил в себя коньяк.

Прозвучали его слова не слишком понятно, но Крылов решил пока не уточнять — гораздо больше его интересовал другой вопрос:

— Значит, мы с тобой играем?

— Нет. Я так, принимаю общее участие.

— Болельщик?

— Вроде того... За соблюдением правил приглядываю.

— Судья?

— Нет, я никого не сужу. — Барабао покосился на бутылку. — Я приглядываю за соблюдением правил. Чтобы все было честно.

Никита видел намекающие взгляды маркиза, но продолжать распитие коньяка не хотел: ему предстояла сложная игра.

— А тот, с кем я играю, появится?

Барабао с интересом посмотрел на Крылова:

— Зачем он тебе?

— Хотелось бы взглянуть.

— Не боишься?

— Только не надо мне рассказывать, будто я играю с Дьяволом, — поморщился Никита.

— А если это так?

— Докажи!

— Это несложно, — пожал плечами маркиз. Коньяк сыграл свою роль — к Барабао возвращалась уверенность. — Вспомни, как называется артефакт.

— Колода Судьбы.

— Ты играешь на свою судьбу, чел. Или в свою судьбу. Или со своей судьбой. Так подумай, с кем ты играешь?

— С собой? — после паузы произнес Крылов.

С тем дьяволом, что внутри...

— А ты не так туп, как кажешься на первый взгляд. — Маркиз кивнул на бутылку. — Не хочешь пить сам — не надо. А мне налей.

Никита машинально исполнил приказ. Барабао блаженно втянул аромат коньяка, выдал очередную довольную улыбку, но, в отличие от первого раза, торопиться не стал, принялся смаковать янтарный нектар.

— Ты спросил, буду ли я играть... просто так?

— Мне показалось, что тебе следует улучшить позицию, — ответил маркиз.

Крылов мельком посмотрел на расклад «Королевского Креста», машинально припомнил последний ход соперника, какие карты сыграли, какие ушли в талон...

— Разве это имеет какое-то значение?

— Имеет, раз уж ты открыл «Королевский Крест». Привыкай, что отныне и до конца партии твоя судьба полностью зависит от расклада.

Никита облизнул губы.

— Сейчас у меня неплохое положение.

— Ты можешь его улучшить.

— Или ухудшить.

— Ты игрок или истеричка?

— Но ведь придет его очередь.

— Не заканчивай ход.

Крылов оторопело посмотрел на Барабао, удивляясь, почему столь простая мысль сама не пришла ему в голову.

— А это допустимо?

— Ты плохо знаешь правила? — прищурился маркиз.

— Гм... как выяснилось, не очень хорошо.

Барабао повелительно приподнял брови, и Никита без разговоров наполнил его рюмку.

— Тогда слушай, чел. С того момента, как начался ход, у тебя есть двенадцать часов, ровно половина суток. Это твое время. По его истечении, даже если ты не успеешь закончить, ход возвращается к сопернику.

— Двенадцать часов? — помолчав, переспросил Крылов.

— Двенадцать часов.

— Мне хватит.

— Именно это я и имел в виду.

«Королевский Крест» был парным пасьянсом, играть следовало не только на себя, но и против соперника: перекрывать позиции, лишать его возможности использовать свои карты, вынуждая отправлять их в талон. Разумеется, соперник при удачном положении открываемых карт мог поправить свое положение, свести на нет все твои усилия. Поэтому предложение маркиза показалось Крылову необычайно привлекательным. Сделать только часть хода, улучшить расклад, заняться реальными делами, а после закончить ход.

— Это по правилам? — подозрительно поинтересовался Никита.

— Это не противоречит правилам, — уточнил Барабао.

Крылов посмотрел на карты. Последний ход черного оказался не очень удачным: он не смог перекрыть все позиции Никиты, зато был вынужден отправить в талон пиковую десятку. «Надо ли еще улучшать...» Но рука оказалась быстрее мысли, Крылов и сам не заметил, как открыл верхнюю карту стопки. Девять червей. Отлично! Для нее нашлось подходящее местечко. Следующим пришел валет бубен, который накрыл черную даму, перекрывая сопернику одну из последних свободных позиций.

— Тебе везет, — прокомментировал ситуацию маркиз.

Опомнившийся Никита отдернул руку от стопки.

— Хватит!

— Как знаешь. — Судя по раскрасневшемуся лицу, пока Крылов играл, Барабао успел опрокинуть еще одну рюмку. — А я бы продолжил.

— Я и так его прижал.

— Прижал, — согласился маркиз и, услышав незнакомый звук, принялся озираться по сторонам: — Что происходит?

— Телефон.

Никита вытащил из кармана трубку:

— Да?

— Мы будем через десять минут. Ты готов?

«Эльдар. Пора ехать на игру». Крылов еще раз проверил расклад «Королевского Креста», взглянул на часы.

— У нас есть время. Поднимитесь ко мне. Выпьем кофе и поговорим.

— Хорошо. — Ахметов отключился.

— Встречу их в гостиной, — пробормотал Никита, складывая телефон.

— Я бы пожелал тебе удачи, — усмехнулся Барабао, потянувшись к бутылке. — Но у тебя пока и так все в порядке.

— Володя проверил игроков, которых предложил Цвания. — Эльдар кивнул на Даньшина. — Вроде все нормально.

— Расскажи.

Владимир достал из кармана листок бумаги.

— Эдуард Чех. Фамилия не врет — он уроженец Праги. Тридцать шесть лет. Уголовного прошлого нет. Досье на него есть и в Монте-Карло и в Лас-Вегасе. Профессиональный игрок хорошего уровня. Начинал с нуля, продал оставшуюся в наследство от родителей квартиру в Праге и сел за карточный стол. Сейчас играет стабильно хорошо, но не выходит за пределы миллиона. Доход за прошлый год, по оценкам ребят из Вегаса, около четырехсот тысяч. В Москве Чех появлялся два раза: играл в «Кристалле» и «Короне», выиграл немного, претензий к нему не было.

— Заводил знакомства, — вставил Ахметов.

— Давно он в городе? — спросил Крылов.

— Неделю. Играет по привычке в «Короне».

— Подойдет, — оценил Никита. — Кто второй?

— Пьер Зелински, француз польского происхождения. Тридцать два года. Красавчик. Как правило, работает на круизных лайнерах, вышибает наличные из богатых старичков, но периодически сходит на землю. В крупных казино к нему не относятся всерьез, но я бы не стал его недооценивать — опыт у Зелински большой.

— Что он делает в Москве?

— У него здесь любовница, дочка одного скоробогатея.

— За Зелински тоже ничего криминального?

— Ничего, — подтвердил Даньшин.

Крылов жестко усмехнулся:

— Даже странно, что Цвания предложил нам столь честных людей. Вы не находите?

— Его игроки? — насторожился Эльдар.

— Не важно, — махнул рукой Никита. — Кто последний?

— Федор Копытов. Местный бандит, желающий сыграть по-крупному.

— Этот-то нам зачем? — поморщился Крылов.

— Чех и Зелински понимают, для чего их пригласили, но им тоже интересно заработать. Копытов станет платой за беспокойство и молчание — богатый лох с кучей наличных.

— Ладно, пусть будет Копытов. Хочется бандиту сыграть с взрослыми дядями — пусть приезжает. Деньги не пахнут.

— Что ж, раз все готово, надо ехать.

Никита медленно оглядел друзей. Даньшин спокоен, как обычно, собран и деловит. Эльдар тоже старался скрывать эмоции, но Крылов знал Ахметова слишком давно и понял, что друг нервничает — слишком большая ставка.

— Я справлюсь.

— Да, — кивнул Эльдар. — Я верю.

Помолчал.

— В любом случае выбора у нас нет.

* * *

Бизнес-центр «Нефтяная Вышка».
Москва, проспект Вернадского,
5 ноября, пятница, 11.44

— Мля, Копыто, ну ты чиста Ален Делон!

— Типа Бельмондо.

— Нет, — уперся Иголка, — Ален Делон!

— А ты Делона своего видел когда-нибудь? — окрысился Контейнер.

— А ты свою Бельмондо?

— Я ее в кино видел!

— А я где?

— А ты в ...!

— Хватит ругаться, — с ленивым превосходством буркнул уйбуй и повернул к себе салонное зеркало. — Какая Бельмондо? Какой Ален Делон? О чем вы, мля? Я красив, как Спящий.

И принялся выдавливать некстати вскочивший под глазом прыщ.

Бойцы, естественно, усомнились, что уйбую доводилось видеть Спящего, но благоразумно промолчали. Тем более что истина пряталась где-то рядом — сегодня Копыто не был похож на самого себя. Традиционные кожаные штаны, жилет и куртка исчезли, уступив место взятому напрокат смокингу. Бандана, правда, осталась, но в остальном... Поразили подчиненных галстук-бабочка и БЕЛОСНЕЖНАЯ сорочка, восхитил широкий пояс, привели в восторг тонюсенькие лампасы на брюках. После того как первый шок прошел, к Копыто потянулись руки — ошарашенные дикари спешили прикоснуться к красивой жизни и сделать вывод о достоинствах стильных шмоток. Однако облапать уйбуя не удалось. Копыто, не без оснований опасавшийся засалить дорогостоящий наряд, взмахнул заранее приготовленным ятаганом и, пользуясь весьма сильными выражениями, пообещал отрезать каждую дотронувшуюся до смокинга конечность. С этого момента им любовались издали.

— Пропуск?

— Нас ждут, — буркнул сидящий за рулем Иголка. — Дай проехать.

— Меня ждут, — подчеркнул Копыто. — Я звезда.

И небрежным жестом стряхнул с плеча несуществующую пылинку. Но шлагбаум, преграждающий путь в подземный гараж бизнес-центра, оставался закрытым.

— Звезда чего? — попросил уточнить охранник.

Удивленный тупостью челов, уйбуй покачал головой и отвернулся, пытаясь поймать свое отражение в боковом зеркале.

— Копытов Федор Федорович, — сообщил Иголка. — Играть мы едем. В карты.

— А...

Охранник сверился с записями и махнул рукой. Шлагбаум поднялся, квадратный «Мерседес» медленно вкатился на парковку, остановился на свободном месте, и дикари высыпали наружу.

— Круто, — оценил Иголка количество дорогих автомобилей. — Копыто, а мы сможем купить новый джип?

— Мы все сможем, — уверенно ответил уйбуй, поправляя перед зеркалом галстук. — Мы, мля, озолотимся.

И пощупал висящий под рубашкой «Повелитель».

— А два джипа купить сможем?

— Зачем тебе два?

— Для понтов, Копыто, для понтов. Прикинь, подкатываем на двух джипах...

— Ага! Типа, в одном одна половина Иголки, а в другом — другая, — не удержался Контейнер.

Шустрый боец засопел, покосился на грубияна, но промолчал: рослый Контейнер мог запросто реализовать свою мысль насчет половинок.

— Смотри, Копыто, какой-то лох ключи в машине оставил!

Не дожидаясь реакции сородичей, Иголка распахнул дверцу черного «Мазератти» и завладел связкой.

— Во, идиот, да?

— Типа, надеешься, что хозяин тебе чаевых отсыплет? — заржал Контейнер.

— При чем здесь хозяин? — прищурился Иголка. — Тачка хорошая, ключи у нас...

— И думать забудь, — отрезал Копыто, отбирая у бойца связку. — У нас, в натуре, серьезное дело.

— Вот и я о том же! Уедем отсюда на новой тачке.

— Ну, ты кретин! — Уйбуй внимательно оглядел блестящий автомобиль, на мгновение задержал взгляд на тонированном лобовом стекле, наморщил лоб, словно припоминая чего-то, не припомнил и закончил осмотр. — Дорогая игрушка.

— А я что говорю! Давай ключи, я мигом ее...

Машина тихо пикнула: автоматически сработала охранная сигнализация.

— Вот и хорошо. — Копыто опустил связку в карман. — Сейчас мы все равно заняты, мля. А будем уезжать... — Дикарь потрогал пальцем крыло «Мазератти», автомобиль, судя по всему, запал в уйбуйскую душу. — Будем уезжать — посмотрим.

И повернулся к подошедшим челам:

— Чего?

Их было трое. Тоже охранники, но не в униформе: строгие костюмы, рубашки, галстуки, гарнитуры на ушах и едва заметные пистолетные выпуклости под пиджаками. Глаза холодные.

— Господин Копытов?

— Да.

— Мы вас проводим.

— Пошли, — согласился уйбуй. — Я уже задолбался тута ошиваться.

— Надеюсь, вы помните, что можете взять с собой только одного сопровождающего? — невозмутимо продолжил старший из охранников.

— А остальные?

— Им придется покинуть бизнес-центр.

Иголка, по обыкновению, попытался высказать свое мнение, но Копыто отвесил бойцу подзатыльник и ткнул пальцем в Контейнера:

— Он пойдет.

Здоровяк вытащил из машины чемодан с деньгами.

— Оружие...

— Помню, помню...

Уйбуй добавил пару ругательств, но пистолет на сиденье бросил, послушно поднял руки, позволяя себя обыскать, после чего направился к лифту.

* * *

Московская обитель.
Москва, Царицынский парк,
5 ноября, пятница, 11.57

— Как ваши дела, Захар? Врачи говорят, к вечеру вы полностью поправитесь.

Справедливости ради следует отметить, что особой заслуги эрлийцев в столь быстром выздоровлении не было: организм масана крепок, раны, нанесенные ему Робене, не являлись фатальными, так что епископ встал бы на ноги и без чудодейственных снадобий. Правда, только к утру.

— Чтобы окончательно поправиться, мне нужны отнюдь не бальзамы, — проворчал Треми.

— Я знаю. — Сантьяга расположился в кресле напротив кровати. Улыбнулся. — Я позаботился о том, чтобы у вас появилась возможность восстановить силы.

Верным друзьям ни в чем отказа не будет. К навам относились по-разному, но никто не спорил с тем, что темные никогда не забывали о нуждах своих друзей.

— Мне нужна *пища*, — холодно произнес епископ.

— Именно о ней я и говорил, — кивнул комиссар. — Доставят ближе к вечеру, после того как эрлийцы закончат со своим лечением.

— Хорошо.

Захар поерзал на кровати, устраиваясь поудобнее, и замер так, чтобы не встречаться взглядом с Сантьягой. Треми знал, почему нав примчался в госпиталь, и ждал предстоящего разговора без особой радости.

— Комиссар, мне показалось или вы действительно приехали в гараж на моей машине?

— Черный «Мазератти»?

— Именно.

Сантьяга на мгновение задумался.

— Я оставил ее в гараже. Простите великодушно: совершенно выпало из памяти. Но я немедленно распоряжусь, чтобы ее доставили в ваш офис.

— Не нужно, — буркнул Треми. — Я поеду в гараж. Хочу побывать там...

Ему не было стыдно за свою сентиментальность. Да, Гаврила погиб. Молодой, неопытный, глупый. Захар знал, что память о «кривом» юнце сотрется через пару дней, что образ Гаврилы не останется с ним на всю жизнь — епископ похоронил не одного такого вот Гаврилу. Но парень имел право на проявление уважения. Этот долг Треми обязан был отдать.

— Раз уж мы заговорили о вчерашнем бое, — мягко начал комиссар, — мне показалось, что в последнем ударе не было необходимости. Противник был парализован.

— Я не сдержался, — после паузы ответил Захар. — Был слишком взвинчен: ранение, смерть Гаврилы...

— В такие минуты трудно остановиться, — согласился Сантьяга.

— Рад, что вы меня поняли.

— Да... взаимопонимание — это замечательно.

На некоторое время в палате установилась тишина. Комиссар молча поигрывал брелоком, изображающим грызущую орехи белку, Треми угрюмо смотрел в окно. День выдался пасмурным, тяжелые тучи придавили небо к земле, серый свет не красил мир, а тонированные стекла окна делали картину еще более безрадостной. Почти такой же мрачной, как и разговор с Сантьягой.

— Я далек от мысли выражать вам свое недоверие, Захар, — негромко произнес нав, — но я чувствую, что в семье Масан идут не очень хорошие процессы. Кажется, лидеры теряют позиции.

— Мне не приходилось сталкиваться со случаями неповиновения, — отрезал епископ. — Все масаны соблюдают Догмы. Что еще от нас требуется?

Жить нормальной жизнью и не задумываться над тем, что приходится убивать братьев. Не думать, что являешься представителем расы, которая, подобно челам и Красным Шапкам, охотно занимается самоистреблением. Но разве можно забыть о Расколе и тянущейся с тех пор гражданской войне?

— Захар, — по-прежнему тихо продолжил Сантьяга, — я всегда считал вас своим личным другом. Доверял и полагался на вас. Могу ли я и впредь думать так же?

— Да, — поколебавшись, ответил Треми.

— Искренность является залогом дружбы.

Епископ прекрасно понимал, что нав не уйдет, пока не получит ответы на интересующие его вопросы. Что он будет улыбаться, перепрыгивать с темы на тему, но все равно возвращаться к тому, о чем хочет знать. И рано или поздно придется дать ответ. Так чего тянуть?

— Мы устали убивать друг друга.

— Я не заметил подобных чувств у представителей Саббат, — нисколько не удивившись такой постановке вопроса, произнес Сантьяга.

И Захар понял, что комиссар видит складывающуюся ситуацию не хуже, чем он сам.

— Мятежники не задумываются над такими вещами, — пожал плечами епископ. — У них слишком бурная жизнь.

— И нет ограничений, — закончил мысль нав.

— Вы правы — нет ограничений. Они смотрят на ситуацию под другим углом: мы для них те, кто хочет надеть на членов семьи оковы, отнять свободу. Они убивают нас инстинктивно.

— А вы их — обдуманно. Потому что не просто воюете с Саббат, а защищаете будущее семьи — пропагандируемая ими перманентная вражда с челами может привести только к поражению.

— Но это выбор, а не навязанные законы.

— Да, это выбор, — снова согласился Сантьяга.

Он, и только он допустил ошибку. Именно он, комиссар Темного Двора, в какой-то момент не понял, что старые пропагандистские лозунги перестали действовать, что пришли новые масаны, и нужно обновлять репертуар, нести те же идеи, но выражать их другими словами, понятными и близкими новому поколению. Именно он, понадеявшись на опыт и верность верхушки семьи, недооценил последствия гибели Лазаря Гангрела. Хотя... Тысячу раз прав Треми — мятежники ведут войну инстинктивно, лозунги, вбиваемые им в головы вождями Саббат, великолепны только для войны, дай рядовым мятежникам возможность почувствовать вкус мира, и они тоже задумаются о том, ради чего убивают братьев. Наметившийся у масанов кризис стал результатом столкновения идеологий и образа жизни, а смерть епископа Гангрел лишь ускорила его. И чтобы побороть кризис, мало вылепить нового Лазаря, требуются более глобальные действия.

— Вы хотели искренности? Пожалуйста: я убил Робене обдуманно. Он ничего не знал и не мог ничего рассказать. Но мы бы вытаскивали из него это незнание долго и жестоко. Этого я допустить не мог.

Робене пил чужую кровь, воровал чужую силу, жил этим. Он был проклят, как был проклят и Захар. Многовековая война сделала их врагами, но масаны оставались близки друг другу, оставались братьями.

Вампиры Камарилла, подпитываемые менее агрессивными, чем Саббат, лозунгами, острее чувствовали боль гражданской войны. Сейчас они ограничиваются глухим ворчанием, через некоторое время появятся перебежчики, а затем... Новый виток конфликта? Удержать масанов от войны с челами можно двумя способами. До сих пор Сантьяга стравливал их друг с другом. Но если такие верные псы, как Треми, начинают сомневаться, то, судя по всему, идея себя исчерпала.

— Я не стану вас обвинять, Захар, — задумчиво сказал комиссар. — Хотя бы по той причине, что сам поступил бы так же, окажись на вашем месте.

Епископ оторопело посмотрел на Сантьягу.

— Но...

— Я не закончил, — поднял указательный палец комиссар. — Темный Двор поддержал Камарилла тогда, во время Раскола, и поддерживает до сих пор, но это не значит, что нам нравится непрекращающаяся война. Это не значит, что мы не поддержим Камарилла, реши они начать с Саббат переговоры. Мы не меньше вас хотим объединить семью.

— Но с кем вести переговоры? — Увлеченный словами Сантьяги, Захар приподнялся в постели и, размышляя, запустил пятерню в волосы. — Саббат — это мелкие кланы и группировки, разбросанные по всему миру. Возьмем барона Александра. Теоретически он является единоличным правителем всех Бруджа, но североамериканская ветка его собственного клана ему не подчиняется. А южноамериканская вообще снюхалась с Носферату, которых Александр терпеть не может. Он потому и называет себя бароном, что титул кардинала потерял всякий смысл. В других семьях ситуация еще хуже... У Малкавиан действуют семь кардиналов. Семь! Причем двое из них в Нью-Йорке. Бред!

— В этом-то и проблема, — тонко улыбнулся комиссар. — Мы давно готовы к диалогу, но нам не с кем говорить.

* * *

Бизнес-центр «Нефтяная Вышка».
Москва, проспект Вернадского,
5 ноября, пятница, 12.00

— Никита, дорогой! — Цвания приехал в «Вышку» ненамного раньше Крылова, минут за десять, как сказал сопровождавший Никиту и Эльдара сотрудник службы безопасности, но вновь прибывших Давид приветствовал как хозяин. — Рад тебя видеть!

— А уж как рад я, — сухо улыбнулся Крылов, пожимая протянутую руку. — Все собрались?

— И уже успели перезнакомиться, — подтвердил Цвания и понизил голос: — Никита, я рад, что ты не стал возражать против этого бандита Копытова. Сказочный типаж, звезда вечеринки!

Крылов не настолько хорошо знал Давида, чтобы понять, блефует ли Цвания, демонстрируя отличное настроение, или действительно чувствует ТАКУЮ уверенность в своих силах. Чутье же игрока подсказывало Никите, что веселье противника, скорее всего, искреннее.

— Мы приехали последними?

— Да.

— Хороший знак.

— «Счастливая» примета?

— Ага.

— Ты в них веришь?

— А ты?

— Я верю в расчет, — прищурился Цвания.

— А я — в непредсказуемость Игры.

— Зачем верить в то, чем невозможно управлять?

— Чтобы выигрывать, Давид, чтобы выигрывать.

Цвания запнулся. Ахметов, до сих пор молча стоявший рядом, не удержал короткий смешок.

— Добрый день, Никита. — К собеседникам подошел Сергей Сватов, управляющий «Нефтяной Вышкой». — Все в порядке?

— Тебе виднее, — рассмеялся Крылов.

— С моей стороны все сделано, как договаривались.

— Значит, все в порядке. — Никита крепко пожал Сватову руку: — Сергей, еще раз спасибо, что согласился нас приютить.

— О чем ты говоришь? Играй на здоровье! — И, воспользовавшись тем, что Цвания уже направился в главный зал, Сватов негромко добавил: — Эльдар все как надо сделал, умно. За вас, ребята, вся Москва болеет. Главное — выиграйте, а в обиду не дадут. Давиду и его сородичам пора напомнить кое-какие правила.

— Спасибо.

— Удачи!

Сватов предоставил в распоряжение гостей один из конференц-залов «Вышки». Мебель и оборудование из помещения убрали, в центре установили круглый стол, в углу — бар, вдоль стен — несколько кресел для болельщиков, и все. Ничего лишнего. Функции бармена выполнял охранник, его напарник стоял у дверей: по правилам, покидать комнату игрокам запрещалось. Третий сотрудник службы безопасности пока маячил за спиной Сватова.

— Сначала знакомства или дело?

— Дело.

— В таком случае прошу сюда.

Эльдар и Какадзе, помощник Давида, подошли к столу и раскрыли стальные кейсы. В них лежали не деньги, как подумал Федор Федорович Копытов, а документы. Бумаги на игорные дома. Приглашенный юрист по очереди просмотрел пакеты, кивнул: все в порядке, закрыл кейсы, вернулся в свое кресло, поставил чемоданчики у ног. Возле него сразу же оказался один из охранников Сватова. Точка невозвращения пройдена. Документы переданы третьему лицу, и теперь их возьмет в руки только победитель, тот, кто выйдет из зала владельцем двух казино.

Никита перехватил взгляд Ахметова, уверенно усмехнулся. Эльдар чуть кивнул и направился к бару.

— Это тебя мы ждали? — Копытов посмотрел на Крылова без особого дружелюбия.

— Спасибо за терпение, — улыбнулся Никита.

Цвания выразился предельно точно: «сказочный типаж». Невысокий, похожий на обезьянку Копытов нарядился в смокинг(!), который совершенно сверхъестественно сочетался с красной банданой и татуировками, ползущими по шее и рукам. Для чего Федор Федорович оделся так, осталось для Никиты загадкой. «Звезда вечеринки? А бандит ли он?» Напарник Копытова выглядел еще более экзотично: кожаные штаны, кожаный жилет, кожаная куртка и — тоже! — красная бандана на голове. Стоит ли упоминать о густо покрывающих тело татуировках? Пахло от здоровяка не очень приятно, и, видимо, поэтому люди Сватова отвели его в самый дальний угол зала, где и оставили наедине с бутылкой виски.

— Да, мы терпели, — после паузы буркнул Копытов. Подумал и указал на одну из лежащих на столе стопок: — Мои фишки.

— Прекрасно, — вздохнул Крылов.

— На деньги поменял, — уточнил Федор Федорович.

— Не сомневаюсь.

Маленькие глазки татуированного игрока забегали, судя по всему, он исчерпал все возможные темы для разговора. И, желая продолжить приятное знакомство, Копытов извлек из кармана брюк плоскую фляжку и отвинтил крышку:

— Выпьем?

Запахло не самым дорогим в мире виски.

— Не сейчас, — вежливо отказался Никита.

— Вы уже познакомились? Отлично! Кит, пойдем, я познакомлю тебя с остальными, и будем начинать. — Сватов посмотрел на часы. — Мы выбились из графика.

Сосущий фляжку Копытов попытался что-то сказать, но его никто не слушал.

— Эдуард Чех и Пьер Зелински. Рекомендую — Никита Крылов.

Чех оказался полненьким, среднего роста и какимто... незаметным. Все в нем было обычно: неброский костюм, никакая внешность, незапоминающиеся манеры.

Ничего. Подобные люди стираются из памяти максимум через пять минут. Зелински на его фоне выглядел настоящим мачо: ярким и стильным. Высокий, стройный Пьер был обладателем роскошной черной шевелюры — густая копна до плеч, — аккуратных усиков и тонкого, хищного носа. Отличный костюм, отличная фигура, отличные манеры, лоск Зелински вполне годился для круизных лайнеров.

— Для меня большая честь познакомиться с вами, Никита. Мои друзья из Монте-Карло много рассказывали о вас. Вы настоящий игрок.

— Благодарю.

— С удовольствием сыграю с вами, — буркнул Чех.

— Взаимно.

— Хотя, признаться, время выбрано не самое удачное, — улыбнулся Пьер.

— Что вы имеете в виду?

— Рано, — пояснил Зелински. — Обычно в полдень я только просыпаюсь.

На том, чтобы играть днем, с двенадцати до шести вечера, настоял Ахметов. Никто не станет затевать бучу в разгар дня: в солидном бизнес-центре любое происшествие сразу же выплывет наружу и попадет в газеты. Еще одна, помимо Сватова и третейского судьи, защита от возможных провокаций со стороны Цвания.

— Да, время не самое подходящее, — согласился Крылов. — Я сам еле проснулся.

— А я ваще с шести утра на ногах, — похвастался Федор Федорович.

— Можно только позавидовать...

Никита собирался добавить одно едкое замечание, объясняющее причины столь раннего пробуждения Копытова, но не успел: в центр зала вышел Сватов.

— Господа, прошу внимания!

Игроки подошли к столу, их сопровождающие разместились в креслах вдоль стен.

— На тот случай, если вы еще не заметили, — улыбнулся Сватов, — скажу, что подхожу к роли хозяина очень серьезно. Все мы знаем, какие интересы сплелись и что именно будет решаться за этим столом. Большие деньги, большие люди, большая ответственность. И я гарантирую, что игра пройдет строго в рамках согласованных правил. — Сергей помолчал. — Сегодня мы обязательно определим победителя, и Геннадий Моисеевич оформит все положенные бумаги.

Юрист привстал и вежливо поклонился.

— Победитель покинет здание первым. До этого момента никто из нас не выйдет из зала, не будет звонить или отправлять какие-либо иные сообщения... — Сватов усмехнулся, — ...на волю. Удачи, господа!

Зелински срезал колоду.

* * *

Ресторан «Сити Гриль».
Москва, площадь Маяковского,
5 ноября, пятница, 15.29

Что может быть страшнее разделения семьи? Разделения нации? Что может быть хуже гражданского противостояния — брат на брата, сын на отца? Что? Ни-че-го. Ибо нет ничего более противоестественного для разумного, чем забыть голос крови, потерять естественную тягу к близкому, родному, стать Иваном, родства не помнящим. Потому что, какую бы идеологию ни подсовывали взамен вековых традиций, ты до конца дней своих будешь чувствовать себя чужаком, отщепенцем, бродягой.

Цельные и сильные, хранящие свою историю и культуру от чужаков будут всегда вызывать уважение. Они сумеют подняться после любого удара — внутренний стержень, выкованный многовековой историей, не позволит им сломаться. У остальных будущего нет.

Даже человские народы, разделенные доброхотами по политическим причинам, чувствуют свою ущербность, прилагают массу усилий для объединения. Так что же говорить о жителях Тайного Города? О потомках могучих некогда рас, оставивших в прошлом величие и грандиозные победы, переживших невероятные катастрофы и вынужденных прятаться от всех и вся? Единство семьи, единство Великого Дома, единство Тайного Города — основа идеологии, не требующая доказательств и пропаганды, разумный подход, основанный на естественной тяге к соплеменникам, нежелании терять корни и растворяться в массе доминирующей расы.

И только масаны потеряли единство и раскололись на две враждующие секты, между которыми вот уже несколько сотен лет шла ожесточенная война. Только у вампиров инстинкт самосохранения притупился настолько, что они охотно прислушивались к лозунгам «Лучше смерть, чем...». А что может быть хуже смерти? Что может быть глупее самоубийственных набегов на Тайный Город или противостояния гаркам Темного Двора, которые заканчивали «походы очищения», только когда уставали убивать? Что? Гордость за то, что «мы живем так, как хотим»? Так ведь недолго живете. По большей части скрываетесь и ждете, когда за вами придут...

Тем не менее и в стане разумных Камарилла находились масаны, уверенные, что «лучше смерть, чем...». Ограничения свободы, налагаемые Догмами Покорности, жесткий контроль и демонстрируемое всеми Великими Домами недоверие порождали у молодых вампиров глухое недовольство. Воины Саббат начинали казаться им отважными борцами за светлое будущее семьи, идеи абсолютной свободы — единственно правильными, а принципы режима секретности — трусливыми законами, придуманными Великими Домами, чтобы сохранить собственную власть. С подобными настроениями вожди Камарилла никогда не боролись кнутом: только разъяснения, только споры, только доказательства, и большинство юных масанов, переболев свободолюбивыми идеями, возвращалось в лоно семьи. Но были и иные...

— Я мечтал помочь ему вырваться, даже приехал на Вернадского, сделал вид, что хочу пойти в оцепление, но все напрасно — не взяли. — Илья Треми тяжело вздохнул, скривился, вспоминая ночные события. — Все сбежались: гарки, чуды, люды, наемники. Представление устроили, мерзавцы, в прямой эфир картинку гнали!

Сидящий напротив Жан-Жак сжал кулаки. На самом деле слуге барона была совершенно безразлична судьба последнего Робене: грохнули и грохнули. Робене много, еще нарожают, и вообще, лучше бы его загнали не прошлой ночью, а позапрошлой, спокойнее было бы. Но юноше следовало продемонстрировать реакцию на горячие слова, и Жан-Жак сжал кулаки:

— Мы до конца надеялись, что Хосе прорвется!

— Его Захар убил, — медленно произнес Илья, в глазах юнца вспыхнула ненависть. — Мой епископ! Навский лизоблюд!!

— Не так громко, брат, — буркнул Жан-Жак. — Не нужно привлекать внимание.

Они сидели в подвальном зале небольшого человского ресторанчика. Оба в плотных кожаных одеждах, рядом с каждым лежал тонированный шлем: масаны приехали на встречу на мотоциклах. Перемещаться подобным образом было делом опасным, но барон хотел получить информацию как можно скорее, и слуге пришлось рисковать.

— Да, конечно. — Молодой Треми хрустнул костяшками пальцев. — Я до сих пор в бешенстве.

— Это нормально, — кивнул Жан-Жак.

Как и у всех Бруджа, у старого слуги были свои соображения относительно умственных способностей Треми, и менять свое мнение только из-за того, что щенок в настоящий момент полезен, Жан-Жак не собирался.

— Мы с Робене планировали эту операцию почти год, но все сорвалось из-за нелепой случайности. Мы были готовы нанести разящий удар, мы бы встряхнули Тайный Город, но...

Илья слушал Жан-Жака, открыв рот: хитроумная интрига, подготовка убийства глав всех Великих Домов, роковая ошибка и отчаянное сражение с превосходящими силами гарок. Что еще нужно юному романтику? Он бы никогда не поверил, что старый слуга беззастенчиво врет ему в глаза. Впрочем, какой слуга? Жан-Жак представился мальчишке капитаном Нерио Бруджа, отчаянным рубакой из аргентинской ветви клана, и, конечно же, не стал распространяться о присутствии в городе барона.

— Нас осталось мало, но мы полны решимости продолжить дело. Мы умрем, но исполним долг крови. И в этот момент мы ищем всех, кто готов помочь...

— Я готов пойти на смерть! — не сдержался юный Треми.

Жан-Жак поморщился.

— Нам нужна другая помощь.

— Все, что в моих силах.

— Наведи справки о челе по имени Никита Крылов, владельце казино «Два Короля», — деловито попросил Жан-Жак. — Узнай, связан ли он с Тайным Городом. Если связан, то постарайся уточнить все подробности. И обязательно — обязательно! — постарайся разузнать о его любовнице, Анне Курбатовой. Она человская ведьма.

— Когда нужна информация?

— Как можно быстрее.

— Завтра утром ты будешь все знать.

— Отлично!

Жан-Жак принялся было подниматься, но Илья удержал его:

— За свободу, брат!

— За свободу!

* * *

Бизнес-центр «Нефтяная Вышка».
Москва, проспект Вернадского,
5 ноября, пятница, 17.33

— Пятьсот тысяч, — буркнул Крылов.

— Отвечаю и поднимаю на сотню! — ухмыльнулся Копытов.

Чтобы не выйти из игры, Цвания предстояло поставить шестьсот. Федор Федорович с интересом посмотрел на задумавшегося Давида и сделал большой глоток из плоской фляжки. Бармен наполнял карманную цистерну уже четырежды, и все терялись в догадках, почему Копытов до сих пор не свалился под стол.

Цвания долго молчал, хмуро глядя в окно, затем невидяще перебрал свои фишки и двинул несколько из них вперед:

— Шестьсот и сверху двести.

— Ну что, играем, как мужчины? — устало поинтересовался Никита. — До последнего?

— А чего затягивать?

— Если последнее не треснет с перепугу, — ухмыльнулся Федор Федорович.

Давид с ненавистью посмотрел на любителя виски.

Первую пару часов играли по маленькой, никуда не спешили, разминались. Соперники осторожничали, присматривались друг к другу, выискивали и запоминали характерные жесты, движения, мимику, тембр голоса: кто и как блефует, кто и как держит сильную карту, на какой комбинации противник готов рисковать до конца, а на какой сдастся. Даже Копытов, которому периодически приходили сильные карты, не форсировал события. Соперников уйбуй, конечно, не изучал — стоит ли время тратить на каких-то там челов? Но, помня наставления Харция, выжидал, проигрывал понемногу, не обращая внимания на хватающегося за голову помощника.

В общей сложности к двум часам дня из рук в руки перешло не более сотни тысяч. В основном выиграл Цвания, немного — Чех, совсем чуть-чуть — Копытов. Никита и Зелински к тому времени проигрывали. Но не нервничали, знали — игра только начинается. Все это понимали, и все ждали пика, момента, когда азарт полностью овладеет игроками, когда ему поддастся даже самый хладнокровный. Не потеряет голову — нет, а просто заиграет так, как потребует убыстрившийся ток крови. Начнет рисковать. Будет блефовать по-крупному. Будет проигрывать сотни тысяч, чтобы вернуть их в следующей же сдаче. Все ждали момента полного растворения в Игре, когда окружающий мир станет зыбким фантомом, прячущимся за окнами, в которые никто не смотрит, а центр Вселенной окажется здесь, за столом, и нигде больше. Все ждали. И дождались.

И сильно удивились, когда этот момент наступил...

Неплохой банк взял Чех — сто пятьдесят тысяч. Затем полный дом Крылова побил «Флэш» Зелински и оставил не у дел блефующего Цвания. Выигрыш Никиты составил почти двести тысяч. Игра оживилась. Последовало еще несколько проходных партий: с небольшими, распаляющими аппетит ставками, а следом — первая волна настоящей игры. Карта пошла, в банк летело все больше и больше фишек, почти никто не пасовал до смены, почти все продолжали борьбу после нее. Сто двадцать взял Копытов. Двести пятьдесят — Копытов. Сто девяносто — Зелински. Триста тысяч — снова Копытов. Цвания, Крылов, Зелински и снова Копытов. Опять Копытов, Чех и вновь Копытов.

Федор Федорович драл соперников по-крупному.

И если изначально его везение воспринималось с легкими улыбками: Никита и Давид думали, что в любой момент сумеют поднять ставки и вывести пьяницу из игры, то к четырем часам они не были столь уверены в себе.

Сначала не выдержал Цвания. Во время одной из пауз, Давид отвел в сторону Сватова и без обиняков заявил:

— Серго, если я узнаю, что это какие-то фокусы, что этот клоун — подстава, что меня обманывают... Ты понимаешь, что тебя ждет? Лично тебя, да?

Обросшие черным мхом сосискообразные пальцы замелькали перед лицом Сватова, и тот не стал скрывать раздражения:

— Среди моих знакомых бандитов нет. Ты его пригласил, Давид, ты и разбирайся.

— Я не знал, что он ТАК играет!

— А кто знал? — Сергей потер подбородок. — Я его гнать не буду. Извини, Давид, мне лишние неприятности ни к чему. Ты сам говорил, что бригада у этого клоуна крепкая и хорошо вооруженная. Хочу заметить, что у вас еще достаточно денег, чтобы вышибить его.

— Если мы с Крыловым договоримся.

— Вам деваться некуда, — хмыкнул Сватов.

Деваться действительно было некуда. К этому времени Зелински и Чех остались не у дел. Первый бросил якорь у бара, лишь изредка возвращаясь к столу. Второй, по общему решению, остался на сдаче. Играли трое, причем горка фишек перед уйбуем стоила приблизительно двенадцать миллионов. И это было главной проблемой: ни Цвания, ни Крылов не располагали таким количеством свободных средств, им выдали фишки под залог бизнеса, так что фактически к этому моменту Копытов являлся одним из крупнейших акционеров игорных домов. И отпустить его с выигрышем соперники не могли.

— Дичь какая, а?

Цвания вернулся за стол и попытался организовать атаку. Крылов, даже без дополнительных переговоров, поддержал врага, но Копытов проявлял чудеса осторожности: пасовал, когда Давид и Никита были готовы поднимать до неба, или, если был уверен в крепости, много ставил в первом же круге, вынуждая соперников проигрывать большие суммы. Еще через час возле Сватова оказался Крылов.

— Сергей, что за ерунда? Откуда взялся этот хмырь?

— Разве вы его не проверяли?

— Знаешь, сколько мы ему уже проиграли?

— Девятнадцать миллионов, — прикинул Сватов. — Вы почти сравнялись.

— Ты смеешься?

Сергей понял, что Крылов на взводе, и выдержал небольшую паузу, чтобы ответ прозвучал более серьезно:

— Никита, на самом деле я просто не знаю, что делать. Такой сценарий не рассматривался. Ты и Цвания классные игроки, у вас было дикое преимущество в средствах, и вы позволили ему вывернуть вам руки.

— Мы слишком долго играли друг против друга. Он воспользовался этим.

— А я-то что могу сделать?

— Ты понимаешь, что он может выиграть?!

— Давай я отвернусь, вы его убьете, поделите деньги и продолжите игру вдвоем, — взорвался Сватов. — Я не знаю, что еще предложить, Никита! Не знаю! Но если он у вас выиграет, я обеспечу его безопасность. Потому что вы сами его привели, сами провозгласили равенство игроков и сами проиграли ему такие деньги!

— А ты действительно отвернешься? — помолчав, поинтересовался Крылов.

— Спроси у Давида о той армии, которую представляет наш красноголовый друг, а потом решай, — махнул рукой Сергей.

Никита отправился к Ахметову, а возле Сватова вырос Копытов:

— Эта... хозяин, я подумал, денег нормально сделал. Ты свои фишки взад бери, а мне наличные. И мешки тоже, а то в своем чемодане я столько не увезу.

Контейнер, до сих пор блаженно сосавший виски, лежа в кресле, покивал из-за плеча начальника:

— Типа, хозяин, если у тебя есть броневик для денег, то мы можем его арендовать на время.

Сватов вздохнул:

— Федор Федорович, вы помните, что я вам рассказывал об этой игре?

— Крупняк игра, — наморщил лоб Копытов. — Большие ставки.

— Все правильно. Вы помните, я говорил, что эти господа готовы поставить миллионы?

— Я уже миллионы выиграл, — осклабился Федор Федорович. — Не хочу с них штаны снимать дальше. Пущай у них тоже немножко денег останется. Я добрый.

— Нюанс заключается в том, что с этими миллионами уйдет один человек. — Глаза Сватова стали ледяными. — Будет один победитель. Так они решили перед игрой.

— А остальные?

— А остальные уйдут без штанов.

Копытов глотнул виски:

— А если я не хочу так?

— Вас никто не спрашивает, — пожал плечами Сергей. — Таковы правила.

— То есть мне надо выиграть у них все? — Федор Федорович прикоснулся пальцами к груди.

— Да, — подтвердил Сватов. — Или все проиграть.

— Ну, я предлагал им расстаться по-хорошему! — Копытов вернулся за стол, а Контейнер, сбегавший за очередной бутылкой, — в кресло.

— Что будем решать?.. — Приложив огромное усилие, Копытов не закончил вопрос привычным «мля».

Цвания угрюмо посмотрел на врага. И поймал себя на мысли, что больше всего на свете мечтает врезать по татуированной физиономии везунчика. По красной бандане хочется врезать! По дурацкому смокингу! Давид не сомневался, что Крылов испытывает к красноголовому схожие чувства и переполняют Никиту те же желания. Но ведь как всех прижал! И ведь не жульничал! Не шулер Федор Федорович, совсем не шулер, в этом Цвания был уверен на сто процентов. Потому что Чех сдавал честно. До этой партии.

— Хочешь порешать все быстро? — Давид перевел взгляд на Никиту. — А ты что скажешь?

Клоун в смокинге в очередной раз приложился к фляге.

Крылов потрогал свои карты. Пять бумажных прямоугольников, выложенных в ряд. Он менял две карты, долго изучал пришедшие, прежде чем присоединить к остальным, и с тех пор даже не смотрел в их сторону.

В отличие от Цвания, Никита уже прошел стадию «горячей любви» к Копытову, и к нему вернулась способность рассуждать хладнокровно. Тенденция Крылову не нравилась: Федор Федорович не прекращал выигрывать, и решать эту проблему следовало как можно быстрее.

— Твои шестьсот, — задумчиво протянул Никита. — И два миллиона сверху.

Давид вперился взглядом в Крылова. Услышавший цифру Зелински уважительно покачал головой и подошел к столу. У Чеха задрожали руки. Побледневший Ахметов встал за спиной Никиты. Сватов оказался между ними и Цвания. Контейнер замер позади Копытова. В углу мирно похрапывал Геннадий Моисеевич.

— Ва-банк? — хрипло спросил Давид.

— Может, не все захотят?

— А если все?

Крылов пересчитал свои фишки, прикинул ставки:

— Двадцать миллионов и пятьсот тысяч.

Цвания быстро собрал столько же и двинул их в центр стола:

— Поддерживаю.

Под пристальными взглядами всех собравшихся вокруг стола Копытов дважды проверил свои сбережения. Аккуратно выкладывал фишки, шевелил губами, припоминая сделанные ставки...

— Двадцать миллионов и четыреста шестьдесят тысяч. Не думаю, что такая мелочь...

Никита и Давид переглянулись, и на их лицах появились улыбки:

— Федор Федорович, надо поставить еще сорок тысяч.

— Иначе, вы проиграли.

— Уберите из своих ставок лишнее, — предложил Копытов. Он еще не понял, насколько сильно его не любят.

— Я не хочу убирать, — ехидно произнес Крылов.

— Я тоже.

— Как насчет денег?

Сватов неодобрительно покачал головой. Сергей не испытывал восторга от успехов красноголового пьяницы, но метод, каким собрались убрать везунчика, Сватову не нравился гораздо больше. Тем не менее он промолчал.

— Кто-нибудь займет? — тихо поинтересовался уйбуй.

Желающих не нашлось.

Ахметов облегченно вздохнул, и тут... Контейнер подскочил к шефу сзади, обхватил его голову руками и принялся горячо шептать что-то в ухо. Речь Контейнера продолжалась не меньше двух минут, звучала довольно громко, но уж больно он торопился, окончания глотал, неправильно расставлял ударения, в общем, не по Розенталю шептал Контейнер, а как придется. Да и дикция оставляла желать лучшего. Так что в результате, несмотря на все старания, присутствующим удалось расслышать только «трындец!» и «спятил, мля?». Объективности ради добавим, что эти слова повторялись очень часто.

— Никита, поскольку наш друг...

— Стойте! — Федор Федорович посмотрел на Контейнера, пощупал медальон на груди, после чего отчаянным жестом залез в карман и бросил на стол ключи: — Машину возьмете?

— Что за машина? — деловито осведомился Сватов.

— Крутая. «Мазератти». Здесь стоит, в гараже.

— Новая?

— Относительно, мля, я слышал, здесь все, мля, относительно. В мире, в натуре, мля.

В тревожные мгновения душевных мук Копытов плюнул на приличия и выразился так, как привык. Да еще и галстук расстегнул.

— Мне машины не нужны, — отрезал Цвания.

— Я требую принять сорок тысяч под залог «Мазератти», — громко произнес Сватов.

Крылов удивленно поднял брови:

— Ты что?

— Это по правилам, — насупился Сергей. — Парень заслужил право открыть карты вместе с вами.

Никита несколько мгновений смотрел на Сватова, после чего пожал плечами:

— Я не против.

— Отлично! — выдохнул Копытов и торопливо, пока никто не передумал, перевернул свои карты: — Видали?!

Тройка, четверка, пятерка, шестерка и семерка червей. Зелински, увидев такое везение, только крякнул. А вот Чех в лице не изменился, словно знал, что откроет Федор Федорович.

— Сильно, — одобрил Крылов.

— А ты думал! — Копытов приободрился. — А у вас что?

Цвания и Никита открыли карты одновременно, глядя в глаза друг друга, и только по реакции окружающих поняли, кто победил. Шесть, семь, восемь, девять и десять пик у Давида. Семь, восемь, девять, десять и валет бубен у Крылова.

— Эта... — прошептал Федор Федорович.

— Типа... — эхом отозвался Контейнер.

Копытов поднес дрожащую руку к груди, оторвал пуговицу, вытащил какой-то медальон.

— Не может быть, мля! Не может быть!!

Но на них никто не смотрел.

Смотрели на Цвания. Никита смотрел, Ахметов, Сватов, Зелински — все. И лишь окаменевший Чех не сводил глаз с открытых Крыловым карт, точнее — с замкнувшего комбинацию бубнового валета.

ГЛАВА 4

Москва, 1763 год

Сен-Жермен проснулся оттого, что страшно зачесалась шея. Безумно зачесалась. Как будто блохи устроили под подбородком шумную свадьбу и многочисленные гости одновременно пустились в пляс. Их маленькие лапки вызвали нестерпимый зуд, заставили с силой скрести по коже пальцами, ворочаться с боку на бок и в конце концов открыть глаза.

«Что за глупый сон? Какие блохи?»

Сквозь маленькое, заиндевевшее окошко с трудом пробивался солнечный свет. «Ясно, значит, морозно, — пришла в голову русская примета. — Холодно. Проклятая Московия, опять холодно!» Граф откинул в сторону соболью шубу, всей грудью вдохнул прохладный воздух комнаты, потянулся... но зуд напомнил о себе, и Сен-Жермен поднес руку к шее. И замер, почувствовав растущие на ней густые волосы. Растущие на ЕГО шее густые волосы. НА ЕГО ШЕЕ РОС-

ЛА БОРОДА! Откуда?! Граф осторожно прикоснулся к подбородку — и здесь борода. На верхней губе — усы. Он рывком сел на кровати, оглянулся, пытаясь найти зеркало, но понял, что скудное убранство комнаты не позволяет рассчитывать на подобную роскошь. Кровать, сундук, поверх которого грудой навалена одежда. На грубом столе несколько книг, грязная посуда, огарок свечи в медном подсвечнике.

«Я в тюрьме?»

Граф неуверенно улыбнулся, вновь пощупал бороду — нет, не снится. Поскреб подбородок — проклятый зуд донимал все сильнее, а добраться до кожи сквозь густой волос оказалось весьма непросто. Обратил внимание на руку, точнее, на изгрызенные, обломанные ногти — НИКОГДА раньше они не выглядели столь отвратительно. Затем взгляд переместился на грязный рукав. Сен-Жермен скептически оглядел то, что некогда было чудной, тончайшего голландского полотна сорочкой, с омерзением стянул с себя сероватое рубище, скомкал и швырнул в дальний угол. И почувствовал, что стал значительно чище.

«Что происходит, черт побери? Борода, неухоженное тело, грязная одежда...» Он попытался вспомнить последовательность событий.

«Ревель, постоялый двор, стук в дверь, Петр Нечаев: «Граф, нам пора». Я откладываю книгу, поднимаюсь с кресла, чувствую некоторое волнение, в дверях сталкиваюсь с мужчиной в дорогом платье. Он кажется знакомым, легкое удивление: «Где мы встречались?» Мужчина улыбается, молча кланяется. Это я. Мои манеры, мои жесты, моя улыбка. Он поедет в Европу, но некоторое время будет избегать столиц и общества...»

Таким было начало второго путешествия Сен-Жермена в Россию. Куда более странного, чем первое. И куда более интригующего. Той же ночью Нечаев доставил графа в Тверь. Все произошло буднично, почти незаметно. В какой-то момент Петр припустил во весь опор, вынудив Сен-Жермена последовать своему примеру. Граф хотел было крикнуть, что скорость неподходящая для ночной дороги, но пе-

редумал: русские славятся безрассудностью, не зря же они по очереди разнесли и шведов и пруссаков. Некоторое время всадники мчались сквозь тьму, затем лошади всхрапнули, сбились с ритма, Сен-Жермен почувствовал, что теряет вес, взлетает... Они проскакали еще немного, Нечаев осадил коня и махнул рукой:

— Семь верст до Твери, граф. Будем в городе перед рассветом.

Сен-Жермен с сожалением улыбнулся: Петр начинал ему нравиться, печально, что молодой человек сходит с ума. Какая Тверь в ночи пути от Ревеля? Но, проскакав семь верст, граф заволновался за свой рассудок, ибо, как и предсказал Нечаев, перед путниками показалась Тверь...

А потом была Москва, до которой они добрались, переодевшись немцами. И Сухарева башня. И встреча с Павлом Гуляевым. И его слова: «Граф, уверен, вам будет интересно почитать книгу из моей библиотеки...»

Черную Книгу.

«Вот тогда-то все и началось, — понял Сен-Жермен. Догадался, потому что с того момента, как пальцы его прикоснулись к черному кожаному переплету, воспоминания стали путаться. — Я читал всю ночь, а потом весь день... Нет, в ту ночь мы пили и разговаривали. Я открыл книгу на следующий день, ближе к вечеру. И стал читать...»

Первое время граф еще следил за собой, беседовал с Гуляевым — память сохранила обрывки разговоров, а затем Книга поглотила его без остатка. Перестало хватать времени на сон, на еду, на то, чтобы помыться и побриться. Мир перестал существовать. Миром стала Черная Книга, сокровищница великих знаний, могущественный артефакт, вобравший в себя мудрость тысячелетий. Слово за словом, страница за страницей, формулы и заклинания, предостережения и опыты: позабыв обо всем, Сен-Жермен жадно впитывал информацию. Он нашел то, к чему стремился всю жизнь.

«Сколько времени я провел здесь?»

Граф поднялся с кровати, подошел к столу, покопав-

шись в книгах, обнаружил дневник: последняя запись датировалась двадцатым декабря. Он сделал ее перед тем, как взяться за Черную Книгу. Но какое число сейчас?

Сен-Жермен приоткрыл дверь — не заперто, значит, не тюрьма, выглянул в полутемный коридор, прислушался — тишина.

— Эй, кто-нибудь! — Подождал. — Эй!

— Граф?

Голос долетел откуда-то снизу.

— Да!

Послышались торопливые шаги, и меньше чем через минуту перед графом вырос вихрастый паренек лет восемнадцати, узкоплечий и конопатый. Точно! Этот мальчишка прислуживал за столом во время ужина с Гуляевым. Как же его звать?

— Федькой меня кличут, — поведал слуга, почувствовав затруднение гостя. — Хозяин сейчас прийти не может. Занят. Завтракать желаете?

— Да... — Ответ подсказал заурчавший желудок. Но разум требовал другого: — Завтракать буду позже. Где моя одежда?

— В сундуке. — Сенька указал на массивный ящик у стены. — Выстирана, вычищена, отглажена. Казна ваша там же. Оружие.

— Доставай!

— Как изволите.

Мальчишка шагнул в комнату.

— Нет! Трубку сначала принеси и табак... — Сен-Жермен задумался. — Нет! Воды сначала согрей: бриться хочу.

Федька склонил голову, но граф успел разглядеть веселые искорки в его глазах: проснулся барин, в себя пришел. Немного смутился, но скрыл это за нарочитой хмуростью:

— Число сегодня какое?

— Третье.

Всего лишь? Получается, увлеченность книгой продолжалась меньше двух недель? Длина бороды показывала, что вряд ли.

— А месяц? Месяц какой?

— Так ведь март. Вы, граф, всю зиму Черную Книгу читали.

Сен-Жермен приводил себя в порядок несколько часов. Тщательно брился, мылся, курил трубку, обнаженным расхаживал по комнате, наслаждаясь восхитительным ощущением свежести, снова мылся, словно не веря, что наконец-то избавился от накопившейся грязи. Долго одевался в чистое, припудривался, возвращал на пальцы перстни, снова курил, задумчиво глядя на клубы дыма. Занятия эти тянулись до самого обеда, который Федька накрыл в большой столовой. Именно накрыл: чистая скатерть, блестящие приборы, драгоценный фарфор, несколько перемен — Сен-Жермен сомневался, что в последние месяцы ему доводилось принимать пищу с таким достоинством.

Предупрежденный слугой Гуляев также явился при параде: камзол, кружева... но вот изящества Павлу не хватало, чувствовалось, что из простых он людей, что носит дорогую одежду, как дорогую одежду, неспособен забыть о ее цене. В отличие от Сен-Жермена, для которого роскошь давно стала обыденностью.

Собственно, обед прошел в тишине: господа изрядно проголодались и, отделавшись протокольной вежливостью, отдали должное пище. Зато в креслах у камина, раскурив трубки и вытянув ноги к огню, Сен-Жермен и Павел смогли поговорить обо всем накопившемся.

— Граф, я рад, что вы вернулись, — улыбнулся Гуляев. — В последнее время нам не часто доводилось беседовать. Надеюсь, теперь наши увлекательные дискуссии продолжатся?

— Охотно, — кивнул Сен-Жермен. — Но прежде ответьте на один вопрос: вы знали, что Книга настолько затягивает?

— Предполагал, — не стал скрывать Павел. — Но, скажу откровенно, не думал, что чтение займет столь много времени. В какой-то момент я стал волноваться.

— Но я вернулся, — без улыбки произнес граф.

— Да, вы вернулись.

И в глазах русского появился холодный огонек. Словно Гуляев не был уверен в том, КТО вернулся.

— Я мало что запомнил. — Сен-Жермен выдержал небольшую паузу. — Но чувствую, что знание проникло в меня, в мой разум. Потребуется время, чтобы привести в порядок мысли.

— Теперь у вас начнется самое интересное — вдумчивое чтение. Вы проглотили Черную Книгу, пустили ее в себя. Теперь вам предстоит слиться с ней.

— Чтобы стать Хранителем?

В камине потрескивали дрова, дым из трубок поднимался к потолку, рисуя вокруг собеседников тени сумрачных призраков.

— Вы уже — почти Хранитель.

— Почему вы решили, что я хочу им быть?

— Потому что в противном случае вы бы не провели рядом с Книгой столько времени. Вы бы вообще не впали в забытье.

Сен-Жермен пыхнул трубкой, покачал головой. Он понимал, что значит быть Хранителем, понимал, почему круглолицый Гуляев так заинтересован в его услугах, — понимал, потому что теперь граф знал все. Абсолютно все. Теперь Сен-Жермен знал, почему Черная Книга хранится в Сухаревой башне и нигде более, знал, почему его визит в Москву сопровождался такими предосторожностями и как он смог за одну ночь добраться из Ревеля в Тверь.

— Я ехал в Россию искать ответы, а нашел новые вопросы. Вы прячете жемчуг, вы заставляете всю Европу ходить в потемках. Наверное, смеетесь над потугами западных мистиков?

— Не смеемся, — медленно ответил Павел. — Но и помогать не будем.

— Почему?

— Челы сами выбрали свой путь.

«Челы!» Слово резануло. Да, мы челы, назвавшие себя человеками и позабывшие о прошлом. Позабывшие о том, что были среди нас могучие колдуны, способные истреблять

армии взмахом руки, были великие ведьмы, властительницы стихий, были... Были! Это не сказки!

— Мне вы глаза открыли. Но сколько людей так и не узнает о своих способностях? Потомки великих колдунов, потомки человских ведьм. Они ведь еще рождаются, еще появляются на свет, еще думают, что кому-то нужны. У них есть сила, но нет знаний. И они живут обычной жизнью. И у них все чаще рождаются обычные дети. Через сколько поколений умрет последний человский маг?!

— К чему вы ведете, граф?

— Вы не имеете права прятать знания!

— Джинна из бутылки уже выпускали, — холодно произнес Гуляев. — Вы не можете не знать, чем это закончилось.

Инквизицией.

— Потому что скрыли информацию о Тайном Городе! Потому что людей настроили против своих магов, против своих колдунов! А с настоящими врагами договорились.

— Увы, но для челов мы мало чем отличаемся от нелюдей.

— Люди не настолько глупы! — Граф избегал смотреть на Павла, но говорил яростно, громко, увлеченно жестикулировал. — Глупость — это всего лишь отсутствие образования. Просвещение избавит народы от ярма глупости. Они увидят, что подлинные враги находятся здесь! В Москве! В Тайном Городе! Нелюди наши исконные враги. Вечные враги!

— Достойная цель для Крестового похода, — обронил Гуляев.

— Именно! — Сен-Жермен бросил на русского быстрый, внимательный взгляд: язвит или серьезен? Не понял: круглое лицо русского не выразило эмоций. Продолжил: — Выжидать и прятаться не по мне! Вы спасли знания: честь вам и хвала. Но времена изменились! Действовать и действовать! Только энергия бесконечного движения приведет нас вперед! Теперь я окончательно понял, что рожден для великой цели! Я сотру этот Вавилон с лица Земли!

— Вы говорите о Москве? — сухо осведомился Гуляев.

— О Тайном Городе!

— Но битва развернется здесь.

— И что?

— Мне не нравится эта затея.

— Почему? — Сен-Жермен искренне не понимал причин отказа.

— Потому что я люблю свой город, — снисходительно, как ребенку, объяснил Павел. — Мне здесь война не нужна.

— От вашего желания ничего не зависит.

— К сожалению, — в голосе русского зазвучала грусть, — я действительно не смогу ничего изменить. Но это не значит, что я не попытаюсь.

Гуляев не угрожал — предупреждал. Предупреждал тихим, спокойным голосом, но Сен-Жермен начал злиться: граф не любил, когда вставали на его пути.

— Вы будете мне мешать?

— Я обязан.

— Каким же образом?

Сен-Жермен помнил, как нервничал при первой встрече с Гуляевым, ведь если какой-то там Нечаев умеет перебрасывать путешественников за тысячи верст, на что способен лидер тайного общества? Теперь граф знал: не на многое. Полновластный хозяин Сухаревой башни оказался средним по силе магом. Гуляев не был Хранителем: Брюс, не сумевший найти преемника, поручил поиски Павлу. И Павел нашел.

«Меня! Человека титанической силы!»

Граф не сомневался, что даже сейчас, с минимальным запасом энергии, сумеет победить Гуляева в магическом поединке. «Он не рискнет!»

— Так каким же образом вы собираетесь мне мешать?

— Я выгоню вас из башни, — серьезно ответил Павел. — И не позволю продолжить изучение Черной Книги. Мне кажется, вам следует о многом подумать.

Сен-Жермен запрокинул голову и расхохотался. Не высокомерно, не презрительно — пока он не хотел обижать Гуляева, но отчетливо давал понять, что планы хозяина Су-

харевой башни — бывшего хозяина! — мягко говоря, невыполнимы.

— Выгоните?

— Буду вынужден.

— А может, все-таки договоримся?

— В настоящее время это бесполезно. Вы видите не книгу, но меч. Вы видите не будущее, но СВОЕ будущее. Вам кажется, что величие это кровь, но не служение. Сейчас вы не готовы стать Хранителем. Вы должны уйти.

— Я? — А вот теперь Сен-Жермен не скрывал издевки и, не дожидаясь ответа, резко подался вперед. — С кем ты говоришь, холоп? Кого учишь? Чувствуешь ли ты силу мою?! Я — гений!!

— Я служил Брюсу, граф, меня трудно удивить.

— Не смей меня перебивать!

Но пощечина не удалась — Павел перехватил руку Сен-Жермена, не позволив нанести удар.

— Одумайтесь!!

Граф оттолкнул Гуляева.

— Смерд!

И пошатнулся. Почувствовал, как слабеют ноги, как расплываются в призрачном дыму стены комнаты. Призраки, вылетевшие из трубок, отняли у Сен-Жермена силы, заставили опуститься в кресло, а затем и вовсе — на пол.

— Ты... отравил... — Глаза закрылись. — Ненавижу...

— Куда его? — Нечаев посмотрел на спящего графа. — В Ревель?

Гуляев покачал головой:

— Где двойник?

— В Саксонии, у одной из его любовниц.

— Дама ничего не заподозрила?

— Дама счастлива.

— Тогда отправь графа в Дрезден, — решил Павел. — Проведем обмен.

— Хорошо, отправлю, — согласился Нечаев. — Но я все равно считаю, что ты не прав, отпуская Сен-Жермена.

— Мы его не удержим.

— Тогда зачем учил? Зачем давал читать Книгу? Знал ведь, что уйдет! Знал?!

— Знал.

— И что?

— Как уйдет, так и вернется, — спокойно ответил Гуляев.

— Он вернется не один!

Павел тяжело вздохнул:

— А вот это, Петр, нам с тобой не изменить. — Присел на корточки, посмотрел на Сен-Жермена. — Он сильный маг, и много в нем зла, и много ошибок впереди. Но к нам он вернется. Один вернется. Потому что чувствовать будет, что неполной жизнью живет. Уже сегодня ночью почувствует. Когда глаза в темноте закроет, когда один на один с собой останется — почувствует. Поймет, что время его зря уходит. Что силы свои на ерунду растрачивает. Что предназначение свое позабыл. И чем дальше, тем острее станет это чувство. Выть он будет по ночам. Озлобится на всех. Ошибки совершит страшные. Много плохого совершит, пытаясь боль свою заглушить, себя переломить пытаясь. Вот только крепок он неимоверно и супротив себя не выстоит. Не по зубам ему сей орешек окажется, тверд слишком. И придет к нам граф, вернется. Станет мудрым Хранителем, достойной сменой колдуну Брюсу.

* * *

Бизнес-центр «Нефтяная Вышка».
Москва, проспект Вернадского,
5 ноября, пятница, 18.59

— Эта машина?

— Эта.

Рустам нажал на кнопку брелока, но никакого эффекта не последовало: черный «Мазератти» остался равнодушен.

— Что за черт? — Охранник надавил на кнопку еще несколько раз. — Батарейка, что ли, села?

— Дай посмотрю. — Шамиль взял брелок. — Я такие штуки видел: он настроен на отпечаток пальца владельца.

Рустам негромко выругался:

— А где владелец?

— Уехал, наверное.

— На чем?

— Какая разница? Допустим, ему Никита бесплатное такси прислал. И что из этого? Тебе полегчало?

Рустам сплюнул и многозначительно посмотрел на напарника:

— Хватит острить! Что делать будем?

Эльдар велел телохранителям отогнать «Мазератти» в «Два Короля», и ребятам очень не хотелось докладывать шефу, что они не смогли справиться со столь простым заданием.

— У меня есть приятели в автосервисе. — Шамиль почесал бровь. — Сейчас позвоню, они эвакуатор подгонят и в лучшем виде тачку доставят.

— Отлично! — приободрился Рустам. — А может, пусть они ее и вскроют? Чего мучиться?

— К черту. — Доставший телефон Шамиль отрицательно покачал головой. — Вдруг ее хозяин у Никиты выкупить планирует? Ты потом будешь восстановление охранки оплачивать?

— Не, я не буду.

— Я тоже платить не хочу. Отвезем тачку в «Короли», а там видно будет.

Пока напарник искал нужный номер, Рустам еще раз обошел вокруг дорогой машины, постоял у тонированных стекол, безуспешно пытаясь разглядеть внутренности салона, после чего громко сообщил:

— У нее даже лобовуха почти черная!

— Ну и что?

— Так ведь не видно ни черта!

— Ну и что?

— Да ничего, — буркнул Рустам. — На водилу было бы интересно посмотреть. У него небось не глаза, а инфракрасные прицелы.

Захар чувствовал себя великолепно: бодрым, полным сил и энергии. Раны затянулись, исчезли, не оставив после себя даже шрамов, движения вновь стали упругими, быстрыми и уверенными. Благодарить за это следовало эрлийцев, в очередной раз подтвердивших свое высочайшее мастерство, и навов, позаботившихся о том, чтобы епископ смог восстановить запас Крови. Другими словами, отыскать в Тайном Городе более здорового масана было нереально. Но на душе у Треми скребли кошки — жесткий разговор с комиссаром Темного Двора вывел Захара из равновесия.

Никогда ранее боевой лидер клана не сомневался в правильности своих поступков. Начнешь задумываться — потеряешь время, потеряешь время — станешь уязвимым, станешь уязвимым — погибнешь. Правила боя. В войне, которую вел епископ, цепочка была несколько другой: усомнишься в своей правоте — станешь слабым, не сможешь принять жесткое решение, не сможешь убить — умрешь сам. Суть тем не менее оставалась прежней: сомнения означали смерть, и за свою долгую жизнь Захар не раз и не два убеждался в истинности этого правила. Епископ пережил многих любителей порассуждать и собирался продолжать в том же духе, но признавал, что в словах комиссара есть смысл.

«В свое время мы с твоим отцом и Лазарем Гангрелом рассчитывали, что через сто пятьдесят — двести лет в Саббат осознают бесперспективность противостояния и мы договоримся. К сожалению, их лозунги, непрагматичные и непродуктивные, противоречащие разуму и инстинкту самосохранения, оказались весьма живучи. Вождям Саббат удалось сформировать культуру, не нуждающуюся в мирной жизни. *Пища* всегда рядом, наличность на карманные расходы можно получать банальным грабежом — вот и вся свобода. И за нее они готовы драться до последней капли крови. Эта культура, культура Хаоса, спутала нам все карты, не скрою: лидеры Саббат нас переиграли».

«Значит, война будет продолжаться до полного истребления?»

«Мне бы этого не хотелось».

«Мне тоже».

«Надо искать выход».

«А он есть?»

«Выход есть всегда, — прищурился комиссар. — Раз уж мы поняли, что не можем и впредь истреблять мятежников с прежней интенсивностью, следует заняться их культурой...»

Оглушенный Цвания не мог прийти в себя минут десять. Он молча сидел за столом, неподвижно глядя на открытые карты, и пошевелился лишь однажды: залпом выпил поднесенный мрачным Какадзе стакан водки. Все понимали, какие чувства владеют несчастным Давидом, а потому не трогали, не дергали. И лишь когда Геннадий Моисеевич разложил на противоположном конце стола документы, Сватов осторожно дотронулся до плеча Цвания.

— Давид, надо подписать бумаги.

— Я не могу, — едва слышно ответил Цвания.

Сватов вздохнул:

— Давид, ты должен.

Цвания поднял голову и посмотрел на Сергея:

— Я не могу, Гори меня убьет... — И, увидев в глазах Сватова равнодушие, сглотнул. Попробовал еще раз: — Серго, ты же знаешь — он меня убьет.

— Если ты не подпишешь, — негромко произнес Сватов, — Автандилу о твоем проигрыше будет докладывать кто-то другой. А подпись на бумагах все равно появится.

— Чего пугаешь, а? — вскинулся Цвания. — Думаешь, испугал, а? Сука ты, Сватов, сука!

Один из охранников поднес документы, и Давид лихорадочно поставил автографы.

— Все?

Но Сватов уже уступил место Крылову.

— Все, — кивнул Никита, передавая бумаги Эльдару. — Было приятно играть с тобой, Давид.

— Жаль, что у тебя только одно казино, — добавил улыбающийся Ахметов.

Цвания промолчал.

— Скажи Автандилу, что мы будем ждать звонка, — закончил Крылов. — Нам есть что обсудить.

— Пошел ты...

Давид закурил.

Это случилось здесь. Захар остановился в центре подземного гаража, опустил голову, вздохнул. Служба утилизации поработала на славу: не осталось никаких напоминаний о вчерашней схватке, исчезли даже магические следы, словно челы могли их почувствовать... Ничего не указывало на то, что вчера на этом самом месте погиб Гаврила Треми, юнец с «кривыми *иглами*», сопляк, искренне верящий в свою правоту. Война любит молодых.

Епископ Треми опустился на одно колено и достал катану Гаврилы. Во время церемонии похорон кардинал клана сломал над ушедшим воином «слир» — ритуальный нож, кривой и острый, словно *игла*, такой клинок получал при рождении каждый масан. А здесь, на месте смерти, Захар оборвал путь его меча — по праву сражавшегося рядом во время последнего боя.

— Мы проливаем кровь и пьем ее. Нас согревает тьма и наполняет силой смерть. Но на той стороне все равны.

Клинок переломился. Епископ крестом сложил половинки меча на том месте, где сделал последний вздох Гаврила, и прошептал заклинание. Сталь вспыхнула огнем.

— Ты был воином и умер как воин. Прими мое уважение, брат.

Сталь растаяла в магическом пламени, исчезла, отправившись в небытие следом за господином.

Захар поднялся на ноги и огляделся. Сантьяга сказал, что оставил машину где-то здесь...

Пригнанный челами эвакуатор увез «Мазератти», прихваченная из бара бутылка виски закончилась, и, поскольку ничего интересного в гараже не намечалось, Контейнер решил осведомиться насчет дальнейших планов.

— Чо будем делать, уйбуй?

Десятник промолчал. Он сидел на подножке джипа, одной рукой закрывая лицо, а во второй сжимая проклятый амулет, и изредка икал.

— Вешаться будем, — безапелляционно ответил Иголка. — Потому шта нам теперя трындец. Великий фюрер не поймет, что только этот гад во всем виноват, — всех порешит.

— Надо ехать конца мочить, — отрешенным голосом произнес Копыто. — Пусть ему тоже будет хреново.

— Да заткнись ты, мочитель недоделанный, — окрысился Иголка. — Хватит, накомандовался!

И получил подзатыльник от могучего Контейнера.

— Не мешай уйбую, стервец!

— Я уже не мешал! Я никому не мешал! И что?! Чем все закончилось? Ты хочешь, чтобы тебя повесили?

— Нет.

— И я не хочу! А нас повесят! Потому что этот кретин...

На этот раз здоровяк приложил паникера покрепче. Иголка влетел в крыло джипа и на некоторое время угомонился.

— Слышь, уйбуй, а, типа, скока ты у фюрера взял?

— Миллион, — проскрипел Копыто.

— Много, — вздохнул Контейнер. — За миллион нас Кувалда точно повесит. — Здоровяк опустил глаза. — А может, еще и отрежет что-нибудь предварительно.

Уйбуй судорожно выдохнул и...

— Привет, шпана!

Дикари подскочили — увлеченные переживаниями, они не заметили приближения Захара.

— Языки проглотили?

— Привет, — хмуро кивнул Контейнер.

Копыто же молча вернулся в прежнюю позу. У переднего колеса захныкал пришедший в себя Иголка:

— Я не хочу, чтобы меня вешали!

— Да я и не собираюсь, — ответил Захар, с легким

удивлением оглядывая смокинг уйбуя. — Копыто, ты чего так вырядился? На работу устроился?

— Лифтером, — скривился Иголка.

— Мы на этом были... на фуршете, — поспешил объяснить Контейнер. — В смысле, уйбуй был. Тока видишь — отравился чем-то. Типа. Плохо ему сейчас.

Копыто икнул. Иголка фыркнул. Захар пожал плечами.

— Да плевать мне, где вы были. Скажите лучше: давно здесь ошиваетесь?

— Ну... — Контейнер нахмурился. — Час...

— Машину мою не видели?

Не успевший подняться на ноги Иголка издал неразборчивый звук и полез под днище машины. Контейнер побледнел и, скрывая возникшую в ногах слабость, облокотился на джип. И даже Копыто изволил высунуть нос из марева своих кошмаров. Уйбуй поднял голову и поинтересовался:

— Какую машину? — Голос почти не дрожал.

— Черный «Мазератти», — сообщил Треми. — Вы бы ее сразу узнали: у нее все стекла тонированы.

Под джипом прозвучал сдавленный стон. Контейнер закусил губу и глубоко задышал. А вот Копыто отнесся к очередному кошмару с необычайным хладнокровием.

— Не видели мы твою тачку, — буркнул уйбуй, поднимаясь на ноги. — У челов местных спроси.

Треми оглядел дикарей, прислушался к доносящемуся из-под джипа попискиванию и осведомился:

— У вас все в порядке?

— Нет, — отрезал Копыто, решительно открывая дверцу машины. — Контейнер, вытаскивай придурка, и поехали.

— Мальчики, какие же вы молодцы!! — Анна по очереди расцеловала Эльдара и Никиту. — Победители! Короли!

— Два короля!

Хлопок, улетающая к потолку пробка, и пенистое вино наполняет хрустальные бокалы.

— За вас!

— За нас!

— Вы непобедимы!

— Это все он. — Ахметов кивнул на друга. — Он все сделал.

— Сделал все ты: договорился с Чемберленом, обеспечил соблюдение правил, — засмеялся Крылов. — Я только сидел за столом и перекладывал карты.

— Я так волновалась за вас.

— Уж как я трясся! — поделился впечатлениями Эльдар. — А когда этот Копытов стал выигрывать...

— Какой Копытов?

— Цвания привел игроков для массовки, так один из них чуть не обыграл и Давида, и Никиту.

— Странный такой урод: в смокинге и красной бандане.

— На обезьяну похож.

— Весь в татуировках.

— Копытов? — В черных глазах Анны промелькнуло изумление. — Татуированный и в красной бандане?

— Ты его знаешь?

— Нет... просто вы так забавно его описали.

— Какой есть, таким и описали, — махнул рукой Эльдар. — Ладно, чего мы встали? Поехали в «Короли» — повеселимся!

— Поехали!

Анна отдала бокал шоферу, обернулась... она знала, кого увидит. Захар Треми. Епископ вежливо поклонился девушке.

— Комиссар, вы все-таки распорядились забрать мою машину?

— Нет, — удивленно ответил Сантьяга. — Вы ведь просили этого не делать.

— Мне неловко говорить, — протянул Треми, — но ее здесь нет.

— Вот как? — Комиссар помолчал. — Неудобно получилось. Захар, пожалуйста, примите мои извинения. Ваша машина найдется в самое ближайшее время.

Епископ убрал телефон. Несмотря на то что речь шла о его машине, Треми не смог сдержать улыбку: Сантьягу обокрали.

Комиссар же перевел взгляд на вошедшего с докладом помощника и приказал:

— Ортега, вчера вечером я оставил в «Нефтяной Вышке» машину Захара Треми. Черный «Мазератти» с тонированными стеклами. А сегодня она куда-то подевалась. Не сочтите за труд — найдите.

— И вернуть епископу Треми? — уточнил Ортега.

— Нет, — качнул головой комиссар. — Для начала я хотел бы знать, кто ее взял.

* * *

Игорный дом «Два Короля».
Москва, улица Большая Каретная,
5 ноября, пятница, 20.41

— Сегодня вечером каждому гостю — бутылка шампанского в подарок! — распорядился Никита.

— А всем сотрудникам — премию в размере половины оклада, — добавил Эльдар. — Гулять так гулять!

— Объявлять, что празднуем?

— Скажите, что... именины моей бабушки.

Администратор кивнул и вышел из кабинета.

— За победу!

Никита откупорил очередную бутылку, разлил вино, с наслаждением прислушался к хрустальному перезвону: друзья сомкнули бокалы.

— За победу!!

— Не потеряйте головы от радости, — предупредила Анна.

— Это нам не грозит, — улыбнулся Эльдар.

— Надеюсь.

— Мы их сделали! — Ахметов заорал нечто нечленораздельное и подхватил девушку за талию. — Анна, мы их сделали!! — Закружил по кабинету. — Сделали!!!

— Сумасшедший! — Раскрасневшаяся девушка поцеловала Эльдара в щеку. — Отпусти.

Никита молча долил вино в бокалы, дождался, когда Ахметов и Анна вернутся к столу, и негромко сказал:

— А ведь те двое были шулерами.

— Что? — Ахметов не сразу понял, о чем говорит Крылов. — Какие двое?

— Чех и Зелински. — Никита сделал глоток шампанского. — Поверь моему опыту, Эльдар, они каталы. Классные каталы. — Ахметов помрачнел. — Кто их проверял?

— Даньшин.

— Плохо проверял.

Праздник закончился. Игривое настроение, шутки, смех — все исчезло, уступив место сосредоточенной задумчивости. Крылов и Ахметов смотрели друг другу в глаза и молча задавались одним и тем же вопросом: «Ошибка или диверсия?»

— У нас не было к нему никаких претензий, — вздохнул Никита.

— Мы ему доверяли, — согласился Эльдар.

— Мы его подняли.

— А ты бы кого купил, атакуя чужое казино?

— Бухгалтера.

Анна рассмеялась. Эльдар, после паузы, тоже улыбнулся:

— Кит, конечно, ты бы купил бухгалтера. Но Цвания и Гори бандиты. Они бы постарались купить начальника охраны.

— Надо проверить Володю.

— Проверим.

— Дорогой, я слышала, у тебя праздник?! — Дверь распахнулась, и в кабинет влетела Леночка Жмурова. — Всем гостям шампанское! У кого-то день рожденья?!

— Нет, другой повод.

— Анечка, приветики! Эльдар!

Никита поцеловал девушку, протянул бокал с вином,

но Ахметов заметил, что друг, мягко говоря, не обрадовался появлению Леночки. «Охладел. Скоро появится новая девочка». Эльдар философски относился к калейдоскопической смене крыловских подруг.

— А какой повод? — Леночка сделала большой глоток.

— Хороший повод.

— Мне можно узнать?

— Нет.

Леночка оторопела:

— Почему?

Крылов демонстративно отвернулся к компаньону:

— Эльдар, ты останешься здесь?

— На всю ночь, — подтвердил Ахметов. — И тебе бы советовал.

— Я должен вернуться домой, — покачал головой Никита.

— Мы поедем к тебе? Что же это за праздник такой? — Леночка еще не поняла, что надо бы помолчать.

— Появляться сегодня дома глупо. «Короли» надежно охраняются, ночуй здесь.

— Ты с кем-то поругался?

Крылов поставил бокал на стол и с неожиданной яростью посмотрел на Леночку.

— Слушай, маленькая глупая дрянь, когда мужчины говорят о серьезных делах, ты должна вести себя тихо-тихо, молчать в тряпочку и делать вид, что тебя здесь нет. Понятно?!

Несколько мгновений девушка непонимающе смотрела на Никиту, затем губы ее задрожали, из глаз брызнули слезы, и она выскочила из кабинета, громко хлопнув за собой дверью.

Ахметов, ошарашенный вспышкой обычно корректного друга, покачал головой:

— Зачем ты так?

— Затем. — Никита поморщился. — Видеть ее не могу.

И бросил быстрый взгляд на Анну. Очень быстрый взгляд, молниеносный. Но Эльдар успел его заметить.

— Хорошо, — покладисто произнес Ахметов. — Со своей женщиной разберешься сам. Но домой я тебя не отпущу, это слишком опасно.

— Я должен быть дома. — Никита попытался долить себе вина и не сразу понял, что взял пустую бутылку.

«У тебя есть двенадцать часов!» Барабао не шутил, и если Крылов не поторопится, ход перейдет к противнику. К Крылову. А уж тот, Никита хорошо это знал, сумеет воспользоваться малейшей возможностью, чтобы обеспечить себе преимущество в игре.

— Я должен быть дома.

— Что ты там забыл?

— Я не могу тебе объяснить, но, поверь, это очень важно. И имеет отношение... — Снова быстрый взгляд на Анну. И снова — перехвачен. — Это имеет отношение к игре, к тому, что я был уверен...

— В чем уверен?

— В победе.

— Так ты все-таки жульничал?

— Нет, я...

— Может, Никита будет более откровенен, если я уйду? — Анна подошла к мужчинам. — Эльдар, мне пора.

— Я думал, ты останешься, — удивленно протянул Ахметов.

— Не только у тебя бывают срочные дела. — Девушка поцеловала Эльдара в щеку. — Увидимся завтра.

— Что за ерунда? — Ахметов обошел письменный стол, плюхнулся в кресло и вытащил из ящика рацию: — Даньшин! Володя, через десять минут Никита уезжает, распорядись насчет сопровождения. — Отключил рацию, перевел взгляд на друга: — Теперь-то ты скажешь, зачем собрался домой?

— И теперь не скажу, — буркнул Крылов. — Не сегодня.

— Знаешь, Кит, иногда мне хочется тебя убить.

— А потом ты вспоминаешь, что я гений, и терпишь мои выходки.

— Ты действительно гений, — рассмеялся Эльдар. —

И еще мой друг. А для друзей сделаешь все, что угодно. Так?

— Так.

— Потому что, кроме друзей и родителей, доверять в этом мире никому нельзя.

Это было начало их любимой поговорки, поговорки на двоих.

— Дружбу можно купить.

— Я свою давно продал.

— Нет, я выиграл ее в карты.

Ахметов снова рассмеялся.

— Старик, тебе действительно нужно домой?

— Обязательно.

— Обещаешь не делать глупостей?

— Что же, я сам себе враг?

— Тогда поезжай.

— До завтра.

Но когда за Крыловым закрылась дверь, улыбка сползла с лица Эльдара. Он выбрался из кресла, задумчиво прошелся по кабинету, остановился у стола и пристально посмотрел на два стоящих рядом бокала. Никиты и Анны.

* * *

Казино «Изумруд».
Москва, улица Шаболовская,
5 ноября, пятница, 21.33

— Давид, я слышал, игра не удалась? — мягко спросил Гори. — Мне звонил Чемберлен, сочувствовал.

Цвания сглотнул подступивший к горлу комок.

— Автандил, я все поправлю.

— Каким образом?

На этот вопрос Давид пока не знал ответа.

— Ты проиграл мое казино.

— Я все исправлю.

— Давид, я знаю тебя двадцать лет, да? Я помню, как ты скакал по горам и трахал овец, я помню, как ты поднимался. Но это не помешает мне все забыть. Ты это понимаешь, да?

— Я понимаю, Автандил.

— Ты облажался.

— Дай мне возможность все поправить. Ради моих детей, Автандил, умоляю! Я все исправлю!

Будь Гори рядом, Цвания упал бы на колени, целовал бы подметки хозяйских туфель, валялся бы в пыли. Но главарь был далеко, и Давиду оставалось лишь сжимать телефонную трубку и утирать платком мокрый лоб.

— Автандил, ради детей! Ради матери! Умоляю, Автандил, дай шанс!!

Ну, как тут не смягчиться? Окажись на месте Цвания чужак какой-нибудь, убил бы его Гори не задумываясь. Но соплеменники всегда получали возможность исправиться. Родная кровь, как ни крути.

— Ты уже подписал бумаги?

— Я не мог не подписать, меня бы не выпустили.

— Зато мне сейчас было бы проще.

— Автандил, — очень тихо сказал Цвания, — я хочу жить.

— Я же сказал, что дам тебе шанс. — Гори помолчал. — Крылов и Ахметов равноправные партнеры?

— Да.

— Если я правильно понимаю людей, то тот из них, кто останется в живых, станет более сговорчив.

— А как же Чемберлен?

— А ты оставь в живых того, что поумнее. Того, кто побежит не к Чемберлену, а ко мне, понял? Тот, кого ты не тронешь, должен понимать, что, даже если Чемберлен начнет войну, ему лично это будет глубоко фиолетово. Понятно?

— Понятно.

— Тогда делай, сын овцы! — заорал Гори.

Давид осторожно положил трубку, некоторое время смотрел на насквозь мокрый платок, швырнул его в корзину, вытер лоб рукавом и нажал на кнопку интеркома:

— Какадзе, давай этих двух уродов!

В кабинет осторожно вошли Чех и Зелински.

— Можно?

Если во время разговора с Гори на Цвания невозможно было смотреть без жалости, то теперь он резко преобразился: появилась уверенность в себе, губы кривила презрительная ухмылка, а в глазах загорелся нехороший огонек. Обещанное Автандилу исправление ситуации Давид решил начать с назначения виновных и их наказания.

— Это мой кабинет. — Цвания повел перед собой рукой. — Это мое казино. Сюда приходят люди и приносят мне деньги. Я получаю прибыль. Я отвечаю за нее. А завтра сюда придет Никита Крылов и скажет, чтобы я убирался. Что «Изумруд» — его казино. И знаете что?

Шулеры молчали.

— Мне придется убраться, вашу м...!!

Давид был мужчиной южных кровей, горячего нрава и потому никогда не носил с собой огнестрельное оружие — мало ли что, бывают ведь моменты, когда себя не помнишь. Зато рядом с креслом держал преподнесенную сотрудниками бейсбольную биту — выпускать пар на кресле, стене или...

Тяжелая бита со свистом опустилась на столешницу, вдребезги разнеся клавиатуру и заставив подпрыгнуть Чеха и Зелински.

— Сидеть!!

Побледневшие шулеры вернулись в кресла. Подарочная дубинка подрагивала на столе с частотой дрожания рук Цвания.

— Я хочу знать, ребята, как получилось, что я проиграл?

Чех, сдававший карты в последней, решающей партии, побелел.

— Давид, я... я не знаю, как Крылов выиграл...

— Не знаешь? Ты, сучонок, не знаешь?! А что ты вообще знаешь?!

Бита повторно врезалась в стол, перепуганный Зелински вжался в кресло, а вот Чех вскочил, за что тут же получил чувствительный тычок дубинкой в грудь.

— Я сказал: сидеть!

— Он не мог выиграть! Не мог!! — завопил Чех. — Я сдал, как мы договорились: Копытову четыре последовательные карты масти, вам и Крылову — по три. Вы сбросили две и прикупили девять и десять пик, так?

— Так.

— Копытову я сдал семерку червей. Мы ведь так и рассчитывали: у всех должны быть не самые сильные, но мощные комбинации, чтобы никто не спрыгнул. Так?

— Так.

— А Крылову я отправил пятерку и шестерку бубен. Пятерку!!

— И когда же она стала валетом?

— Да не могла она стать валетом! Я все старшие бубны перед переменой сбросил!

Пару мгновений Цвания обдумывал слова Чеха.

— Хочешь сказать, что Крылов катал у меня перед носом?

— Никита играл честно, — осмелился подать голос Зелински. — Я следил за ним весь вечер — все чисто. И Копытов ни разу не передернул.

— А с ним вы почему не разобрались? — поинтересовался Давид. — Этот уголовник едва нас не обыграл.

Шулеры переглянулись.

— Я впервые видел, чтобы человеку так везло, — осторожно ответил Зелински. — Мы ведь вначале не катали, играли, как положено, чтобы Крылов не почуял чего. Так я скажу: Копытова этого карты любят. Липнут к нему, как бабы к миллионерам.

— Ему почти всегда нужные карты приходили, — подтвердил Чех.

— Как это объяснить?

— Не знаю.

— Плохо, — подытожил Цвания. — Плохо, что не знаете.

* * *

Москва, Комсомольский проспект,
5 ноября, пятница, 21.12

Квадратный «Мерседес» вылетел из подземного гаража на бешеной скорости: Копыто так торопился уехать подальше от ищущего свой «Мазератти» вампира, что почти не убирал ногу с акселератора. Чудом избежав столкновений с несколькими автомобилями и нарушив добрую половину существующих правил дорожного движения, уйбуй в конце концов сумел развернуть джип в нужном направлении.

— Убьем Харция!

— Смерть концам!!

— Он нас предал!!!

Бойцы орали воинственные лозунги и клацали огнестрельным оружием. Но если карательная операция увлекла десятку, то сам уйбуй оставался суров, если не сказать — мрачен. Он чувствовал, что узнал далеко не все плохие новости сегодня, и машинально прибавлял скорость, стараясь не дать им догнать себя. Но что толку бежать?

Остановиться пришлось неподалеку от пересечения с Садовым кольцом. Копыто прижал «Мерседес» к обочине, не дожидаясь приказа, выбрался из ставшего похожим на катафалк джипа — бойцы испуганно притихли, и уныло побрел к Сантьяге, стоящему рядом с футуристическим авто темно-синего цвета. «Ягуар XJ220» был виден издалека, и дикарь прекрасно понимал, по чью душу появилось здесь это купе. Ноги уйбуя подгибались.

— Комиссар, это конец. Это проклятый Харций, вонючий ублюдок! Он подсунул мне артефакт, когда я спал! Я не знал, что нарушаю режим секретности! Я не...

Копыто бубнил, не поднимая глаз. Он снял бандану, низко-низко опустил лысую голову и слышал только себя, только свое горе. Вот почему Сантьяге пришлось повторить вопрос дважды:

— Копыто, вы знаете, чью машину проиграли?

— Захара Треми, — вздохнул уйбуй.

— Правильно. А знаете, кто приехал на «Мазератти» в гараж и забыл его там?

Веко дикаря стало подрагивать.

— Вы правильно догадались, Копыто, — улыбнулся Сантьяга. — Это был я.

Уйбуй почувствовал, что бездна разверзлась под его ногами и он летит в нее, черную, страшную...

— Копыто! — Комиссару пришлось поддержать оседающего дикаря за плечо и пару раз встряхнуть, дабы в глазках уйбуя вновь обнаружились следы разума. — Копыто, вы меня слышите?

— Почему вы меня сразу не убили?

Дикарь не ожидал от нава подобного великодушия.

— Видите ли, Копыто, — вновь улыбнулся Сантьяга. — Вам удалось меня удивить. Заставить испытать незнакомые до сих пор ощущения. Понимаете... — Словоохотливый комиссар с трудом подбирал слова! Казалось, ему неловко! — Меня никогда не грабили. И вот случилось... Копыто, поверьте, я не могу вам передать, что почувствовал.

— И вы не станете меня убивать? — на всякий случай уточнил уйбуй.

— Не стану, — пообещал нав. — Но это не значит, что вы не должны вернуть «Мазератти». До воскресенья управитесь?

— Да, — пискнул Копыто.

— Вот и славно. А с Захаром я все улажу — он подождет.

— Теперь эмигрировать поздно, — простонал Иголка, провожая взглядом авто комиссара. — Этот где хошь найдет. И в узел завяжет, блин.

— Он эта, типа, пьяный, что ли? — переспросил Контейнер. — Почему он тебя не грохнул?

Копыто, повязывающий на голову бандану, сплюнул:

— Повторяю, придурок: он хочет, чтобы мы вернули кровососу тачку.

— Насчет тачки понятно. Тебя он почему не грохнул? Что ему, трудно «Мазератти» угнать?

— Дубина ты, Контейнер, — отрезал уйбуй. — Я тебя презираю.

— Сантьяга не хочет с тачкой вязаться, потому что Копыто ее проиграл! — догадался Иголка. — Вот оно! Все знают, что если ставку не отдашь или воруешь ее потом, то могут быть неприятности.

— Точно, — подтвердил уйбуй. — Хитрый этот Сантьяга. Хочет и рыбку съесть, и на пароходе покататься. За наш счет, в натуре.

— И съест, и покатается, — буркнул Контейнер. — Или ты не собираешься ему тачку возвращать?

— Собираюсь, — признался уйбуй. — Но не хочу. Надо кретинов каких-нибудь найти, чтобы они вместо нас «Мазератти» угнали.

— Почему?

— Потому что иначе мне в карты везти перестанет.

— Точно, — подтвердил Иголка. — Навсегда отрежет.

— Лучше бы тебе и не везло никогда, — рассудительно заметил Контейнер, за что немедленно удостоился командирского пинка.

Но слово прозвучало, и мысли Красных Шапок вновь вернулись к переживаемой трагедии. Дикари не стали ничего говорить, но каждый в этот момент подумал об одном и том же: о проигрыше, о потере кучи денег и о том, что обо всем об этом еще предстоит докладывать великому фюреру.

— Трындец ситуация, — подвел итог затянувшейся паузе Иголка. — Все хреново.

— Конца-то убивать поедем? — осведомился Контейнер. — Собирались ведь.

— Поедем, — решил Копыто. — Пусть ему тоже будет хреново.

* * *

Офис клана Треми.
Москва, улица Вятская,
5 ноября, пятница, 21.35

Не было ничего удивительного в том, что во время набегов мятежных Саббат семья Масан переходила на военное положение, большая часть ее членов укрывалась в офисах кланов, покидали которые, как правило, только воины. Подобная практика была вызвана тремя причинами: во-первых, мятежники с большой охотой нападали на «продавшихся» соплеменников; во-вторых, бывало так, что охотники, не разобравшись, атаковали честных масанов; и в-третьих... Третьей причины официально не существовало, о ней не говорили, но все понимали, что для лидеров Тайного Города она была едва ли не весомей двух первых. Третья причина — недоверие. На действия мятежников можно свалить многое: пойди разберись, кто на самом деле *высушил* чела? Злой пришелец или законопослушный житель Тайного Города? Из вежливости статистику умалчивали, но все знали, что после введения правила военного положения количество жертв набегов резко сократилось. Но даже не человские потери беспокоили Великие Дома, не человские жизни, а возможное предательство: нельзя быть до конца уверенным в разделенном на два лагеря народе. Кровь сильнее политики, и, даже убивая друг друга, братья остаются друг другу ближе, чем кому бы то ни было в мире.

И епископы кланов, занимающиеся в том числе и внутренней безопасностью, в дни набегов становились особенно подозрительными.

— Кто-нибудь покидал офис днем? — Это первое, о чем поинтересовался Захар, вернувшись в клан. Сначала дело, потом все остальное.

— Да, — коротко ответил Дементий Треми, один из ближайших помощников епископа.

— Кто?

Объявление о прекращении набега пришло ранним

утром. Кардинал клана немедленно снял военное положение, но, поскольку солнце уже практически взошло, большая часть масанов решила остаться в офисе. Заставить вампира выйти на улицу днем могло только ОЧЕНЬ важное дело.

— Помимо бойцов, здание покинули шестеро. Поликарп и Варвара ушли домой через портал.

Захар кивнул: эти двое неплохо зарабатывали и могли себе позволить держать в квартире постоянный маяк, а также пользоваться магическими переходами, как такси.

— Еще?

— Аристарх, Мартын и Ольга отправились в аэропорт. У них приближается Жажда...

А потому возникла срочная необходимость навестить какой-нибудь многолюдный город подальше от Москвы. Здесь тоже все в порядке: троица предупреждала о своих проблемах за несколько дней до набега.

— Еще?

— Илья.

— А он куда мотался?

— Илье позвонили соседи: уходя в офис, он оставил включенной воду и залил нижнюю квартиру. Ездил разбираться.

— Торопился, значит, в офис... — Захар прищурился. — Вот что, Дементий, на три дня установи наблюдение за Поликарпом, Варварой и Ильей. Прослушивать телефонные переговоры, читать электронную почту и следить за каждым шагом.

Помощник кивнул:

— Сделаем.

Он не обвинял Захара, прекрасно понимая, что сейчас, в этот самый момент, епископы всех кланов перечисляют подчиненным имена подозрительных масанов. Так было и так будет, пока продолжается гражданская война. Дементий не комплексовал, не страдал, только в самой глубине души в очередной раз ощутил неприятную горечь: «Тайный Город не верит нам, а мы не верим своим». Все правильно. Раскол.

— Не думаю, что это будет Треми.

Епископ посмотрел на помощника:

— Это может быть кто угодно: Гангрел, Малкавиан, Носферату, Бруджа... Треми ничем не лучше остальных.

— Треми все, до последнего масана, встали на сторону Камарилла. Среди нас еще не было предателей!

— Гангрелы тоже стопроцентные Камарилла, — отрезал Захар. — А мне доводилось *высушивать* их отступников.

Дементий отвернулся:

— Я все равно не верю.

— Я тоже, — тихо сказал епископ. — Но наблюдение за Поликарпом, Варварой и Ильей установи немедленно.

* * *

Казино «Изумруд».
Москва, улица Шаболовская,
5 ноября, пятница, 22.16

В колоде Цвания были люди на все случаи жизни. Стокилограммовые громилы — тупые качки, предназначенные для возвращения простых долгов, и более тонкие вышибалы, способные нагнать страх, довести человека до нервного припадка, превратить его жизнь в постоянный кошмар. Были опытные воры: Давид не раз наводил домушников на богатых клиентов, были угонщики автомобилей — Цвания не брезговал ничем. Жизнь — непростая штука, сегодня поленишься нагнуться за лишней копеечкой — завтра пожалеешь, и Давид не ленился, нагибался без устали, но и осторожности не терял, всегда заботился о том, чтобы полиция не заподозрила респектабельного владельца казино в грязных делишках. Были в колоде Цвания и убийцы. Не забывал Давид старых бойцов, тех, с чьей помощью поднимался когда-то из грязи, подкидывал иногда работенку по специальности. Конечно, теперь Цвания обращался к этим людям редко: новое положение и новое время диктовали определенные правила, приходилось договариваться, чаще делить, чем отнимать, но иногда...

— Учитывая все, что ты рассказал, Давид, заниматься твоим делом сегодня ночью не следует — урод наверняка позаботился о своей безопасности. Он не дурак, он понимает, на кого наехал.

— Сейчас он дома, — усмехнулся Цвания. — Один.

— Это глупо, — произнес Хрип. — Но ведь его охраняют?

— Об этом поговорим отдельно...

Автандил Гори рассчитал правильно: если один из двух королей умрет, второй наверняка прибежит договариваться. Поймет, что заигрался. Покровительство Чемберлена, конечно, вещь весомая, но понимание, что оно не убережет от смерти, остудит пыл.

Кого из партнеров убирать, Цвания не сомневался — конечно, Крылова. Почему именно его? На первом месте стояли личные мотивы: посрамленный картежник возненавидел более удачливого игрока. Проигрыши Давид не забывал и не прощал. Во-вторых, Никита неблагоразумно покинул защищенное казино, что значительно упрощало операцию. Ну а в-третьих, Цвания хорошо разобрался в противниках: Крылов игрок, в оценке ситуации он, кроме прочего, полагается на чувства, интуицию, общие ощущения, Крылов знает, что контролирует ход игры, и не сдастся. Даже если на кону будет его жизнь — не сдастся, дождется прикупа. Ахметов же — менеджер, хладнокровный и расчетливый, для него существует понятие «рубеж», он неспособен, подобно Никите, поставить на кон все. Ахметов будет договариваться, наверняка согласится вернуть «Изумруд», а это сейчас главное.

— Убрать Крылова необходимо именно сегодня. В игре, которую я веду, важна скорость. Соперника надо оглушить.

Хрип улыбнулся:

— Ты всегда любил атаковать, Давид. Натиск, постоянное давление... мне нравится твой стиль. Люблю много работать.

— Раз уж ты заговорил о делах — проверь счет. Я перечислил сумму.

Убийца вытащил из нагрудного кармана компьютер и некоторое время сосредоточено давил на кнопки. Хрип уже давно не брал за работу наличные, требуя перечислять гонорары в далекие островные банки. «Технический прогресс, — с неожиданной злобой подумал Цвания. — Скоро он офис откроет, секретаршу заведет...»

— Все в порядке. — Убийца убрал компьютер, откинулся на спинку кресла и рассеянно взял с журнального столика колоду, вытащил из середины карту. Трефовая шестерка. — Маловато...

— Попробуй еще раз.

На этот раз открылась пятерка бубей. Хрип покачал головой и поднялся на ноги.

— Потерпи до утра, Давид, — обещаю хорошие новости.

* * *

Молодежный клуб «ТарантасЪ».
Москва, улица Красноказарменная,
5 ноября, пятница, 22.27

— Убью, паскуда! Насмерть убью!!

Харций боязливо выглянул из-за несгораемого шкафа и мгновенно вернулся в укрытие, чудом, буквально чудом разминувшись с пулей. Копыто заученным движением перезарядил помповое ружье.

— Выходи, скотина! Сдохни, мля, как настоящий мачо!

— Да пошел ты на... ! — бодро отозвался Харций. — У меня и так дел полно! Проваливай, пока я добрый.

— Ты меня подставил, сука!

— Ты сам артефакт взял!

— Ты сказал, что он выиграет!

— Я сказал, что он может выиграть!

Ответить уйбую было нечего, поэтому он выстрелил еще раз.

— Давай ему ноги вырвем!!

— Я его, гада, съем!!

— Пусть только высунется!!

Но Харций был слишком сметлив, чтобы высовываться. А Красные Шапки, в свою очередь, не спешили идти вперед, дабы привести угрозы в исполнение. И вот почему: прямо за письменным столом конца из стены торчал бюст боевого голема. В каждой руке пуленепробиваемый истукан сжимал по пистолету-пулемету и открывал огонь сразу же, как только дикари пытались пересечь порог кабинета. Не склонный к агрессии Харций выбрал для себя модель оборонительного плана, в мирное время замаскированную под изящное бра. Ситуация, таким образом, сложилась патовая: Красные Шапки палили из-за дверей, постепенно приводя в негодность офисное имущество, а конец сидел за несгораемым шкафом и матерился. К счастью, предусмотрительный Харций отделал административную часть звуконепроницаемыми материалами, а потому до веселящихся в клубе студентов звуки выстрелов не долетали.

— Толстый урод!

— Все, Копыто, ты меня достал, — обиделся конец. — Я звоню в Зеленый Дом.

— И что ты им скажешь, мля?

— Скажу, что ты хочешь меня убить.

— А я скажу, что ты мне дал игровой артефакт и научил им пользоваться.

— А я скажу, что не знал, что ты собираешься играть с челами по-крупному.

— Подонок, мля!

Прозвучал еще один бессмысленный выстрел, но было очевидно, что запал уйбуя улетучился. В принципе, дикари вообще не отличались особым упорством и, если не получалось сразу, почти всегда бросали начатое.

Харций, тонко прочувствовавший ситуацию, вновь выглянул из-за шкафа:

— Копыто!

— Чего тебе?

— Хочешь — верь, хочешь — нет, но артефакт я тебе дал настоящий. И качественный.

— А почему я проиграл?

— Не знаю.

— Кретин! — буркнул уйбуй.

У Харция было собственное мнение относительно того, кто именно из них двоих кретин, но делиться своими размышлениями с разъяренным дикарем конец счел бесполезным.

— Может, против тебя маг играл?

Оригинальная идея заставила Копыто задуматься.

— Маг?

— Подумал бы об этом, — порекомендовал Харций. — Вместо того чтобы у друзей в кабинете из ружья палить.

— Я подумаю, — пообещал уйбуй.

— В таком случае ты знаешь, где выход. До свидания.

Копыто вздохнул и повесил оружие на плечо.

— Убивать конца не станем? — удивленно осведомился Контейнер.

Уйбуй махнул рукой:

— Да ну его!

— Приходи через месяц, — пропищал из-за шкафа Харций. — Ограбишь мой клуб, как договаривались!

* * *

Полигон бытовых отходов.
Подмосковье, 5 ноября, пятница, 23.15

— Бомжи, — сплюнул Жан-Жак. — Грязные твари.

— У них не человская кровь? — сухо осведомился Александр.

Барон стоял в нескольких шагах от насыщающегося слуги и, задрав голову, внимательно изучал звездное небо. На его груди поблескивал алым крупный рубин.

— Человская у них кровь, — буркнул Жан-Жак. — Обыкновенная.

— Тогда в чем причина неудовольствия?

— Не люблю *высушивать* тех, кого презираю.

Они отправились на охоту ради слуги, потратившего во время перемещений по Тайному Городу большую часть запаса Крови — слишком много усилий приходилось прилагать, чтобы укрыться от наблюдателей Великих Домов. Жертву, разумеется, искали не в Москве, повернули в глубь области. Из той же предосторожности Александр отказался от мысли остановить на шоссе какую-нибудь машину, а велел Чернышеву ехать к ближайшей свалке, рассудив, что вокруг нее найдется достаточно *пищи*, которую никто и никогда не станет искать. Так и получилось. Лежбище бродяг вампиры обнаружили без труда. Жан-Жак получил в свое распоряжение трех челов, вот только качество этой *пищи* его не очень устраивало. Да и долетающий с полигона запах заставлял морщиться.

— Плохая кровь, слабая.

— Зато ее много. И мы здесь в безопасности.

— Помойка... — Жан-Жак не стал продолжать, но всем своим видом постарался показать барону, что согласился на охоту в таких условиях исключительно из преданности сюзерену.

— Ладно, наслаждайся.

Александр оторвался от созерцания звезд и медленно подошел к кострищу, возле которого сидел на колченогом табурете Чернышев. Роберто, ставшего свидетелем действий Жан-Жака, только что перестало тошнить.

— Ты в порядке?

— В полном.

— Вот и замечательно.

Чернышев знал, что этот разговор состоится. Знал с того самого момента, как барон велел ему собираться на охоту. Клаудия заперлась в верхних комнатах, смотрела в будущее, и Роберто пришлось подчиниться. Хотя он чувствовал, как тяжелый взгляд Александра буравит отметины на его шее.

— Нравится путешествовать с нами, чел?

— Это интересный опыт, — как можно спокойнее ответил Чернышев.

«Держись, держись, он ненавидит трусов!»

— Любопытное замечание, — усмехнулся Бруджа. —

Но, видимо, справедливое: опыта ты набрался самого разного.

Роберто промолчал.

— Я долго думал о том, как развивается наше предприятие, чел. Как развивается предприятие, в которое ты меня втянул.

— Я не уговаривал вас ехать в Москву, — заметил Чернышев.

— Но ты возбудил мой интерес. Можно сказать — заманил в Тайный Город.

— Никто не заставлял вас приезжать лично.

— Если ты еще раз меня перебьешь, тобой займется Жан-Жак.

Роберто прикусил язык.

— Так вот. Я думал о нашем предприятии. Слишком много накладок, слишком много «случайных» совпадений, слишком уж непредсказуемо все развивается. Колода Судьбы перешла в руки честного владельца, подружка которого оказалась ведьмой и активизировала артефакт. Я теряю время и вынужден оставаться рядом со смертельными врагами гораздо дольше, чем следовало. Моя дочь, великая предсказательница, не способна внятно сказать, чем все закончится. Обдумав эти факты, я решил, что доверять тебе, чел Роберто, не следует. — Бруджа помолчал. — Что скажешь?

— В вашем положении, барон, паранойя не такой уж плохой диагноз, — медленно ответил Чернышев. Он собрал в кулак всю свою волю и добился, чтобы голос не дрожал. — Я не удивлен.

— Хорошо, что у тебя хватает духу шутить в такие минуты, — серьезно произнес Александр. — Воин должен умирать достойно.

Жан-Жак, повинуясь неслышному приказу барона, оторвался от *пищи*, но пока не приближался.

«Как он объяснит дочери мое исчезновение? Никак! Скажет, что не ее это дело. Да и неизвестно, поинтересуется ли Клаудия моей судьбой». Чернышев оставался спокоен. Казалось бы: смерть смотрит в упор красными глазами, выпустила *иглы*, подобралась вплотную... а он не испытывает ничего, кроме высокомерного презрения. И смотрит на нелюдя с тем же хладнокровием, с каким смотрел на своих убийц граф Чернышев.

— Могу ли я рассчитывать на последнее желание, барон?

Бруджа хмыкнул. Нейтрально хмыкнул, без одобрения, но и без неудовольствия. Хмыкнул, словно рассыпал перед Чернышевым кучу высохших листьев.

— Чего ты хочешь, чел Роберто? Сигарету?

— Кровь Мамоцких.

— Не понял?

А вот на этот раз хмыканье барона имело вполне конкретную эмоциональную окраску: недоумение.

— Я хочу, чтобы вы убили Мамоцких.

— Зачем?

— Их предки уничтожили мою семью, — пожал плечами Чернышев. — Я хочу расплатиться.

— Насколько я помню, у вас шла война, — буркнул Александр. — Все убивали друг друга.

— Я не собираюсь вступать в политические дискуссии, — скривился Роберто. — Не надо этой напыщенности: столкновение идей, столкновение культур, «сын за отца не отвечает» и прочей демагогии. Много лет назад комиссар Мамоцких убил и ограбил моего прадеда. Оговорюсь: комиссар Мамоцких убил и ограбил многих людей, но в настоящий момент мы рассматриваем одно конкретное злодеяние. Я требую, чтобы его семья ответила за преступление.

Чернышев говорил резкими, отрывистыми фразами, без горячности, но с глубокой внутренней убежденностью. И смотрел поверх головы барона, не сталкиваясь с ним взглядом. Когда Роберто закончил, Александр некоторое время молчал, после чего кивнул:

— Хорошее желание, чел, и обоснованное.

— Ты его исполнишь?

Вместо ответа Бруджа заложил руки за спину и медленно прошелся перед Чернышевым. Вперед. Назад. Снова вперед. Жан-Жак бесшумно вернулся к трапезе.

Приятно, что чел не оказался слабаком. Что истинное лицо, которое всегда открывается на пороге смерти, оказалось лицом воина, а не труса. И если, готовясь к гибели, чел в первую очередь подумал о семейной чести, на него можно рассчитывать. Такой не обманет. «Я дворянин, — вспомнил Александр слова Роберто. — Мое дело служить».

— Встань на колени!

Чернышев, поколебавшись, исполнил приказ. Барон остановился, приложил пальцы к рубину и прошептал несколько слов. Алое Безумие вспыхнуло ярким светом.

— Ты стоишь на пороге ритуала, который могут провести только истинные кардиналы Масан. — Теперь голос Александра совсем не напоминал шорох опавших листьев. Была в нем сила. Были ярость и страсть. Был он глубоким, густым и чистым. И окутывал стоящего на коленях чела, подобно ночной тьме. — Ритуал преданности, ритуал признания господина и клятвы пожизненной верности.

Древний обряд масанов, доступный лишь тем вождям, чьи силы питает Амулет Крови.

— Согласен ли ты стать моим слугой, чел Роберто Чернышев?

— Согласен, — твердо ответил Роберто.

— Согласен ли ты следовать за мной и исполнять приказы? Убивать ради меня и умереть ради меня?

— Согласен!

— Пусть будет так! Пусть имя чела Роберто Чернышева встанет в один ряд с вассалами кардинала Бруджа. С живыми и мертвыми! — Александр выдержал паузу. — Наша кровь никогда не смешается, чел. Но клятва на Алом Безумии сильнее Зова. Теперь масаны — твои братья, а я — твой отец.

Он отнял руку от Амулета, но часть пылающего камня осталась на кончике указательного пальца, повисла на нем ослепительно яркой капелькой крови.

— Подними голову и раздвинь руками правое веко.

Чернышев повиновался.

И закричал, когда красная искра упала на глазное яблоко.

— Навек!

Клаудия примчалась на полигон примерно через полчаса. К этому времени Жан-Жак отправился на поиски дополнительной *пищи*, барон вернулся к созерцанию ночного неба, а Роберто, прижимающий к правому глазу платок, успел ополовинить любезно предоставленную Александром фляжку с коньяком.

Клаудия примчалась, бросила мотоцикл возле «Ягуара» и долго кричала что-то отцу на масари. Бруджа меланхолично разглядывал звезды, а когда запал девушки иссяк, молча ткнул пальцем в живого Чернышева и отвернулся. Девушка же, закончив речь несколькими выразительными жестами, заставила Роберто подняться на ноги, усадила на мотоцикл и повезла домой.

Прижавшись к хрупкому телу Клаудии, впитывая ее холод, ее запах, Роберто едва ли не впервые в жизни ощутил себя счастливым.

* * *

Жилой комплекс «Воробьевы горы».
Москва, улица Мосфильмовская,
6 ноября, суббота, 00.01

На этот раз телефон зазвонил, когда они просто лежали, отдыхая. Голова Анны покоилась на груди Крылова, и он медленно перебирал пальцами черные пряди ее волос. До этого мобильный несколько раз подавал сигналы, но Анна была слишком занята, чтобы ответить на звонок.

— Не надо, — буркнул Никита. — К черту!

— Я слишком долго не подходила к телефону.

— Ну и что? Ночь на дворе. Ты спишь.

— Они будут набирать до тех пор, пока не разбудят.

— Отключи телефон.

— Так нельзя.

Анна увидела, что звонит Сантьяга, а посмотрев на дисплей, с трудом удержала готовое сорваться с языка ругательство: предыдущие разы звонил тоже он.

— Да?

— Извините, что разбудил.

— Я... не могла подойти.

— Сейчас вы можете говорить?

Девушка покосилась на Никиту.

— Да, вполне.

Хотя никакого желания говорить с навом она не испытывала.

Крылов подполз поближе и прижался щекой к бедру Анны:

— Положи трубку, я тебя хочу.

— Это важно, — шепнула девушка, прикрывая микрофон пальцем.

— Что может быть важнее...

— Тихо!

— Я не задержу вас надолго, — пообещал Сантьяга. — Сегодня вечером ваш друг выиграл черный «Мазератти»...

— Мне ничего не известно об этом.

— Не сомневаюсь, — рассмеялся комиссар, — иначе бы вы мне позвонили.

«Федор Федорович Копытов! — вспомнила Анна. — Все-таки нагадил, мерзавец!»

— Что не так?

— Машина принадлежит Захару Треми.

— Черт!

Крылов с удивлением посмотрел на расстроенную девушку.

— Что случилось?

Анна покачала головой: «Не сейчас!», а вслух сказала:

— Ее надо вернуть?

— Не надо.

— Я могу ошибаться, но в деле замешаны...

— Красные Шапки, — закончил Сантьяга. — Вам не о чем беспокоиться, мы разобрались в ситуации и, уверен, найдем выход. — Девушка поняла, что нав улыбается. — Я просто хотел ввести вас в курс дела и попросить, если это не помешает вашим планам, разумеется, проследить за тем, чтобы ваши друзья не вскрывали и больше не перемещали автомобиль.

— Я постараюсь.

— Благодарю.

Комиссар помолчал, но короткие гудки не появились. «Держит паузу, — догадалась Анна. — Значит, есть еще что-то. Что?» Девушка приложила все силы, чтобы переживания не отразились на лице — слегка встревоженный Крылов не спускал с нее глаз.

— У вас интересный друг, Анна. Ему удалось обыграть «Повелителя Вероятностей».

«У Копыто был артефакт! Так вот в чем дело!»

Девушке с самого начала было непонятно, как удалось уйбую напугать двух классных игроков. В какой-то момент Анна даже подумала, что ошибается, что Федор Федорович Копытов — человек, по каким-то причинам носящий красную бандану. Теперь же ситуация прояснилась. Уйбуй отправился в «Вышку» с игровым артефактом в кармане, не без оснований рассчитывал на победу, но против Колоды Судьбы его «Повелитель» не устоял. Копыто влип и потащил за собой Анну. Каким образом дикарь раздобыл ключи от машины вампирского епископа, теперь не важно, главное, что они у него оказались, а эти кретины игроки приняли тачку в качестве ставки. Дальнейшее девушка себе более или менее представляла. Захар попал в Московскую обитель, Сантьяга, желая сделать приятелю одолжение, распорядился перегнать «Мазератти» из бизнес-центра, посланцы машину не обнаружили, начали копать, вышли на Копыто, через него — на «Два Короля», а там узнали и об Анне. Или наоборот: сначала на «Два Короля», а потом на Копыто. Сути дела это не меняет: комиссар узнал о том, что «Повелитель Вероятностей» дал сбой, и заинтересовался.

«Заняться ему нечем, — тоскливо подумала девушка. — Набег отбил и заскучал...»

Несмотря на солидный возраст, комиссар умудрился сохранить поистине детскую любознательность и охотно совал нос в чужие дела.

— Ваш друг обладает магическими способностями или ему просто повезло?

— Скорее второе, — выдавила Анна.

— Редчайший случай.

— Согласна.

— Вы знаете, как работает «Повелитель Вероятностей»?

— Нет.

— Это довольно слабый артефакт, но в компании обычных челов он обеспечивает владельцу колоссальное преимущество. Копыто не мог проиграть. Он мог не выиграть, понимаете разницу? Если бы «Повелитель» засек, что у вашего друга лучшая, чем у уйбуя, карта, артефакт не позволил бы Копыто собрать комбинацию и уйбуй, скорее всего, спасовал бы.

— Там... — Девушка старалась говорить общими фразами, не давая Крылову возможности понять, о чем идет речь. — Не все чисто...

— За столом играли шулеры?

— Да.

— Это ничего не меняет. — Сантьяга вновь помолчал. — Уверен, вам следует приглядеться к Никите, Анна. Есть в нем какая-то тайна.

Девушка отключила телефон, но не вернула его на тумбочку, сжала в кулачке и осталась сидеть, задумчиво глядя куда-то в полумрак спальни.

— У тебя неприятности? — Крылов приобнял девушку, заставил поднять голову, посмотрел в глаза. — Что случилось? Кто звонил?

— Да так, один знакомый.

— О чем шла речь?

— О работе...

— Не обманывай меня.

Анна заставила себя улыбнуться:

— Знаешь, Кит, самое смешное, что я тебя не обманываю, речь действительно шла о моей работе.

Будет ли Сантьяга копать дальше или ограничится предложением «приглядеться к другу»? Насколько девушка успела изучить комиссара, он будет ждать не больше суток. Или она доложит обстановку, или нав начнет вникать в ситуацию самостоятельно. Ибо «приглядите за другом» не что иное, как приказ выяснить обстоятельства.

«Двадцать четыре часа. Затем Сантьяга узнает о Колоде Судьбы». За это время ей предстояло довести до победы партию Крылова и начать свою игру. Только после этого можно рассказать комиссару о Колоде.

— У тебя неприятности? — повторил вопрос Никита.

— Кит, скажи, расклад в «Королевском Кресте» благоприятный?

— Нормальный расклад. — Крылов удивленно посмотрел на девушку. — А что случилось?

— Это может оказаться очень важным.

— Анна, — Никита взял девушку за руку, — мне кажется, ты должна быть более искренней. Мы вместе, помнишь? Ты и я.

Вот чего Анне совсем не хотелось, так это быть искренней, не хотелось рассказывать Крылову ни правду, ни ложь, вообще — говорить с ним не хотелось. Хотелось подумать, взвесить варианты, посоветоваться с Генбеком, в конце концов. А значит, надо уезжать — Никита не отстанет.

Но прежде необходимо кое-что изменить. Девушка внимательно посмотрела на Крылова:

— Кит, ты должен пообещать, что отдашь мне Колоду после игры.

— Я ведь обещал, — нахмурился Никита.

— Не на словах, — негромко сказала Анна. — Мы должны создать заклятие обещания. Ты должен поклясться своим сердцем.

— Ты мне не веришь?

— Верю. Но клятва введет меня в игру, заставит врагов учитывать мое присутствие. А я, ты уж извини, могу больше тебя.

— Каких врагов?

— Твой артефакт интересен многим. — Крылов прищурился. Девушка улыбнулась: — А ты думал? Следы Колоды Судьбы увидели многие маги, и, чтобы защитить тебя, я должна быть в деле глубже, чем сейчас.

Заклятие определит следующим честным владельцем Анну, и никто, даже Сантьяга, не сможет это изменить.

— Никаких проблем, — пожал плечами Никита. — Что надо сделать?

Девушка достала из сумочки две черные фигурки, вложила их в руку Крылова, накрыла сверху ладонью.

— Повторяй за мной: клянусь...

— ...своим сердцем...

— ...отдать Колоду Судьбы...

— ...Анне Курбатовой.

И снова поток энергии, бесчисленными иголочками пронзивший плоть. Ощущение становилось привычным. Никита улыбнулся, но хорошее настроение улетучилось: девушка одевалась.

— Я не могу остаться до утра.

— Шутишь?

— Нет.

Крылов помрачнел.

— Мне это не нравится.

Анна не ответила, молча отыскала трусики, чулки, платье, кинула в сумочку мобильный телефон.

— Иногда я думаю: а можно ли тебе верить?

— Жалеешь, что сделал мне предложение?

Никита в одно мгновение оказался рядом, схватил девушку за плечи, развернул к себе, заглянул в глаза:

— Не смей так говорить!

— А ты не смей так думать!

— А о чем я должен думать?!

— Тебе не в чем меня упрекнуть. И еще... — В черных глазах загорелся огонь. — Я люблю тебя.

Крылов вздрогнул. Прищурился. Ослабил хватку, теперь он держал девушку за плечи скорее нежно, чем крепко... и вдруг смущенно улыбнулся:

— Ты выйдешь за меня замуж?

— Да.

* * *

Южный Форт, штаб-квартира семьи Красные Шапки.
Москва, Бутово, 6 ноября, суббота, 00.02

— Ифиот!!

— Фюрер, умоляю, не стреляй!!

Копыто, продемонстрировав невиданную реакцию, успел добежать до вскинувшего помповое ружье Кувалды и повиснуть на стволе, направив заряд в пол. Грохот на мгновение оглушил обоих дикарей.

— Убью, прифурок!

— Не надо!

— Кретин!!

Прильнувшие к дверям кабинета Иголка и Контейнер переглянулись: если Кувалда прикончит уйбуя, то и им несдобровать. Судя по воплям, одноглазый вождь пребывал в крайней стадии бешенства...

— Я же говорил, что надо эмигрировать, — просипел Иголка. — Сейчас бы парились в Гонолулу.

— На какие шиши?

— Да пошел ты, шиш недоделанный.

— По бандане захотел?

— Ну, ударь, если хочешь! Все равно всем нам трындец. Одним синяком больше, одним меньше...

Контейнер, остро прочувствовавший трагическую правоту скандалиста, бить Иголку не стал. Вздохнул горестно и вновь приник к замочной скважине.

— Безмозглая тварь!!

— Я не хотел! Меня подставили!!

— Кто тебя пофставил, животное? Кому ты нужен?!!

Уйбую приходилось несладко. Отбросив ружье, озверевший фюрер достал ятаган, загнал несчастного Копыто в угол и теперь не спеша приближался, с наслаждением выбирая, по какой части тела нанести первый удар.

— Башку тебе, что ли, снести, козлу? Нет. Слишком быстро. Начну с ушей.

Уйбуй же не терял надежды уговорить Кувалду повременить с расправой. В конце концов, мертвый деньги точно не вернет, а живой может постараться. Рано или поздно одноглазый это тоже сообразит... Скорее бы!

— Фюрер, я найду деньги!

— Гфе ты их найфешь, прифурок?!

Иголка и Контейнер, не сговариваясь, начали отползать от двери. Им уже виделся Кувалда, выскакивающий из кабинета с окровавленным ятаганом в одной руке и уйбуйской головой — в другой. Оказаться в этот момент рядом с фюрером бойцам не хотелось.

— Не надо!!!

Ятаган взлетел вверх и резко опустился, просвистев в миллиметре от головы Копыто.

— Я все исправлю... — пролепетал уйбуй, размазывая по лицу слезы и сопли. — Фюрер, клянусь зубами Спящего: найду деньги, верну с процентами...

Кувалда, тяжело дыша, отошел к столу, опрокинул стакан виски и злобно уставился на идиота-подчиненного. Убить? Повесить именным фюрерским указом? А кто будет с тыла подпирать, случись что? Верность среди Красных Шапок встречалась исключительно редко, каждый боец мечтал подсидеть уйбуя, каждый уйбуй — фюрера. Междоусобицы были таким же фирменным почерком семьи, как жадность у шасов или занудство у эрлийцев. И вот — Копыто. Недалекий, простоватый. Зато спину ему фюрер подставлял без опаски, знал, что нож уйбуй не воткнет.

— Как ты все исправишь, фубина?

— Еще не знаю... Но я придумаю, фюрер, честное слово, придумаю!

К сожалению, среди дикарей уже поползли слухи, что, поскольку Копыто безумно везет в карты, фюрер лично отсыпал уйбую огромную казну, наказав сделать семью богатой и счастливой. Весть о крупном проигрыше могла вызвать бунт. Конечно, помощники пустят слух, что все это ложь, и никто Копыто денег не давал, но уйбуи из Фюрерского совета в общих чертах представляли себе состояние семейных финансов и обязательно поинтересуются, куда подевался предназначенный для покрытия долга миллион. И все опять же закончится бунтом.

— Ферьмократия хренова, — ругнулся одноглазый, в очередной раз помянув недобрым словом либеральные идеи Ее величества. — Ставит на нас эксперименты, стерва.

— Белобрысая тварь! — поддакнул Копыто.

— Паскуфа!

Кувалда вернул ятаган в ножны. Его душила обида на судьбу: надо же, как все хорошо шло, пока этой идиотке королеве не пришло в голову устроить дикарям выборы.

— Фюрер, а со мной что делать будем?

Одноглазый покосился на скорчившегося уйбуя, сплюнул — не в Копыто, мимо, и буркнул:

— Времени тебе фо понефельника. Ищи миллион, гфе хочешь, но в казну верни.

— Я постараюсь...

— Пшел вон!!

— Могло быть и хуже, — философски заметил Иголка, пинком открывая двери «Средства от перхоти». — Мог и убить.

— Успеет еще, — буркнул Контейнер.

— И то верно.

— Только эмигрировать больше не предлагай. Я, типа, хочу помереть на родине.

— Может, ты еще и веревку на свои деньги купишь?

— Не, — подумав, мотнул головой Контейнер. — На веревки в семейном бюджете отдельная статья есть. По линии внутренних дел.

Несмотря на то что предстояло много думать, виски дикари взяли экономно, одну бутылку, разместились за столиком и выпили по первой. Без тоста. Опустив стаканы, переглянулись, надеясь, что вот теперь-то прозвучит что-нибудь умное, подождали, но без результата. Копыто печально пощупал наливающийся под глазом синяк.

— Уйбуй, — буркнул Иголка. — Что делать будем, уйбуй?

— Надо, типа, деньги искать, — проворчал Контейнер. — Это, типа, понятно.

— Миллион на дороге не валяется.

— На дороге и полмиллиона не валяются. Но как-то же их находят!

— А кто нашел полмиллиона? — заинтересовался Иголка. — Давай отнимем!

— Я таких не знаю, — растерялся Контейнер. — Но если наведешь, отниму. Делов-то!

Уйбуй выругался и стал разливать по новой: первая порция интересных мыслей не родила.

— А у тебя артефакт еще не разрядился? — осведомился Иголка, вытирая рукавом губы.

— Нет.

— Тогда надо снова играть.

— Хватит, мля, доигрались, — прорычал Копыто. — Чего-нибудь другое придумай.

— Банк человский ограбить!

— Чтобы нас Великие Дома повесили?

— Подумаешь, событие: один банк. И не узнает никто.

Но в голосе Иголки уверенности не чувствовалось. В Тайном Городе за порядком следили тщательно, уровень допустимых безобразий строго квотировался, и крупными мероприятиями, вроде ограбления банка, занимался лично фюрер в интересах всей семьи.

— Не узнает никто, — повторил скандалист. — Мы тихо.

— Мы, типа, тихо не умеем, — вздохнул Контейнер. — Прав уйбуй: повесят нас Великие Дома. Лучше уж еще раз в карты рискнуть.

— А что ставить будем?

— Магазин какой-нибудь ограбим.

— А если опять проиграем?

Здоровяк замолчал: на этот вопрос у него ответа не было.

— Нам еще Захару тачку возвращать надо, — добил оппонента Иголка. — Забыл?

— Мля! Тачка! — Копыто, успевший во время ссоры подчиненных выпить еще стаканчик виски, цапнул за пояс проходящего мимо дикаря: — Булыжник, привет!!

— Пошел на хрен, — сварливо ответил Дурич. — Не буду с тобой играть.

— Деньги нужны?

— Давай.

— Заработай.

Булыжник несколько секунд с подозрением изучал свежепобитую копытовскую физиономию, затем отцепил от пояса чужие руки, но не ушел, а опустился на лавку и залпом выпил преподнесенный стаканчик виски.

— Чо надо?

— Хочешь денег немерено?

— Ограбить кого решил и стволов не хватает?

— Не. Мне дело предложили, а я занят сейчас. Могу тебе по дружбе передать.

Хитрый Копыто помнил, что Булыжнику велено собрать к воскресенью приличную сумму, и понял, что Дурич не откажется от лишнего приработка.

— Какое дело?

— Легкое и прибыльное, мля. За полчаса управишься.

— Гонишь? — посуровел Булыжник. — Я, Копыто, не посмотрю, что ты приятель великого фюрера...

— Не гоню. А дело такое: мне тута один знакомый шас звонил, у него челы тачку угнали.

— У шаса?

— У шаса, — подтвердил Копыто. — Он ее по жадности в человском салоне купил, на цену повелся, приехал домой, поставил у подъезда, а когда вышел — тю-тю.

— Вранье!

— Ну, тогда проваливай. Я кого-нибудь другого найду.

Копыто демонстративно отвернулся. Булыжник же, помявшись немного, подергал строптивого наводчика за рукав:

— Эта... чего дальше, тренер?

— Тачку мы с пацанами выследили, но наезжать на челов не стали: там крутые урки сидят. В общем, надо машину тихо угнать обратно. И за все это шас пять тысяч предлагает.

— За свою тачку?

— Так ему, в натуре, западло на весь Тайный Город позором светить. Он и говорит: «Копыто, говорит, мля, угони мою тачку взад, и я тебе, в натуре, благодарен буду по гроб жизни».

— Во, мля!

— Пять тысяч, — напомнил Копыто.

В принципе, мог бы предложить и десять: денег у уйбуя все равно не было, но он решил, что слишком большая сумма вызовет у Дурича дополнительные подозрения. Булыжник заерзал на лавке:

— Без кидалова?

— Какое кидалово, братан? Все, в натуре, по-честному.

— Пять штук за возврат тачки?

— Я же говорю: позора боится.

— Тупые они, — поразмыслив, решил Дурич. — Какой тут позор? Ну, лажанулся, с кем не бывает?

Булыжник знал, о чем говорил.

— Ладно, мне с тобой тереть некогда. Подписываешься?

— А у тебя, значит, дела? — вновь засомневался Дурич.

Он чувствовал, что где-то должен быть подвох, но пока не понимал — где.

— Мне карта прет, — не стал скрывать Копыто. — Я в покер больше выиграю.

Булыжник с завистью посмотрел на счастливого уйбуя:

— Ладно, подписываюсь.

* * *

Казино «Кристалл».
Москва, улица Марксистская,
6 ноября, суббота, 00.45

— Открываемся?

— Не возражаю.

— Четыре дамы и король. — Импозантный мужчина перевернул свои карты и с улыбкой посмотрел на соперника: черноволосого франта в элегантном светло-сером костюме. Выигрывать у красавчика стало приятной традицией этого вечера.

— Боюсь, что вы меня снова прижали, — вздохнул тот. — Я могу ответить лишь этим...

Три туза, семь и восемь пик. Явно недостаточно, чтобы перебить каре.

— Не имею ничего против, — рассмеялся импозантный. — Продолжим?

Парочка симпатичных девушек, в начале вечера охотно строивших глазки франту, теперь переместилась поближе к победителю.

— Думаю, мне следует ненадолго прерваться — я слишком много проиграл.

— Попробуйте сменить стол.

— Обязательно! Я знаю об этой примете...

А еще Сантьяга знал, как правильно жульничать во время игры, умел виртуозно обманывать соперников и службы безопасности казино, причем без использования магии — только ловкость рук, острый глаз и чудовищная память. Сегодня вечером нав применил все свои знания в этой области.

И ни разу не выиграл.

Объяснить провал можно было только одним способом.

Сантьяга рассеянно взял у официанта бокал с шампанским, сделал маленький глоток и улыбнулся.

«Вас разбудили, маркиз Барабао? Очень рад. Очень...»

* * *

Игорный дом «Два Короля».
Москва, улица Большая Каретная,
6 ноября, суббота, 03.06

Парад победы не удался. Главный триумфатор, он же лучший друг, — уехал. Подруга уехала. Гости казино охотно пили бесплатное шампанское и кричали здравицы в честь давно преставившейся бабушки, которая, к слову, праздновала день ангела совсем другого числа. Сотрудники «Двух Королей» широко и искренне улыбались — премия в размере половины оклада кого хочешь развеселит. А вот Эльдару было грустно. И не потому, что ничего еще не закончилось, не потому, что впереди друзей ожидали сложнейшие переговоры с Автандилом. Нет. Победоносный вечер принес неприятный осадок, породил нехорошие предчувствия. Потому не улыбался Эльдар — щерился, а взгляд его оставался жестким, колючим.

Сразу после полуночи Ахметов ушел в кабинет, прилег на диван в комнате отдыха и провалился в тяжелый сон, из которого его вырвал телефонный звонок.

— Эльдар?

— Здравствуйте, отец.

Ахметов-старший звонил из Нью-Йорка: навещал брата, а теперь собирался в Москву погостить пару дней у сына.

— Я прилетаю в воскресенье.

— Да, отец, я помню. Я приеду в аэропорт.

— У тебя усталый голос.

— Сейчас три часа утра, отец, — почтительно ответил Эльдар. — Я немного устал.

— Ты работаешь по ночам.

— Вчера у меня был сложный день, я не успел отдохнуть.

— Понятно.

Официальная часть завершилась, но Эльдар не сомневался, что отец звонит не только для того, чтобы подтвердить прилет.

— Я разговаривал с твоей матерью. — Голос Ахметова-старшего зазвучал очень холодно. — Мне не понравилось то, что она сказала.

— Давайте поговорим об этом при встрече, отец, — попросил Эльдар. — Я специально рассказал все матери, чтобы у вас было время взвесить...

— Здесь нечего взвешивать, сын, и не о чем думать. Но я рад, что ты созрел для продолжения рода и решил завести семью. Ты помнишь Эльзу?

«Проклятие! Проклятие!!» Эльдар с трудом сообразил, о ком идет речь: какие-то сверхдальние родственники, их старшей дочери сейчас должно быть лет восемнадцать. Пальцы сжались в кулак, но голос прозвучал вежливо:

— Да, отец, помню.

— Эльза честная и скромная девушка. Она будет хорошей женой. Я звонил ее отцу, и мы обо всем договорились. Свадьбу сыграем в следующем году.

— Я...

— Что? — металлическим голосом поинтересовался Ахметов-старший.

— Отец, я люблю Анну, — решился Эльдар. — Когда вы ее увидите...

— Сын, я не запрещаю тебе развлекаться с русскими шлюхами, готовыми спать с кем попало. Но детей тебе родит Эльза. Это не обсуждается. Я не позволю тебе опозорить семью!

Эльдар молчал.

— Ты меня слышишь?

— Да, — прошептал Ахметов.

— Слышишь?!

— Да. Да. Да!

Когда в дверь постучали, Эльдар еще дрожал от бешенства. Он никак не мог успокоиться. Он залпом выпил три рюмки водки и отправился бродить по кабинету, изредка выкрикивая бессвязные ругательства и оставляя за собой небольшие разрушения: телефон, стеклянные дверцы, декоративная ваза — до появления уборщицы ходить по комнате босиком не рекомендовалось.

— Кто?!

— Эльдар Альбертович, к вам можно?

Даньшин изо всех сил старался не показать своего удивления: он впервые видел выдержанного и хладнокровного Ахметова в таком состоянии. Эльдар пару мгновений, словно не узнавая, смотрел на Володю, после чего кивнул: проходи. Пригладил волосы и вернулся в кресло во главе стола. Под ботинками хрустело стекло.

— Что случилось?

— Звонили наши люди: Анна у Крылова так и не появилась. Из квартиры он не выходил, весь вечер провел в одиночестве.

— Это точно?

— Абсолютно. Мы наблюдали за всеми входами в здание: Анны не было.

— Хорошо.

С самого начала знакомства она демонстрировала свою независимость, постоянно подчеркивала, что у них союз свободных людей и у каждого есть право на личную жизнь. Эльдар не копался в прошлом девушки, не интересовался, куда она уезжает и чем занимается, но вечерний эпизод, когда Никита и Анна практически одновременно изменили свои планы и покинули казино, вызвал подозрения Ахметова. Эльдар сразу же припомнил и взгляды, что бросал на девушку Крылов, и поцелуи, которыми она наградила его после игры. Снедаемый ревностью, он приказал Даньшину тщательно следить за домом Никиты, но пока ничего предосудительного обнаружить не удалось. Совпадение.

«Да уж, нервотрепка последних дней не прошла даром — подумать такое на Кита! — Эльдар усмехнулся и потер переносицу. — Надо ехать под пальмы, отдохнуть, пока крышу не снесло...»

Но если с друга подозрения были сняты, то попытка проследить передвижения Анны дала дополнительную пищу для размышлений: девушка профессионально оторвалась от слежки. Ушла легко, элегантно растворившись на московских улицах, а ведь вели ее отнюдь не дилетанты.

— Я никогда не поднимал эту тему, — негромко произнес Владимир. — Но раз уж вы сами заговорили, то молчать не буду: подозрительна мне ваша девушка. Уж не обижайтесь, Эльдар Альбертович, но подозрительна. Ни о ней, ни о ее делах нам ничего не известно. Чем живет, чем занимается — непонятно. А ведь вы человек непростой, Эльдар Альбертович, вы человек с положением. Вам около себя неизвестные величины держать негоже. Да и опасно.

— Я сам приму решение на ее счет.

— Не спорю, — кивнул Даньшин. — Вы — босс. Напомню только, что проблемы у нас начались после ее появления.

— Думаешь, Анну Цвания прислал?

— А почему нет?

— Для чего? — пожал плечами Ахметов. — У меня нет привычки делиться с подружками деловой информацией.

— Но ведь Цвания об этом не знал, — заметил Владимир. — К тому же неизвестно, какая ей роль отведена. Может, Анне еще предстоит игру сыграть...

* * *

Частный жилой дом.
Подмосковье, Люберцы,
6 ноября, суббота, 03.07

Бой вспыхнул страшным пожаром: резко, стремительно, сразу везде. Кровавые ручейки, подобно языкам пламени, побежали по коридорам замка Бруджа, вырвались из-под дверных щелей во двор, напоили смертью старые камни. Кровавый пожар бойни охватил обреченный замок.

Никто не понимал, с кем дерется, кто атакует, кто защищается, где свои, где чужие.

— Гангрелы?!

— Треми?!

— Гарки?!

Суета не помогала организации обороны. Откуда нападают? Кто? Казалось, враги бросаются из-за каждого угла, стоят за каждой дверью. Звон мечей и яростные крики доносились и с последних этажей, и из подвалов, из конюшен, из казарм, отовсюду. И везде лилась кровь.

А в северном крыле занимался настоящий пожар.

— Пьяная Башня! Они рвутся к Пьяной Башне!!

Алое сияние, окутывающее выскочившего во двор кардинала, привлекло внимание и верных воинов, поспешивших к вождю, и врагов, пока не рискующих атаковать разъяренного Бруджу. Вид Александра был страшен: пылающие глаза, искривленный ненавистью рот, кровавые пятна на одежде. Топором и мечом кардинал проложил себе дорогу во двор замка, вырвался на простор, и один его вид воодушевил масанов.

— Истинный Бруджа!

Только три клана, сохранившие Амулеты Крови, могли позволить себе такой клич: истинные Луминар, истинные Робене и...

— Истинный Бруджа!!

За спиной кардинала тенью скользил верный Жан-Жак, прижимающий к груди новорожденную дочь вождя. Жена Александра еще не оправилась: ее поддерживали слуги.

— Где епископ? Где ночная стража?..

Бруджа рубил вопросы, но ответы едва слушал: не было среди бестолковых криков нужных ответов. Вместо этого Александр, воспользовавшись передышкой, принялся сканировать окрестности. Взгляд скользнул за защитный рубеж, через ров, через поле — к лесу, и наткнулся на ряды гарок, на магов Темного Двора, пристально наблюдающих за происходящим в замке. Но почему наблюдают? Почему не атакуют? Почему не бросаются на стены, не пытаются сломить магическую защиту? И страшная разгадка заставила Александра зареветь:

— Нас предали!!

Епископ и ночная стража. Вот почему нападавшие пря-

чут лица, бьют из темноты в спину и так хорошо знают все потайные ходы замка.

А северное крыло полыхает вовсю, и огонь вот-вот доберется до...

— Удержите Пьяную Башню! — Кардинал взмахнул мечом в сторону колдовского оплота замка.

Пьяной башню называли из-за дурманящего аромата свежей крови, что исходил от черных камней. Защита родового гнезда Бруджа с помощью магии Масан требовала много жертв, нескончаемым потоком направлялись в зловещее строение плененные челы, чтобы отдать свою кровь ради неприступности стен.

— Мы должны защитить ее!!

Но со стороны казарм хлынула волна предателей. Перегруппировавшихся, сплотившихся и прекрасно понимающих, что назад дороги нет. И завертелись во дворе замка кровавые водовороты, завязалась безудержная сеча, потекли последние минуты родового гнезда клана: потому что никем не останавливаемый огонь подбирался все ближе и ближе к Пьяной Башне, и так же, шаг за шагом, подходили к стенам шеренги гарок...

— Отец силен, но навы, зная, с кем предстоит сражаться, собрали большие силы. Лучшие маги. Лучшие гарки. Когда стало ясно, что нам не выстоять, моя мать повела на смерть тех, кто был обузой: больных, раненых, стариков... Те, кто не мог уйти, дали возможность спастись остальным.

Девушка помолчала.

— Семья окончательно раскололась. Робене и Луминар полностью ушли в Саббат, Гангрел и Треми — в Камарилла. Носферату и Малкавиан разделились. И мы... — Голос Клаудии дрогнул. Несмотря на прошедшие века, несмотря на то, что девушка знала о событиях лишь из рассказов, ее душила горечь. — Раскол Бруджа стал для Сантьяги и его прихвостней огромным успехом: масаны отвернулись от истинного кардинала! Лучший пропагандистский лозунг придумать невозможно. Если до этого момента вражда кланов протекала в форме вялой междоусобицы, то после падения Бруджа началась ожесточенная гражданская война. Сторонники Камарилла убедились, что правда на их стороне. А сторонники Саббат поняли, что пощады не будет.

— Без подпитки извне гражданские войны не длятся долго и не принимают крайних форм, — медленно произнес Чернышев. — Кровь берет свое: люди перестают убивать братьев. Народ не в состоянии уничтожить себя сам. Нужны палачи, нужны те, кто не устанет убивать. Нужны чужаки.

— Ты знаешь, о чем говоришь, — после паузы ответила Клаудия.

— Да, я знаю, — вздохнул Роберто. — Слишком хорошо знаю.

— Но наша война отличается от твоей, — подумав, ответила девушка. — Навам не были нужны наши замки, наши земли и наши богатства, даже власть над нами им требовалась только для того, чтобы успокоить челов, не дать Инквизиторам повода для атаки на Тайный Город. Большая часть захваченных сокровищ была передана семье Масан. У кланов Камарилла очень широкая автономия...

— Тогда зачем был нужен конфликт?

— Никто не говорит, что он был кому-то нужен. Конфликт возник, и у сторон появилось желание одержать в нем победу, цель стала оправдывать средства, и все закончилось Расколом. — Девушка вздохнула и склонилась над любовником: — Дай я посмотрю.

Чернышев почувствовал легкое прикосновение тонких и холодных пальчиков. Клаудия осторожно подняла правое веко Роберто и внимательно исследовала глаз.

— Болит?

— Почти нет.

Девушка заставила Чернышева выпить остро пахнущий бальзам, притупивший боль и придавший сил, каждые четверть часа меняла примочку на глазу, а все остальное время сидела или полулежала рядом, то прикасаясь к любовнику рукой, то плечом, то положив голову Роберто на бедра. Клаудия как будто боялась отпустить его, боялась разорвать нить нежных прикосновений.

— Все идет как надо.

На белке, чуть левее радужной и немного заходя на нее, появилось алое пятнышко. Клеймо Бруджа, клеймо Алого Безумия.

— Пару дней ты будешь не очень хорошо видеть этим глазом. Как будто через красноватую дымку. А потом пройдет. — Тонкие пальчики отпустили веко и взъерошили волосы Чернышева. — Зачем ты согласился?

— Так твоему отцу проще смириться с тем, что мы вместе.

Пальцы на мгновение замерли.

— Это важно?

— Я не хочу, чтобы он нам мешал...

И почувствовал прикосновение холодных, чуть солоноватых губ. И прильнувшее тело, ищущее его тепла. И сжал девушку в объятиях, с головой окунаясь в омут холодной страсти.

Чернышев не знал, когда вернулись Бруджа и Жан-Жак. Возможно, до восхода, возможно, после: «Ягуар» обеспечивал защиту от смертоносных лучей, а автоматические ворота ограды и гаража позволяли попасть в дом, не покидая машины. В любом случае, когда они вернулись, он был еще наверху, в спальне Клаудии. И оставался бы там до тех пор, пока не проснулась бы девушка, но властный Зов заставил его подняться, накинуть одежду и спуститься на кухню. Властный, всепроникающий Зов, доступный лишь масанам и их вассалам, принявшим клятву на Амулетах Крови.

Александр сидел, положив руки на стол и глядя на стоящую перед ним бутылку красного вина и ополовиненный бокал. Чернышеву не собирались предлагать ни присесть, ни разделить с хозяином вино. Ему не предлагалось даже открывать рот: Бруджа заговорил, едва Роберто появился в проеме:

— Если нам удастся вернуться в Рим, тебе придется стать более скрытным. Все знают о пристрастиях Клаудии, но это не должно выставляться напоказ.

— Да, барон.

Александр помолчал.

— Придет время, чел, и ты пожалеешь, что я не убил тебя сегодня ночью.

— Почему?

Чернышев спросил и сразу же пожалел об этом: догадался, как ответит Бруджа, и не захотел слышать ответ. Но было поздно.

— Потому что, когда она тебя бросит, тебе будет очень плохо. И ты сам начнешь звать смерть. Будешь выть, бросаться на стену и гореть, вспоминая холодную любовь моей дочери. Может, сумеешь преодолеть кошмар. Выживешь. Но потухнешь. Может, убьешь себя. Может, бросишься в объятия другой женщины ночи, но это будут последние объятия в твоей жизни: только моя дочь умеет любить чела долго.

Роберто понимал, что старый барон говорит правду, понимал, что был далеко не первым челом, которому шептала признания ледяная красавица, но это ничего не меняло: сейчас он был с Клаудией и не собирался добровольно отказываться от нее. Любовь масана затягивает.

— Я все понял, повелитель. — Чернышев склонил голову. — Могу я идти?

— Иди.

Бруджа покачал головой и поднес к губам бокал с кровавым напитком. На его груди сверкнул алым пламенем рубин.

* * *

Жилой комплекс «Воробьевы горы».
Москва, улица Мосфильмовская,
6 ноября, суббота, 03.08

Проводив Анну, Никита некоторое время валялся в постели, честно пытаясь заснуть, но по прошествии получаса убедился в бесполезности подобных усилий. Слишком бурным выдался день, даже не день — сутки. Слишком много событий произошло за двадцать четыре последних часа. Магический обряд, игра, победа... но спроси сейчас у Крылова, что же было самым главным, ответил бы не задумываясь: Анна!

Вошедшая в его жизнь черноглазая ведьма. Умница и красавица.

Анна затмила, сделала неважным все остальное.

— Что ж, невысокая плата за обладание такой женщиной.

Никита произнес эти слова серьезно, без тени сомнения. Он сделал выбор. Он предложил руку и сердце ведьме и получил согласие. Тихое «люблю», слетевшее с губ девушки, до сих пор стояло в ушах Крылова. Возбуждало, не давало уснуть. Ее глаза, ее волосы, ее улыбка... и ее признание. «Мы будем вместе!»

А вот с Эльдаром придется расстаться. Плохо, конечно, но такова жизнь. Никита понимал, что Ахметов не простит ему Анну, а значит, дружбе конец. Хорошо еще, если не станут врагами. А если станут? Если Эльдар начнет войну? Сейчас Крылов с трудом представлял себе такое развитие событий, но был уверен, что ради Анны пойдет на все. Надо будет наступить на Эльдара — наступит. Этот приз предназначен для одного.

Сон не приходил. Поразмыслив, Никита принял решение угоститься чем-нибудь крепким, искренне надеясь, что небольшое количество дополнительных градусов поспособствует здоровому сну. Крылов накинул халат, вышел из спальни и замер: в кабинете горел свет.

Крылов Никита Степанович, жилой комплекс «Воробьевы горы» на Мосфильмовской, этаж, квартира... Хрип располагал самой подробной информацией о местонахождении объекта. Он знал планировку холла, коридора и квартиры, знал, как стоит кровать в спальне и письменный стол в кабинете. Даже точное количество шагов от лифта до двери квартиры было ему известно — Хрип тщательно прорабатывал каждую операцию и требовал от заказчика максимум информации. Наверное, потому и оставался до сих пор в живых. Он остановил машину неподалеку от дома и в последний раз внимательно просмотрел присланные на карманный компьютер фотографии Крылова: две анфас, две в профиль.

— Красивая у тебя подружка, — одобрил Барабао. — Потрясающе красивая. И страстная... Только не думай, что я подглядывал: вы полдома перебудили своими ахами и охами... — Маркиз вздохнул и поинтересовался: — Ведьма?

Крылов молчал.

— Чего стоишь пень пнем? Бутылку, что ли, для друга пожалел?

Вопрос Барабао поставил, мягко говоря, некорректно: груда опустошенной стеклотары в районе письменного стола наглядно показала Никите, что искать в доме спиртное — занятие бесполезное. Оставалось только догадываться, каким образом двадцатидюймовый малец ухитрился влить в себя такое количество жидкости.

— Так ведьма или нет? Или ты не знаешь? Если не знаешь, могу тебя обрадовать: твоя подружка — ведьма.

Маркиз расположился на письменном столе, соорудив для себя удобное кресло из книг и каких-то тряпок. Справа от него стояла рюмка, слева — наполовину опустошенная бутылка водки. Взгляд Барабао излучал благодушие, а расслабленная поза не оставляла сомнений в том, что маркиз пребывает на самой вершине блаженства.

— Что ты здесь устроил? — опомнился наконец Крылов.

— А что мне оставалось делать? — огрызнулся маркиз. — Ты уехал, бросил меня.

— Я не думал, что ты начнешь здесь хозяйничать.

— Надо было выбросить бутылки в окно?

— Надо было ничего не трогать!

— Меня мучила жажда.

— Ты пьяница?

— Это единственное доступное мне удовольствие, —

с оттенком высокомерия в голосе сообщил Барабао и вяло махнул рукой. На большее сил у него не оставалось.

— Дух-алкоголик. — Никита покачал головой. — Вы все такие или мне подсунули некондиционный товар?

— А я думал, что мы друзья, — обидчиво пробубнил маркиз. — Вот подожди: отдохну, будем драться на дуэли.

— Убьешь меня, кто будет покупать выпивку?

Барабао пальцами зафиксировал веко в открытом положении и с неподдельным интересом осведомился:

— А ты купишь?

Крылов не ответил.

— Я не знаю, как бы протянул столько лет, если бы создатель не научил меня получать удовольствие от выпивки, — примирительно произнес маркиз, изо всех сил стараясь говорить четко и внятно. Получалось не очень. — Знаешь, сколько духов сходит с ума из-за того, что не имеют возможности отвлечься? Все! Невозможно заниматься только работой! В конце концов, это приедается.

— Ты не показался мне трудоголиком.

— Поверь, я вкалываю, как лошадь, — вздохнул Барабао. — И даже сейчас нахожусь на вахте. Часть меня никогда не спит. И чтобы эта часть работала как часы, интеллектуальная составляющая периодически пьет горькую.

Никита брезгливо посмотрел на кучу бутылок и подошел к разложенным на маленьком столике картам.

Он так и не успел завершить свой ход. Приехав из казино, Крылов едва успел переодеться, как в квартире появилась Анна. Счастливая и веселая, жаждущая по-царски наградить триумфатора. И Никита позабыл обо всем. Даже об Игре. И теперь внимательно изучал сложившийся после хода соперника расклад «Королевского Креста». Перекрыта пара стопок, но это дело поправимое, появилась черная линия — противнику удалось дотянуть последовательность до шестерки треф, плохо, но ничего страшного — у самого Крылова две линии дошли до семерок. Жаль только — неизвестно, что ушло в талон.

— Мне показалось, что твое положение несколько ухудшилось, — заметил Барабао.

— Ничего страшного, — пробормотал Крылов. — Я контролирую ситуацию.

— До тех пор, пока приходят нужные карты, — обронил маркиз.

— Нет, — буркнул Никита, — до тех пор, пока я правильно использую приходящие карты.

— Можно сказать и так.

Крылов отвлекся от карт и даже подошел к столу, чтобы лучше видеть Барабао.

— Пытаешься доказать, что все зависит только от того, как разлеглись карты? Что мое мастерство ничего не значит? Что мой ум и опыт ерунда, а главное в Игре случайность?

— Отличные слова! — Маркиз попытался похлопать в ладоши, опрометчиво отпустил веко, и глаз молниеносно закрылся. — Спящий тебя подери!

— Кто подери?

— Неважно. — В результате непродолжительной борьбы Барабао сумел восстановить зрение. — Ты исключительно правильно думаешь, чел Никита, постарайся сохранить эту уверенность и дальше.

Это было похоже на игру в поддавки. Пройти во двор через дальнюю калитку, сегодня там не работает видеокамера. Дверь в подвал, карточка электронного ключа прилагается. Свет не включать. Десять шагов вперед, затем пятнадцать налево — кнопка лифта. Это служебный лифт, находится чуть в стороне от основных, и его не видно с поста охраны...

Все было настолько просто, что Цвания мог бы справиться с делом самостоятельно. «Для чего ему платить деньги исполнителю?» Хрип улыбнулся, но тут же взял себя в руки: на работе только о работе! Думать только о задании! Все остальное потом!

На нужном этаже охранников не оказалось. «Неужели он настолько уверен в себе?» Впрочем, Хрип давно перестал удивляться человеческой глупости. Навидался.

Он подошел к дверям квартиры, вытащил из кобуры пистолет, снял с предохранителя, вставил в замок полученный от Цвания ключ и плавно повернул его. Дверь бесшумно отворилась.

— Для чего ты открыл «Королевский Крест», чел Никита? — Барабао перестал сопротивляться неизбежному: он еще поддерживал голову рукой, но разговаривал с Крыловым, прикрыв глаза. И паузы между словами постепенно увеличивались.

— Я должен был сыграть, — коротко ответил Никита.

— Но понимал ли ты, чем рискуешь?

— Понимал.

— Не уверен. Ты играешь с Судьбой. С Судьбой! Ты не думал, что она, в свою очередь, сыграет с тобой? Что закончит партию совсем другой Никита? Не думал? Каждый поступок нас меняет, делает другими. А уж такая игра не может не изменить...

— Спи, а? — попросил Крылов, держа в руке очередную открытую карту. — Не мешай думать.

— Раньше надо было думать.

— Отстань!

— Почему ты влип в «Королевский Крест»? Ты достаточно сильный и уверенный чел, ты мог бы решить свои проблемы и без Колоды Судьбы.

— Что ты знаешь о моих проблемах?

— Почти всё.

Никита недовольно покосился на маркиза.

— Я открыл «Королевский Крест», потому что не могу не играть. Потому что мне предложили необычную, невозможную партию... Это был вызов!

— Почему все воспринимают предложение открыть «Королевский Крест» как вызов? — удивленно пробормотал Барабао. — Что за глупость? Вам говорят: непредсказуемая игра с непредсказуемыми последствиями, можно потерять все — и вы бросаетесь в омут.

— Кто «вы»?

— Все вы... Челы, не челы...

— А разве бывают не челы? — осведомился Никита. Он уже разобрался в сленге маркиза, понял, что тот называет «челами» людей, и теперь зацепился за оговорку «не челы».

— Нет, не бывают, — буркнул Барабао. — Забудь.

— Хорошо, забыл...

— Ведь почти половина игроков потом раскаивается. Проклинает все на свете. Волосы на себе рвет. Если, конечно, находит возможность что-нибудь порвать. Если успевает.

— А можно не успеть?

— Можно... Бывает, что и подумать ни о чем не успевают...

Крылов хотел сострить по этому поводу, но, подняв глаза увидел, что маркиз уснул. Голова свесилась на грудь, тело обмякло — ни дать ни взять тряпичная кукла. Рост, во всяком случае, соответствовал.

«Дух-алкоголик! — Никита улыбнулся. — Интересно, знает ли о нем Анна? Надо будет сказать ей завтра...»

Крылов зевнул и открыл следующую карту: пятерка червей.

«Отлично! — Настроение резко улучшилось. — Как раз тебя ждали!!»

И в этот момент дверь кабинета открылась.

Одетый в домашний халат Крылов, скрестив ноги, сидел на полу. Перед ним стоял маленький карточный столик с разложенным пасьянсом, а за спиной, у письменного стола, валялась груда пустых бутылок. Чувствовалось, что человек сдержанный, события отмечает не шумно. Другой на его месте девок бы привел, кагал ублюдков созвал, фестивалил бы до утра, а этот — нет. Напился и в карты режется сам с собой. Интеллигентный человек.

На этот раз Хрип не стал сдерживать улыбку, слишком уж необычное открылось его глазам зрелище. Весело улыбаясь, он направил пистолет в голову Никиты и выстрелил. С такого расстояния Хрип не промахивался.

Никита не успел испугаться, даже не понял, что происходит. Поднял голову, увидел в проеме мужской силуэт и... не услышал — догадался, что прозвучал выстрел. Звука не было, его съел мощный глушитель.

— Нет!!

И правая рука с зажатой в ней картой взлетела вверх, словно могла отбить летящую в голову пулю.

Что может остановить пущенную с четырех шагов пулю? Титановая пластина в кевларовом кармане? Стальной лист? Крылов даже столиком своим игрушечным не успел закрыться, только руку вверх дернул в инстинктивной попытке отразить удар. Хрип знал, что увидит: пуля пробивает лобную кость, и позади жертвы расцветает красноватый цветок. А глаза затухают. И тело заваливается назад. Медленно так заваливается, неестественно медленно. Или набок, это уж как получится...

Но на пути пули оказалась карта, и преодолеть эту преграду смертоносный кусочек металла оказался не способен. Пуля не застряла в бумажном прямоугольнике, отразилась, словно луч в зеркале, и, не смявшись, не сплющившись, полетела обратно. И вошла точно между глаз Хрипа.

Почти минуту Никита смотрел на упавшего в коридоре убийцу. Затем примерно столько же времени — на зажатую в руке карту, словно пытаясь найти на ней следы столкновения с пулей. И только после этого медленно, словно сомнамбула, положил пятерку червей, куда собирался — на шестерку треф. Так же медленно, осторожно вытащил из кармана халата мобильный телефон и набрал номер:

— Эльдар.

— Никита? У тебя все в порядке? Почему ты не спишь? Ты где?

Крылов поднял глаза — кресло Барабао опустело. Вернулся взглядом к двери — в коридоре валялся убийца. Не исчез. Не растворился.

Это не сон.

— Никита! Ты почему молчишь?!

— В меня стреляли, — пробормотал Крылов.

— Что?!!

— Прямо сейчас.

— Ты жив? Ранен?!

— Нет, я не ранен. — Крылов машинально потянулся к Колоде, но отдернул руку. Завалился назад, упершись спиной в тумбу письменного стола. — Эльдар, я не ранен. Но будет лучше, если ты приедешь сюда.

И оборвал связь.

И тут его затрясло.

ГЛАВА 5

Они согласились встретиться только потому, что Бруджа пообещал использовать для обеспечения безопасности всю мощь Алого Безумия. Гарантировал, что они смогут спастись при любом развитии событий. И отдал в заложники единственную дочь, которую — об этом знали все — безумно любил и которая — по слухам — обещала вырасти в гениальную предсказательницу. Только на этих условиях кардинал Фридрих Носферату и кардинал Джузеппе Малкавиан согласились рискнуть. Согласились, несмотря на то, что шпионы Великих Домов выискивали любую информацию о местонахождении вождей Саббат: Тайный Город желал завершить войну как можно быстрее, не скупился на оплату предателей, и ренегаты, метастазами пронзившие мятежные кланы, частенько выводили ударные отряды гарок на свободных вампиров. На своих братьев. Берлинская резня, Мадридский погром, Черный рассвет Парижа — сотни погибших масанов. Все эти катастрофы стали возможны только благодаря измене. Шпионом мог оказаться сын, брат, отец — логика гражданской войны беспощадна, жалеть в ней не принято. Меньше всего предателей находилось среди Робене и Луминар, но масаны этих кланов старались держаться друг друга и как можно меньше общаться с остальными мятежниками. Что еще больше ослабляло Саббат. И как ни старался Александр, он не мог остановить размежевание. Его призывы к объединению или — хотя бы! — координации усилий натыкались на порожденный инстинктом самосохранения лозунг Саббат: «Не верь никому!»

Но Бруджа не сдавался. Продолжал гнуть свою линию. И в том, что Носферату и Малкавиан согласились на встречу, он видел небольшую победу. С другой стороны, не могли они не согласиться — уж больно серьезный вопрос предлагал обсудить Александр...

— У меня есть точные сведения, что навы готовят «поход очищения» в Прагу. — Бруджа жестко посмотрел на Носферату. — Темные решили заняться твоим домом, Фридрих.

Уродец — а выходцы из клана Носферату не зря считались самыми страшными среди масанов — скривился, что сделало его лицо еще больше похожим на морду летучей мыши. Но промолчал.

— Пойдут Гангрелы, пойдут Носферату...

При упоминании сородичей из Камарилла лицо кардинала Фридриха еще больше сморщилось.

— Гарки, конечно, тоже идут, но немного, — закончил Бруджа. — Основная сила — наши бывшие братья.

— Откуда сведения? — поинтересовался Джузеппе.

— В Камарилла есть честные масаны. Навы заводят шпионов у нас, я — у них.

— Ты всегда был умником!

Александр не хотел связываться с Малкавианами, гордящимися честно заслуженной репутацией больных на голо-

ву, но выхода не было: кроме Джузеппе и Фридриха, никто на призыв не отозвался.

— Спасибо за предупреждение, — улыбнулся Носферату.

Даже улыбка у него была страшненькой: на бледном лице появились складки, зубы обнажились, но глаза остались безжизненными, рыбьими.

— Если бы я хотел тебя предупредить, Фридрих, я бы отправил гонца.

— А что ты хочешь?

— Объединиться и разгромить карательный отряд.

— Ха! — Это высказался Малкавиан.

— Разгромить гарок? — кисло осведомился кардинал Носферату.

— Не забывай, что мы говорим с истинным кардиналом! — загоготал Джузеппе. — Он привык убивать навов: десяток до завтрака, сотню перед ужином...

Малкавиан смеялся над Александром, но слова «истинный кардинал» он произнес... с заметной завистью. Алый рубин на груди Бруджи четко показывал, насколько выше стоит Александр над своими собеседниками.

— Я понимаю, что предложение звучит невероятно, — медленно проговорил Бруджа. — Гарки опасны, их трудно убить. Но если мы выступим единым фронтом, заманим их в ловушку — у нас появится шанс. Они не ждут атаки. Они уверены, что никто не знает о предстоящем походе. Они привыкли убивать безнаказанно и должны поплатиться за это.

— И у тебя, разумеется, есть план? — проскрипел Фридрих.

— Есть. — Александр развернул на столе карту Праги. — Я полагаю, карателям известны основные укрытия Носферату. Значит, они появятся вот здесь...

Уверенность Бруджи подействовала: кардиналы слушали его очень внимательно. Иногда задавали уточняющие вопросы, но в основном слушали. Прикидывали. Кивали. И — это читалось в красных глазах — уже видели ход битвы.

Когда Александр закончил, Носферату даже не стал

выдерживать паузу: поднялся с кресла, ударил кулаком по столу:

— Я согласен! В конце концов, эти подонки собираются уничтожить мой клан! Если бы не твое предупреждение, Александр, нас бы перебили.

— И я пойду, — чуть помолчав, произнес Малкавиан. — Твой план хорош, Бруджа. Это будет великая победа.

Вкус которой благотворно подействует на Саббат, придаст мятежникам сил и поднимет дух. И укажет вождя. Не просто истинного кардинала, одного из троих, а блестящего лидера, способного на равных сражаться с Великими Домами.

Александр машинально погладил Алое Безумие. Эта победа должна была стать первым шагом на пути к власти над всей Саббат.

Последние приготовления завершили за две ночи до предполагаемого вторжения карателей. Детей и стариков Носферату из города вывозить не стали — в этом случае шпионы Темного Двора догадались бы, что в Саббат узнали о «походе очищения». Жизнь уродцев протекала в обычном режиме. Зато в Прагу тайно прибыли воины других кланов и разместились на окраинах, в заранее снятых складах. Все было готово к приему гостей. Испытывающий лихорадочное возбуждение Александр не мог дождаться начала битвы — он не сомневался в успехе.

И дождался.

Той же ночью его атаковали объединенные силы Носферату и Малкавиан.

Драчуны и заводилы, легко впадающие в гнев и страшные в бою, — это Бруджа. «Кровавая ярость» — боевой транс, превращающий воинов в берсерков, — это Бруджа. Победа или смерть — это Бруджа. В бою для них только так: или одно, или другое, а уж когда впереди истинный кардинал...

Александр так и не понял, на что надеялись Носферату и Малкавиан, начиная атаку? На эффект неожиданности?

На усталость, которую испытывали воины Бруджа, только что прибывшие в Прагу, — ведь для маскировки каждый из них потратил большой запас Крови? Да, возможно, Джузеппе и Фридрих рассчитывали на эти факторы. Но в этом случае следовало учесть и фактор Алого Безумия.

Бруджа сразу понял, кто напал. В глубине души он предполагал такое развитие событий, а потому не ударился в панику, не задавался вопросами: «Как же так?» и «Что теперь делать?» При первых же звуках боя он сорвал с шеи медальон и, сжав рубин в кулаке левой руки, прошептал заклинание. В отличие от битвы в родовом замке, Александра не сдерживали ни маги темных, ни собственные защитные заклинания. Здесь, на окраине Праги, амулет сполна оправдал свое название. Ночь Алого Безумия. Так ее назвали уцелевшие. Вот только спаслись единицы, а потому затеянный Темным Двором «поход очищения» все равно провалился. Но Брудже было плевать на испытанную навами досаду: в ту ночь он был слишком занят. Он убивал.

Носферату и Малкавианы выставили трех воинов против одного. В первые мгновения боя им удалось немного увеличить это преимущество, но и только-то. Предатели не смогли выполнить главную задачу первого удара: ликвидировать Александра. Сотня Носферату целенаправленно прорывалась к его покоям, двадцать личных телохранителей кардинала полегло прежде, чем Бруджа нанес ответный удар. Зато этот удар был страшен...

— Скоро рассвет. — Жан-Жак подал хозяину чашу с водой.

Александр умыл лицо — пражская пыль, пражская сажа, пражская кровь. Погладил вернувшийся на грудь Амулет. Посмотрел на стоящего на коленях Фридриха — второму обидчику, Джузеппе Малкавиану, повезло погибнуть в бою — отвернулся. Остальные пленные лежали на земле. Раненые и здоровые, мужчины и женщины, старики и дети, Носферату и Малкавианы — все, кого отыскали разъяренные Бруджа. Некоторых победители высушили. Остальные лежали. Парализованные: сердца пронзены деревянными кольями. Лежали. Ждали восхода солнца. А Фридрих стоял на коленях — все-таки кардинал, пусть видит, к чему привели его решения.

— Гарки называют такую казнь: «искупать в лучах славы», — хмуро сообщил Александр.

— Знаю, — кивнул кардинал Носферату.

Бруджа задумчиво посмотрел на сереющее небо.

— Почему?!

— Воевать с гарками бессмысленно.

— Я спрашиваю не об этом. Я спрашиваю, почему ты меня предал? Испугался воевать, так бы и сказал, но почему напал на меня?

— Малкавиан считал, что глупо оставлять Амулет Крови в руках такого идиота, как ты. Я с ним согласился.

— Понимаю, — после паузы вздохнул Александр. — Жаль, что так получилось.

— Мне тоже.

Бруджа продолжит попытки объединить Саббат. Десятки союзов, десятки клятв. Десятки измен. Он станет осторожнее и хитрее. Он будет говорить со стариками и с подросшим молодняком, с агрессивными и с осмотрительными, со всеми, кто согласится говорить.

Но не добьется ничего.

Выживание в условиях войны с Великими Домами — задача сложная, но масаны довольно быстро поняли основные правила. Нужно быть везде и нигде, больше перемещаться и тщательно скрывать местонахождение главного укрытия. Не откладывать на «потом» продолжение рода, использовать любую подвернувшуюся возможность, ибо «потом» может не наступить. Детей и беременных женщин прятали в самых недоступных местах, защищали всеми силами. Но главный закон — НИКОМУ НЕ ВЕРЬ! Ибо каждый — каждый! — может в любой момент переметнуться на сторону Тайного Города. Предать идеалы Саббат ради сытой рабской жизни.

Законов выживания было много, но главный оказал наибольшее влияние на жизнь мятежников. Никому не верь! И мощные некогда кланы распались на одиночек и небольшие стаи. А следом развалилась традиционная иерархия. Группы, группки и отшельники растворялись в человских поселениях, не откликались на Зов, не верили никому.

Так легче выжить. Но так невозможно победить.

И в каждой стае появились свои лидеры. Поначалу, когда процесс распада еще не зашел слишком далеко, главари ограничивались тем, что провозглашали себя епископами. Но с годами уважение к древним нормам потерялось окончательно, и появились самозваные кардиналы. У Бруджа и Робене их по два, у Носферату три, у Луминар — пять. Но всех переплюнули психи Малкавианы, семь высших лидеров которых увлеченно воевали друг с другом.

Поначалу старая аристократия полагала, что в любой момент сможет вразумить отколовшихся сородичей. Несколько раз это даже удавалось... А потом беглецы стали уходить очень далеко, старательно прятаться, маскироваться, и искать их становилось все сложнее и сложнее. А массовый распад начался после междоусобицы в Луминар. Старый Ги, истинный кардинал, встретил восход солнца на крыше собственного дома, а за этим интригующим событием с любопытством наблюдал из укрытия сынок неудачника — Густав. Правда, Амулет Крови достался сметливому юноше не целиком — вторую из двух Драконьих Игл забрал двоюродный брат — епископ клана и по совместительству напарник по мятежу. С тех пор у Луминар появились два истинных кардинала, один в Лондоне, другой в Нью-Йорке, еще три ложных, а в масанских головах все окончательно перепуталось. Уважение к традиционным ценностям упало настолько, что Пабло Робене, наследник кардинала Мануэля и владелец Диадемы Теней, не стал дожидаться своей очереди и попросту скрылся, бросив родной клан на произвол судьбы.

Ходили слухи, что Пабло видели в Рио. Бруджа не верил: владелец Амулета Крови не оставит ненужный след.

Саббат распадалась. Александр догадывался, что именно на такой ход событий рассчитывали Великие Дома: инстинкт самосохранения заставит мятежников раздробиться на мелкие осколки, после чего лишенные единого управления и не представляющие реальной силы масаны будут уничтожены в течение пятидесяти-ста лет. Но на этот раз лидеры Тайного Города перехитрили сами себя. Они не подумали над тем, что уничтожение сотни мелких группировок станет более трудоемкой проблемой, чем битва с кланом: мелкая рыбешка легко проходила сквозь сети.

Война затягивалась.

Но ни одна сторона не испытывала от этого факта особой радости.

А самое плохое заключалось даже не в том, что разбитая на мелкие осколки Саббат не была способна победить или потребовать от Тайного Города почетного мира. Самое плохое заключалось в том, что вампиры теряли осторожность.

Разумеется, Бруджа был далек от мысли требовать от масанов Саббат соблюдения норм, аналогичных Догмам Покорности. Но в то же время барону уже приходилось предпринимать шаги против наиболее одиозных соплеменников, безжалостно истреблять молодняк, неправильно истолковавший идею полной свободы и отказывающийся признавать, что челы сильнее. Уничтожал не понимающих, что спасает воинов ночи только тайна, что стоит челам проникнуть за ее покров, и вражда с Тайным Городом покажется детской забавой, ибо наступит настоящая катастрофа. Но чем больше становилось самозваных кардиналов с манией величия, тем более смелыми и издевательскими становились лозунги в адрес челов. Тем чаще приходилось подчищать данные в полицейских архивах и убирать нежелательных свидетелей. И одиозных охотников, не желающих жить тихо. Александр действовал осторожно, прекрасно понимая, что многим вожакам

Саббат придется не по вкусу его линия. Пару раз, не желая рисковать, он сдал отморозков гаркам и именно после первого подобного случая ясно осознал, в каком тупике находится.

Если свободным масанам приходится следить за порядком и соблюдать режим секретности, так же как и Камарилла, то чем они отличаются друг от друга? Идеями? Но лозунги Саббат появились постфактум, после того как началась война, и лидерам потребовалось как-то объяснить подданным для чего она ведется. В действительности же причиной конфликта стала борьба за власть. Одни кланы согласились признать главенствующую роль Великих Домов, другие — нет. Саббат основали вожди, желавшие самостоятельно править семьей и разговаривать с Тайным Городом на равных. Пусть не в ранге Великого Дома, но и не как вассалы Темного Двора. Возможно, разногласия можно было уладить за столом переговоров, но кто-то погорячился, кто-то проявил ненужную принципиальность, у кого-то взыграла гордость или застарелая обида, в результате — большая кровь.

Почти все объявившие войну вожди погибли, их кланы распались на мелкие стаи, истребить которые не в состоянии даже гарки, а выдуманная для войны идеология полной свободы до сих пор туманила головы.

* * *

«Полицейский патруль обнаружил в Битцевском парке мертвые тела. Выехавшая на место происшествия следственная бригада установила, что смерть двух мужчин наступила в результате множества травм, в том числе — черепно-мозговых, нанесенных дубинкой или бейсбольной битой. Начальник районного управления полиции заявил, что речь идет не о нападении хулиганов, а о предумышленном убийстве: «Травмы были нанесены пострадавшим в другом месте, в парк их привезли уже мертвыми...» ***(«Вести. Дежурная часть»)***

«Огромные скидки! Чудовищное снижение цен! Просто даром!! В связи с окончанием сезона Торговая Гильдия проводит распродажу лучших антивампирских артефактов! Цены снижены на пятьдесят процентов! Спешите в супермаркеты — делайте выгодные покупки! Никогда раньше знаменитые «Протуберанцы» не стоили так дешево...» (**«Тиградком»**)

* * *

Москва, Рязанский проспект,
6 ноября, суббота, 04.03

До восхода солнца еще оставалось время, но масаны все равно нервничали и изредка поглядывали на небо. Машинально, повинуясь выработанному за тысячелетия инстинкту. Ибо ни один вампир ни на секунду не забывал о том, что где-то там, высоко-высоко над головой, притаилась смерть. Что стоит на мгновение расслабиться, и безжалостные лучи кинжалами вонзятся в плоть, разорвут ее, сожгут, причиняя невыносимые страдания. Масанам не дано забыть, что они чужие в этом мире. Как не дано им забыть, что они чужие среди разумных. Что в каждом они видят *пищу*, и этот взгляд — взгляд охотника — делает вампиров отверженными.

И поэтому собеседники периодически поглядывали на предательское небо. И поэтому один из них, молодой Илья Треми, прибыл на встречу в плотной кожаной одежде, а на время разговора снял только шлем мотоциклиста — даже рукопожатием обменялся, не снимая перчатки. Второй же вампир, Жан-Жак Бруджа, был одет смелее: в обычный костюм и плащ, зато не отходил от черного «Ягуара» с сильно затемненными стеклами, готовый в любой момент укрыться в салоне.

Привычки. Чтобы выжить, у масана должно быть очень много ПРАВИЛЬНЫХ привычек.

— Никита Крылов не имеет к Тайному Городу никакого отношения, — негромко сообщил Илья. — Обычный человский бизнесмен, владеет, на пару с компаньоном, игорным домом «Два Короля». Процветает. В Москве известен как коллекционер раритетов, относящихся к азартным играм.

— Он на самом деле не связан с Тайным Городом? — подозрительно переспросил Жан-Жак.

— Я запускал поиск по всем базам «Тиградкома» и в архивах Великих Домов — о Крылове ничего нет. Все, что я рассказал, взято из чeловских источников.

— Хорошо. А его подружка?

— Любовницу Крылова зовут Анна Курбатова, — доложил Илья. — Не очень сильная чeловская ведьма, по классификации Зеленого Дома — не дотягивает до уровня феи. Она из рода воронежских колдуний, в Москву перебралась недавно. Специализируется на краткосрочных предсказаниях, у нее небольшая фирма при ММВБ. Среди наемников Курбатова не числится, выполненных контрактов у нее нет. В общем, заурядная фигура.

— Фигура у нее не заурядная, — проворчал Жан-Жак, припоминая лежащую на кровати женщину. — Фигура отменная.

— Я видел только портретные фотографии, — буркнул Илья.

— Ты много потерял.

— Что?

Жан-Жак понял, что увлекся:

— Не обращай внимания... — Потер висок. — Скажи, Илья, насколько ложной может оказаться найденная тобой информация о Курбатовой? — И, заметив возмущение в глазах молодого масана, поспешил объясниться: — Я не имею в виду, что у тебя низкая квалификация, что ты нашел не ту женщину или тебе сознательно подсунули дезинформацию. Могут ли Великие Дома прикрыть своего наемника? Обеспечить ему легенду?

Илья, действительно собиравшийся возмутиться недоверием собеседника, успокоился и ответил без горячности:

— Как вы понимаете, в теории возможно все. «Тиградком» принадлежит Великим Домам, и они могут внести в его базы любые изменения, но хвосты останутся всегда. Я искал нашу девочку перекрестным методом в разных базах и не получил ни одного серьезного расхождения. Разумеется, попадались и опечатки, и мелкие несовпадения, но на ключевой вывод они не повлияли: Анна Курбатова — реально существующий чел.

— Спасибо, — после паузы произнес Жан-Жак. Сомнений его Илья не рассеял, но поблагодарить за проявленное усердие паренька стоило. — Ты здорово помог.

— Это самое малое, что я могу сделать.

— Придет и твое время.

Молодой масан вскинул голову, глаза вспыхнули красными факелами:

— Вы думаете?

— Конечно.

Жан-Жак не сомневался, что Илью вычислят после следующего набега, а может, и еще раньше — слишком много в пареньке романтического бреда. Как поступят с ним епископы Камарилла, тоже известно: сначала, не показывая, что знают о предательстве, попробуют переубедить, будут втягивать в дискуссии и споры, добавят несколько ярких рассказов о жестокости Саббат — честных рассказов, по обе стороны Раскола хватало беспощадных ребят. Потом, если не помогут разговоры, предложат отправиться в «поход очищения», если откажется — честный разговор. Последнее предложение одуматься. И только после этого — исчезновение. В Камарилла предпочитали избавляться от предателей без лишнего шума. Это в Саббат, поймав агента врага, устраивали праздничные шоу, надеясь поднять боевой дух.

— Илья, к тебе есть еще одна просьба. На этот раз — последняя.

— Все, что угодно, брат!

— Нужно убрать чела.

Молодой Треми нахмурился:

— Чела?

— Я не уполномочен рассказывать тебе подробности, но, поверь, смерть этого чела важна для Саббат.

ному, тяжелому, плотному, напоминающему кровь. Чтобы любить легкое белое вино, нужно быть необычным вампиром, с необычным вкусом, с необычной кровью. Нужно быть бастардом. Отец — Сила Треми, епископ, а затем и кардинал клана, властный и сильный масан. Мать — Агата Луминар, Драгоценность, женщина, легенды о красоте которой до сих пор передавались из уст в уста. Захар должен был стать мостиком между кланами — Сила мечтал заполучить для своих потомков сохраненный Луминар Амулет Крови, — а стал бастардом, полукровкой. В Саббат епископа презирали и ненавидели за то, что он убивает родню. Захар, со своей стороны, всегда считал себя Треми и жестоко доказывал это всем сомневающимся.

Но иногда епископу отчаянно хотелось, чтобы Раскола никогда не было.

«Проверим». Треми набрал номер, терпеливо ждал не меньше двух минут и улыбнулся, услышав заспанный голос:

— Даже если ты ошибся номером, ты покойник. Плачь, каналья, у меня есть знакомые вампиры.

— Доминга, я как раз один из них.

— Захар?

— Рад, что ты не спишь.

— Не думал, что ты способен на такую подлость, — пробубнил аналитик, выругался и осведомился: — Чего надо?

— Ты у себя?

— Ну. — «Ласвегасы» частенько ночевали в своей берлоге.

— Мне нужно, чтобы вы срочно просканировали домик. Очень внимательно и ОЧЕНЬ осторожно.

— Кого ищем?

— Мятежников.

— А разве не всех поймали?

Голос аналитика изменился: окреп, стал громче. «Уязвленная гордость», — улыбнулся Треми. «Ласвегасы» очень не любили ошибаться.

— Чего молчишь?

— У меня нет никаких доказательств, — спокойно соврал Захар. — У меня нет даже веских причин для подозрений. Мои ребята обнаружили странную активность, и я хочу понять, что происходит.

— Ну и выяснял бы сам, — сварливо предложил нав.

— Не хочу спугнуть. Вряд ли вас обманули юнцы...

— Нас никто не обманывал! — буркнул Доминга. — Называй адрес.

— Только осторожнее!

— Не учи! Обещаю: даже если там комиссар прячется, он ничего не почувствует!

— Ну-ну...

Некоторое время из трубки доносилось невнятное сопение, подозрительные шумы, треск клавиатуры и ругательства. Единственной осмысленной фразой стала: «Не жалей энергии!», обращенная, судя по всему, к проснувшемся Тамиру. Захар не сомневался, что оскорбленные в лучших чувствах аналитики отработают на совесть, досконально просканируют дом, но не позволят почувствовать свое присутствие. Так и получилось. Минут через десять после начала процедуры из динамика послышался радостный вопль Доминги:

— Я знал, что ты зря панику наводишь!

— Пустой домик? — насторожился Захар.

— Почему пустой? С челами. Три мужика и женщина. Ни в одном нет ни капли энергии.

— Значит, ошиблись...

— Еще как ошиблись! — Доминга, поняв, что есть возможность прижать епископа, принялся торопливо выставлять претензии: — Нас разбудили — раз! А у нас был трудный день, между прочим. Энергии на сканирование потратили...

— Бутылка коньяка?

— Две.

— Договорились.

Треми положил трубку.

Уйти от сканирования магов Великого Дома могли лишь избранные. Спрятаться, скрыться, замаскироваться — да, для этого достаточно опыта и мастерства. Но когда все силы «ласвегасов» брошены на один-единственный дом, противостоять им практически невозможно. Для этого надо быть или князем, или великим магистром, или королевой Зеленого Дома. Такое по зубам лорду Тать, челoвскому Хранителю и... масану, владеющему Амулетом Крови.

— Бруджа. Алое Безумие, — прошептал Захар. — Здравствуйте, барон Александр. Добро пожаловать в Тайный Город.

* * *

Жилой комплекс «Воробьевы горы». Москва, улица Мосфильмовская, 6 ноября, суббота, 06.41

Они были хорошими профессионалами — парни Ахметова. Верными, молчаливыми, опытными. На них можно было положиться. Точнее — Эльдар мог на них положиться, ему они были верны, он их подбирал и знал, что эти — не сдадут. Муса и Султан остались у дверей. Шамиль и Рустам прошли в квартиру Крылова с Ахметовым и Даньшиным. Больше никого. Личную охрану Никиты внутрь не пустили: сначала нужно понять, как убийце удалось подобраться к Крылову, и только потом сделать вывод, насколько можно доверять этим людям. В квартире ребята Ахметова тоже не стали много говорить: обыскали карманы убийцы, осмотрели рану, оружие — осторожно, не вынимая из холодной руки. Переглянулись. Шамиль бросил несколько слов Эльдару, Ахметов кивнул, вернулся в гостиную, где на диване сидел Никита:

— Где твой пистолет?

— Ты же знаешь, что у меня нет оружия.

Эльдар многозначительно посмотрел на застреленного убийцу. Вздохнул, но спорить не стал. Вытащил сигареты, щелкнул зажигалкой.

— Дай!

Крылов жадно затянулся крепкой сигаретой. На друга он старался не смотреть.

— Странно все это...

Понятливый Даньшин кашлянул:

— Никита Степанович, вы позволите нам внимательно осмотреть квартиру? Надо понять, как этот парень...

— Я понял, Володя, смотри, что хочешь.

— Конечно.

Даньшин вышел из гостиной, тщательно прикрыв за собой дверь. Эльдар раздавил в пепельнице недокуренную сигарету:

— Теперь ты расскажешь, что произошло?

Никита отрицательно покачал головой:

— Не уверен.

— Боишься? Что-то скрываешь?

— Нет.

— Был пьян? Ничего не помнишь?

— Нет.

— Здесь был кто-нибудь, кроме тебя и его?

— Нет.

— Точно?

— Точно.

— Тогда почему ты не можешь мне все рассказать? — Ахметов нажимом выделил это слово: «мне».

— Потому, что я не понял... — Сигарета сгорела до фильтра, обожгла пальцы. Крылов вздрогнул и бросил окурок в пепельницу. — Я ничего не понял!

— Что значит: «ничего не понял»?

— То и значит.

— Тогда будем вспоминать и разбираться, — спокойно произнес Эльдар. — Пойдем по порядку: где ты был? Спал?

— Нет. Сидел в кабинете.

— В три часа ночи?

— Пасьянс раскладывал.

Ахметов прищурился, припоминая обстановку кабинета.

— Я видел маленький столик на полу.

— Да... я сидел на ковре.

— Пасьянс... Странное занятие для трех часов ночи. Ты не находишь?

— Мне не спалось.

Эльдар подался вперед, внимательно посмотрел в глаза друга:

— Ты для этого уехал из казино? — Крылов молчал. И Ахметов понял: — Это были карты Мамоцких, да? — Никита взял из пачки еще одну сигарету. — Ты чокнутый коллекционер, — расхохотался Эльдар. — Ты уехал из казино, чтобы сыграть в карты!

— А если так?

Ахметов покачал головой:

— Кит, расскажи, каково это: быть таким кретином?

— Ты не поймешь.

— Это точно! — Эльдар покачал головой: — Раскладывал пасьянс! Представляю, как обалдел убийца. — Закурил. И язычок пламени, на мгновение вспыхнувший перед ним, стер с лица улыбку. — Что было дальше?

— Он пришел.

— Убийца?

— Да. Открыл дверь и выстрелил.

— То есть у нас классический случай самообороны.

— Ты собираешься вызывать полицию?

— Нет, — поколебавшись, ответил Ахметов.

— Тогда к чему эти расспросы?

— Странная ситуация, — медленно произнес Эльдар. — Ты уверяешь, что находился в квартире один. Охранники это подтверждают. Затем появился убийца. Подчеркиваю: профессиональный убийца. Отвлечемся пока от вопроса, как он сумел добраться до тебя: это мы узнаем. Убийца вошел в квартиру. Ты уж извини, я выражусь предельно откровенно: ты крепкий мужик, Кит, но против него ты никто.

— Согласен, — кивнул Крылов.

— У тебя не было шансов, Кит. Он должен был убить тебя и спокойно уехать. Я должен был найти твой труп.

— Мне повезло.

— А вместо этого я вижу профессионального убийцу с пулей во лбу и тебя, не способного ничего объяснить.

— Ты расстроен?

— Я удивлен, — сухо произнес Ахметов. — Я действительно обдумывал вариант с вызовом полиции. Общественный резонанс и все такое...

— А теперь придется работать по старинке, — отрезал Крылов. — Надо увезти труп и закопать где-нибудь.

— Знаешь, — после паузы произнес Эльдар. — Мы давно договорились, что будем... Что будем хотя бы стараться жить в рамках закона. Помнишь? Это была твоя идея. И мне она понравилась. — Ахметов поднялся, прошелся по гостиной. — Я в нашей команде плохой парень, Кит. Я! В моей квартире могли найти мертвого человека, но не в твоей! Я мог его пристрелить, но не ты. И я хочу знать, друг, что здесь произошло?

— А ты поверишь?

Крылов тоже встал на ноги, подошел к Эльдару, посмотрел в глаза. Ахметов кивнул:

— Ты, главное, скажи правду.

— Правда заключается в том, что в башке у этого придурка его собственная пуля.

Секунд десять Эльдар обдумывал слова друга:

— Что ты имеешь в виду? Ты отобрал у него пистолет?

— Я даже не успел испугаться. Поднял голову — он стоит в дверях. Выстрел. Один выстрел. Его выстрел. А пуля...

— Отскочила от твоего чугунного лба?

— Примерно. Я не знаю, от чего она там отскочила, но... Но влетела она в его башку. В его, а не в мою.

Ахметов слишком хорошо знал Крылова и видел, что тот не врет. Не факт, что эта идиотская история действительно имела место, но Никита в нее свято верил, а значит, следует отталкиваться именно от нее. Попробовать нащупать в услышанном бреде рациональное зерно.

— Припомни, пожалуйста, было ли у тебя что-нибудь в руках?

— Карта у меня была в руке. Одна карта. Ею я закрылся, и от нее отскочила пуля.

— Карта из колоды Мамоцких?

— Да.

Следующую фразу Ахметов произнес после продолжительного молчания:

— Я уверен, у тебя есть веские причины, чтобы рассказывать эту историю именно так. И сейчас я тебе поверю. Просто поверю: подробности оставим на потом. — Эльдар снова помолчал. — Думаю, тебе надо отдохнуть.

Шамиль и Рустам уже заканчивали. Тело убийцы аккуратно завернули в полиэтиленовый мешок, обмотали скотчем и перенесли в холл. Стены и пол в коридоре тщательно замыли от крови, где не получилось — грубо ободрали обои и расковыряли паркет. Мусор сложили в пакет и положили рядом с трупом: улики поедут одним рейсом. Ахметов объяснил Крылову, что прислугу надо отправить в недельный отпуск, за это время рабочие приведут коридор в порядок, и не останется никаких следов.

— Где Даньшин?

— В кабинете вертелся, — немедленно ответил Шамиль. — Позвать?

— Не надо. — Эльдар рассеянно пнул носком ботинка завернутое в мешок тело. — С охраной дома переговорили?

— Али ходил, — подтвердил телохранитель. — Говорит, никто ничего не слышал. Этот пришел тихо, никого не разбудил, и пушка у него с глушителем. Так что все в порядке: они думают, мы к Никите по своим делам приехали.

— Пусть Али все и сделает, — решил Ахметов. — Отвезет и закопает.

— Я скажу.

— И внимательно все оглядите: здесь не должно остаться никаких следов.

Шамиль кивнул.

— Понятно.

— А где Даньшин?

* * *

Игорный дом «Два Короля».
Москва, улица Большая Каретная,
6 ноября, суббота, 08.04

— Правду говорят, что премия обломилась? — поинтересовался охранник, расписываясь в журнале приема поста.

— По пол-оклада, — подтвердил сменившийся коллега, ковыряясь во рту зубочисткой. — Я специально вчера у Даньшина узнавал.

— Здорово! — Заступающий по привычке нажал на кнопки: открыл и закрыл шлагбаум, преграждающий въезд в подземный гараж, поправил ремень с кобурой. — А что за праздник?

— Никита у Цвания казино выиграл.

— Да ну?

— В натуре.

— И объявил об этом?

— Нет, конечно. Сказал, что у его бабушки именины. Вчера всех гостей на халяву шампанским поили.

Слухи о серьезных трениях, возникших между «Двумя Королями» и Автандилом Гори, ходили среди сотрудников казино почти три недели: люди Цвания позаботились о создании в стане противника нездоровой атмосферы. Но после того как Ахметов на специально созванном собрании, в энергичных и ярких выражениях дал понять, что ему не нравятся подобные разговоры, тему старались не поднимать. Но за ситуацией следили. Вчера же Эльдар распорядился бросить сотрудникам информационную кость, рассказать — разумеется, в приватных беседах! — о текущем положении вещей, и настроение в «Двух Королях» существенно улучшилось.

Но не у всех.

— Не думаю, что Гори это съест.

— Ребята говорят, что Никита с Эльдаром все по-умному сделали, Чемберлена позвали в третейские судьи, и если Автандил хоть пикнет, против него вся Москва подпишется. Времена отморозков давно прошли.

— Крутые у нас боссы.

— А ты думал? Но расслабляться рано. Ночью Даньшин всех строил, говорил, что возможны провокации. А под утро Эльдар куда-то подорвался со своими абреками. И вернулся хмурый. Так что смотри в оба!

— Не учи ученого.

Охранники прекрасно поняли, что конфликт вступил в решающую фазу. Враги «Двух Королей» пропустили тяжелейший удар, и было совершенно непонятно, как они на это ответят. Решат действовать осмотрительно — будут переговоры, закусят удила... В этом случае может быть очень жарко, не зря же Ахметов и Крылов достали для своих телохранителей разрешение на автоматическое оружие. В самом казино люди Цвания шуметь не будут — времена не те, это все понимали, но бдительности не теряли и придирчиво досматривали все приезжающие машины. Но есть на свете вещи, которые без особых навыков не увидеть, как ни вглядывайся.

— Чо охрана? — осведомился Булыжник.

— Чо охрана? — не понял боец Отвертка.

— Чо охрана делает?

— У ворот пасется.

— Точно?

— А чо ей еще делать?

Несколько секунд уйбуй обдумывал вопрос подчиненного, после чего поинтересовался:

— Нас они не видят?

— С чего бы вдруг?

— А ты проверь.

Отвертка, бормоча ругательства, направился к будке у ворот — подозрительность Булыжника действовала бойцу на нервы. Как обычные челы могут хоть что-нибудь увидеть сквозь морок, скажите на милость? Недорогие артефакты[1] сделали дикарей невидимыми не только для охранников, но и для видеокамер, которыми был щедро оснащен подземный гараж, — визит Красных Шапок был полностью скрыт от посторонних наблюдателей.

— Чо охрана?

— Между собой трепется, — буркнул вернувшийся Отвертка.

— Хорошо. — Булыжник почесал в затылке и повернулся к увлеченно ковыряющемуся в носу бойцу Маркеру. — Где машина?

— Где-то здесь.

— Почему не нашел?!

— А ты не говорил.

— А ты...

Уйбуй уже собрался наорать на нерадивого бойца, но Маркер с таким воодушевлением засовывал в ноздри пальцы, что Булыжник волей-неволей вошел в положение: сам, бывало, страдал носом.

— Сопли?

Боец вытащил из ноздри очередной палец, внимательно оглядел его и серьезно ответил:

— Козявка.

— Вытащить не можешь?

— Застряла.

— У меня шило есть, — сообщил Отвертка, раздраженный тем, что он, несчастный, бегает по всему гаражу, а некоторые в это время красоту наводят.

— Шило не поможет, — прищурился Булыжник. —

---

[1] Энергичным и деятельным господам следует обратить внимание на последнюю новинку Торговой Гильдии: МММ (Морок Мобильный Многофункциональный). Устройство встраивается в мобильный телефон, управляется из специального раздела меню и предлагает до десяти различных образов на все случаи жизни: от полной невидимости до пышногрудой красотки или двухметрового громилы. Можно заказать индивидуальные образы или образы домашних животных, которые будут скачаны в ваш телефон по мере изготовления. Следите за новостями Торговой Гильдии.

Шило тонкое, проскользнет, и все. Тута адназначна нада, чтобы цеплялось. Ершик какой-нибудь.

— Был у меня ершик, — проворчал Маркер. — Потерялся.

— Хорошие вещи адназначна теряются, — посетовал уйбуй, оставшийся не так давно без любимого кастета. — Или воруются.

— Я как-то хороший плейер у Гвоздя украл, — поделился удачей Маркер. — Потом, правда, продал, чтобы Гвоздь на меня не подумал...

— Мы какую тачку ищем? — осведомился пребывающий в дурном настроении Отвертка. — Или будем сопли жевать?

— А ты не помнишь?

— А мне никто не говорил.

— Ну, ты тупой боец. Мы тачку ищем, какую нас Копыто попросил угнать.

— Черная такая.

— На «М»...

— Вот эта, что ли?

Булыжник и Маркер подошли к остановившемуся перед дорогим автомобилем Отвертке.

— Классная!

— Красивая.

— А ты думал, шас на «Оке» будет кататься?

Уйбуй вытащил из поясной сумки взятый в аренду артефакт грузового портала, с сомнением посмотрел на него, вздохнул и после непродолжительных поисков присовокупил к устройству инструкцию по применению:

— «Внимание! Перед использованием обязательно...»

— Слышь, Булыжник, а тачка на скорости стоит?

— Наверно. Копыто говорил, что челы ее эвакуатором забрали.

— А ключи у тебя есть?

— Нет.

— Тогда как мы ее в портал впихнем?

Красные Шапки молча уставились на блестящую машину.

— В этом казино все чисто, — уверенно произнес Кобур Кумар в ответ на вопросительные взгляды концов.

— Ты уверен?

— Абсолютно. — Кабур поморщился: один из старейших работников Службы утилизации не любил, когда ставили под сомнение его выводы.

Мурций Чейз, управляющий баром «Три Педали», и Бонций Чейз, глава «Реактивной Куропатки», лучшего казино Тайного Города, переглянулись.

— То есть с прибылью в «Двух Королях» все в порядке?

— Здесь стоят честные автоматы, — пожал плечами Кумар. — Заложена законная вероятность выигрыша, никакого жульничества...

— Поэтому прибыль не падает, — криво усмехнулся Мурций.

И встретился с понимающим взглядом Бонция. Обратиться к кадровому сотруднику Службы утилизации — неофициально, конечно, да еще с хорошей доплатой за молчание — концов заставило катастрофическое падение прибыли от игровых автоматов. Главные специалисты Тайного Города по прожиганию жизни чутко следили за ситуацией на рынке азартных игр и, разумеется, не могли не обратить внимания на этот печальный факт. Кобур проверил несколько московских казино и игровых залов и пришел к однозначному выводу: там, где хозяева жульничали, прибыль заведения резко падала. Причины шас не искал, его дело — бухгалтерия и автоматы. И правильные выводы, ставшие следствием накопленной за бессонную ночь статистики.

— Устал я. — Кумар зевнул.

— Зато денег заработал, — рассеянно заметил Мурций.

— Разве это деньги? — вздохнул шас. — Слезы! Вы, ребята, только выглядите круто, а сами — удивительные жмоты.

Концы, украшенные цепями, перстнями и сережками, словно рождественские елки, поморщились, но отвечать Кобуру не стали. Они были заняты: смотрели друг на друга и думали о чем-то своем.

— Кстати, — продолжил Кумар. — За отдельную плату я могу заняться расследованием причин...

— Не надо, — буркнул Бонций. — Мы сами разберемся с причинами.

Но выражение глаз конца не соответствовало бравому заявлению. Глазками Чейзы были похожи на затравленных хомячков.

— Серьезные проблемы? — участливо осведомился шас.

— Нет у нас никаких проблем, — отрезал Мурций, открывая дверцу коллекционного розового «Кадиллака» одна тысяча девятьсот пятьдесят седьмого года выпуска. — Спасибо за работу.

Менее воспитанный (или более расстроенный?) Бонций ограничился сухим кивком.

Кумар же, проводив взглядом уехавших концов, улыбнулся и направился к своей экономичной «Тойоте». На душе шаса было легко и радостно: за ночь работы несчастные толстяки заплатили ему больше, чем он зарабатывал в Службе утилизации за месяц.

Приятные мысли настолько поглотили Кобура, что он ухитрился пройти мимо копошащихся вокруг черного «Мазератти» Красных Шапок. Но, сделав несколько шагов, остановился и, резко обернувшись, поинтересовался:

— Вы что здесь делаете?

— Не мешай! — отмахнулся Булыжник, не отрываясь от бумажки: — «Окончательная активизация грузового портала будет сопровождаться миганием...»

Вот тут Кумар окончательно проснулся.

— Вы что здесь делаете?

— Надо вокруг этой «Маратти» портал построить, — сообщил уйбуй. — Поможешь?

— Я? — опешил Кобур. — Нет.

— Тогда не мешай.

— Что значит: «не мешай»?

— Это значит: «езжай себе, куда ехал», — услужливо

объяснил другой дикарь, упоенно ковыряющийся в носу. — Не видишь, пацаны делом заняты.

Булыжник же от шаса демонстративно отвернулся.

— Что значит, езжай себе? Вы что, не поняли, с кем разговариваете?

— С кем? — нахохлился дикарь, но пальцы из носа не вытащил.

— Проклятие! — Отвертка опознал Кобура. — Он из Службы утилизации.

Маркер принялся усиленно делать вид, что к разговору не имеет никакого отношения, а в гараже оказался случайно: шел мимо и увлекся содержимым носовой полости.

Уйбуй, напротив, услышав слова Отвертки, проявил к шасу интерес: поднял глаза и пробурчал:

— Слышь, утилизатор, помог бы, что ли, а? «Маратти» эта на скорости...

— Идиоты! — простонал шас. — Вы что, тачку угоняете?

— Нет, цветочки нюхаем, — подал голос осмелевший Маркер.

— Ну, не хочешь помогать, тогда не мешай.

— Кто вас надоумил так работать?

— Никто нас не доумил, — отрубил Булыжник.

— Мы не работаем, мы воруем, — гордо поведал Маркер.

— И вообще, хватит ругаться! Тоже мне, умник выискался.

А вот этого говорить не следовало, ибо после этих слов Кумар вцепился в ситуацию намертво: он, может, и рад был бы отступить, но дурной характер не позволял. Кобур насупился, упер руки в бока и зло оглядел притихших дикарей:

— Вы что, тачку в портал собираетесь запихнуть?

— Ну... да, — осторожно ответил уйбуй. — Типа, ее здесь не было.

— А видеокамеры местные ты посчитал?

— Не боись, носатый, мы в мороке, — осклабился Булыжник. — Все предусмотрено.

Маркер вскрикнул: ему наконец-то удалось зацепить упрямую козявку, и он принялся осторожно выбирать ее наружу.

— При чем здесь вы, кретины? Подумайте... — Кумар осекся, поняв, что предложил дикарям недопустимую операцию. Пришлось объяснять проще: — Видеокамеры показывают гараж, в гараже стоит «Мазератти», потом — раз! — и «Мазератти» нет. Пустота. Что, по-вашему, челы подумают?

— А нам до балды, о чем эти идиоты подумают! — подал голос Отвертка. — Нам тачка нужна.

Но Булыжник понял, куда клонит шас.

— Нарушение режима секретности, адназначна.

— Вот именно.

— За это могут по бандане настучать, — вздохнул уйбуй.

В его положении не хватало еще проблем с Великими Домами. Подаст носатый докладную в своей Службе, укажет на нарушение, дойдет до Кувалды, а уж тот второй раз не простит, как пить дать — повесит.

— Как вы будете объяснять, почему машина в воздухе растаяла?! — бушевал тем временем Кобур. — Нет, ребята, придумайте что-нибудь другое.

— А чо другое? У нас ключей нет.

— Значит, так, чтобы я больше ничего такого не видел, понятно? Если завтра в этот гараж прибудут специалисты по инопланетянам и копперфилдам, я вашу десятку наизнанку выверну. Все.

Разъяренный шас сел в свою машину и уехал.

Опечаленные дикари переглянулись и одновременно вздохнули.

— Облом.

— Как же мы эту тачку стибрим?

— Накрылись пять тысяч, мля!

— А все из-за шаса.

— Я, конечно, не фашист, — глубокомысленно заметил Отвертка. — Но мне кажется, что без носатых в городе было бы куда как лучше.

— Ты не кто? — осведомился Булыжник.

— Не фашист, — пояснил боец.

— А это как?

— Ну, это когда хочется, чтобы в Тайном Городе жили только Красные Шапки.

Дикари задумались. Маркер даже козявку тянуть перестал — увлекся разговором.

— А почему ты не фашист? — поинтересовался он наконец. Ему было странно и тревожно, что друг Отвертка скрывал до сих пор столь замечательную идею.

— Потому что хотеть можно сколько угодно, а как ты сделаешь, чтобы в Тайном Городе навов не стало?

При упоминании Темного Двора Маркер немедленно потерял интерес к фашизму.

— Бред какой...

— Поэтому и я не фашист.

— Хватит трепаться! — Окрик Булыжника вернул подчиненных в реальность. — Что делать будем?

— А может, где-нибудь в другом месте эту тачку угоним? — предложил Отвертка.

— Не понял, боец.

— Ну... — Отвертка попытался донести свою идею жестами, но не преуспел и принялся подбирать слова: — В Москве таких тачек, наверно, еще куча. Найдем тоже черную и угоним. Только чтобы там видеокамер рядом не было.

— Чушь, — буркнул уйбуй, но не грубо буркнул, скорее, задумчиво. — Адназначна чушь.

— Пригоним Копыто такую же тачку, только номера снимем. И скажем, что это она. Возьмем деньги, и пусть Копыто сам с хозяином решает, что к чему.

— А вдруг он спросит, почему без номеров? — Булыжнику уже нравилась идея подчиненного, и он принялся искать подводные камни. — Он ведь подозрительный, этот Копыто. Шибзичи, они, мля, все подозрительные.

— А мы скажем, что не лохи, с ворованными номерами по городу рассекать!

— Правильно, — согласился уйбуй. — Мы не лохи. — Он обрадованно хлопнул себя по бедрам, но тут же нахмурился. — А где мы такую же тачку возьмем? — Уважительно посмотрел на дорогую машину: — «Маратти», мать...

— Я у Рубена такую видел, — пробубнил Маркер. — У человского барыги.

— Которому мы «Волги» перегоняли?

— Угу.

* * *

Частный жилой дом.
Подмосковье, Люберцы,
6 ноября, суббота, 08.07

Амулет Крови. Мощный. Страшный. Верный.

Сын может пойти на отца, брат на брата, слуга на господина, но никогда не предаст хозяина великий артефакт. Из-за него — предавали. Из-за него — убивали. Но сам алый камень оставался верен владельцу... до тех пор, пока владелец оставался верен себе. А потом уходил, становясь сильнее, наполняясь кипящим вокруг безумием.

Скольких хозяев он поменял, пока не попал в руки Александра? Многих. Хроники Бруджа перечисляли истинных кардиналов со скрупулезной точностью, но ни один из них не владел Алым Безумием так долго, как барон.

— Потому что твоя сила раскрывается лишь в сочетании с умом, — улыбнулся Александр, не отрывая глаз от лежащего на ладони камня. — Ты холоден и жесток. Ты верно служишь, но только до первой ошибки, а потом, подобно дешевой шлюхе, бросаешься в объятия нового любовника. Ты не прощаешь слабость... но я такой же. И в первую очередь я ненавижу слабость в себе. Я не прощаю ее себе, и поэтому я сильный. Я не вру себе, потому что я умный. Я сильный и умный, и только поэтому я до сих пор жив. И поэтому ты, сумасшедший камень, верен мне, как пес.

Барон часто говорил с Алым Безумием и знал, что сейчас, в ответ на эти самые слова, рубин улыбается. Пусть с легкой ехидцей, но — уважительно. Амулет знал силу своего владельца.

— Говорят, истинные кардиналы частенько устают от всемогущества и потому уступают свое место молодым. Не знаю. Мне интересно жить. Интересно даже теперь, когда ты наполнил мои вены кровью камня, лишив радости охоты и радости продолжения рода! Ты выпил меня, *высушил*! Но не смог погасить мой огонь! Я сильнее, потому что у меня есть цель! И я буду жить!

А еще барон Александр знал, что Алое Безумие боится его. Знал, что поднялся над Амулетом Крови. И знание это наполняло его колоссальной уверенностью.

— Сегодня ночью мы еще раз навестили Мамоцких, тщательно проверили окрестности и даже... — Барон с улыбкой покосился на Чернышева. — И даже заглянули в память твоих друзей.

— Было что-нибудь интересное? — поинтересовалась Клаудия.

— Нет. Ни в доме, ни вокруг него никаких следов магии, даже остаточных. Только стандартный фон. Сами Мамоцких примитивные челы. В их головах царит полная каша, нет даже обрывочных воспоминаний о Тайном Городе. — Бруджа погладил висящий на груди рубин. — Обмануть Алое Безумие невозможно. Отсюда вывод: вероятность того, что Мамоцких сознательно играют против нас, равна нулю. Вероятность того, что их используют втемную, мизерная. С этой стороны все чисто.

Барон сделал маленький глоток вина.

— А что сами Мамоцких? — воспользовавшись паузой, спросил Роберто.

— Пока живы, — скупо ответил Александр. — Будь терпелив.

Чернышев отвернулся.

— Информация, которую Жан-Жак раздобыл об Анне Курбатовой, подруге нынешнего владельца Колоды Судьбы, куда интереснее. Она обыкновенная колдунья, работающая в Тайном Городе по лицензии Зеленого Дома.

— Было бы куда удивительнее выяснить, что Крылов сам активизировал Колоду, — заметила Клаудия.

— Позвольте заметить, что я не уверен в точности полученных сведений, — почтительно сообщил Жан-Жак. — Особенно в отношении способностей госпожи Курбатовой. Мне она показалась куда сильнее, чем указано в досье.

— Анна скрывает свою силу?

— Или кто-то скрывает Анну под видом мелкой колдуньи.

— К сожалению, это можно выяснить лишь опытным путем, — буркнул Роберто.

— Фактор риска, — проронила Клаудия.

— Нам все равно предстоит ее убить, — усмехнулся барон. — Главное, сделать это быстро и тихо, чтобы она не успела подать сигнал. Если у нас получится, будет совершенно неважно, кто эта Курбатова на самом деле.

Жан-Жак согласно кивнул.

— А Крылов?

— Поможем ему сыграть партию, — пожал плечами Александр. — Заберем Колоду и распрощаемся.

— Ты все продумал, — протянула Клаудия.

— Едем к Крылову. — Бруджа резко поднялся на ноги. — Я хочу закончить все дела до заката.

* * *

Игорный дом «Два Короля».
Москва, улица Большая Каретная,
6 ноября, суббота, 09.01

Несмотря на то что отдыхать Ахметову довелось всего несколько часов, спать не хотелось. Нервное напряжение не спадало, поддерживало организм в работоспособном состоянии, но Эльдар знал: рано или поздно усталость навалится, отнимет ясность мышления, сделает вялым. Можно было взбодриться химией, но лучше всего — просто поспать. Пусть даже со снотворным, пусть всего два-три часа, главное, что сил после этого хватит до полуночи. Ахметов прикинул, что вполне успеет отдохнуть утром, велел подготовить комнату отдыха, сбросил пиджак, расстегнул рубашку, но пока не ложился, разгуливал по кабинету с телефоном в руке, нетерпеливо дожидаясь звонка...

— Эльдар Альбертович?

— Али?

— Я все сделал.

Щуплый убийца навсегда исчез в подмосковном лесу, вместе с ним пропали пистолет и другие улики из квартиры Крылова. Дело закончено.

— Все чисто?

— Да.

— Отлично.

— Возвращайся в казино.

Эльдар отключил телефон, потянулся, даже улыбнулся, предвкушая сон, и вновь собрался, увидев приоткрывшего дверь Даньшина.

— Володя, после.

— Это важно, Эльдар Альбертович.

— Действительно важно?

Даньшин вошел в кабинет, остановился, теребя в руке коробочку с DVD-диском.

— Мне, право, неприятно, Эльдар Альбертович, и я долго думал, стоит ли говорить об этом сейчас...

— Володя, не нужно вступлений. Говори как есть. — Ахметов зевнул. — Что ты раскопал?

— Вы знаете, что в квартире Крылова полно видеокамер?

— Конечно, знаю, — улыбнулся Эльдар.

Когда-то Никита показывал другу несколько любопытных записей. Настолько любопытных, что Ахметов даже подумал оснастить видеокамерами свой дом. Знал о них и Даньшин: начальник службы безопасности периодически проверял квартиры хозяев на предмет подслушивающих устройств.

— Я решил посмотреть, не осталось ли записи убийства.

— Правильно, — кивнул Эльдар. — Ты молодец, я об этом не подумал.

— И вот что нашел.

Даньшин отдал Ахметову диск.

— Что-то важное?

— Посмотрите сами.

Эльдару не понравился тон начальника охраны. Очень не понравился. Ахметов молча вернулся к столу, вставил диск в компьютер и запустил просмотр. Спальня Никиты, постель в полном беспорядке: одеяло съехало на пол, подушки разбросаны, простыня сбилась — ложе бурной любви. На кровати двое. Никита и Анна. АННА! Черные волосы распущены, скользят по плечам, падают на лицо, на глаза... Рот приоткрыт. Она стонет, кричит. Она целует Никиту и снова стонет. Она потная и усталая. Она не отпускает Никиту, оставляет его лежать на ее бедрах. Снова целует. Ей хорошо.

Лицо Ахметова окаменело.

— Запись сделана два дня назад.

— Я вижу, — негромко сказал Эльдар.

И, только сейчас осознав, что Даньшин не сводит глаз с монитора, выключил запись и монитор. Надавил на кнопку машинально. Некоторое время смотрел на почерневший экран. Не видел своего отражения. Видел лишь мертвую черноту. На экране. Перед глазами. В душе.

Сейчас его не смогла бы свалить даже лошадиная доза снотворного.

— Мне очень жаль, — пробормотал начальник охраны.

— Мне тоже, — в тон ему ответил Эльдар.

— Я могу идти?

Вместо ответа Ахметов закурил сигарету, откинулся на спинку кресла и задумчиво посмотрел на Даньшина. Прищурился. Выпустил дым. Галстук Эльдар снял, воротник рубашки расстегнул, но дышать все равно было трудно. Что-то давило на горло. Или комок подступил. Ахметову нечасто приходилось переживать подобные моменты, и он не очень хорошо понимал, что ему мешает.

Но он справился. Затянулся глубоко, очень глубоко, прожег дымом дорогу, сглотнул и понял, что может нормально говорить.

— Я могу идти?

— Послушай, Володя, ты хороший человек. Верный.

Даньшин настороженно посмотрел в черные глаза Эльдара. Он не понимал, куда клонит Ахметов.

— Э-э...

— Ты умный.

— При чем здесь...

— Ты прекрасно знаешь о наших проблемах. Ты прекрасно знаешь, что сейчас мы с Никитой должны стоять плечом к плечу. Просто ради того, чтобы выжить. Ты ведь знаешь это, так?

— Знаю, — против воли кивнул Даньшин, завороженный холодным пламенем черных глаз Ахметова.

— Вот и ответь, Володя, зачем ты мне эту запись показал СЕЙЧАС?

* * *

Книжный магазин Генбека Хамзи.
Москва, улица Арбат, 6 ноября, суббота, 10.46

Звонок Сантьяги испортил настроение Анне, но от Крылова девушка уехала не потому, что потеряла интерес к приятному времяпрепровождению, наоборот, она всегда считала, что хороший секс — лучший способ развеяться. Анна уехала из предосторожности. А если говорить откровенно: потому что запаниковала. Пусть комиссар именно ей велел присмотреться к Крылову — неважно, два источника информации лучше, чем один, и разведчики Сантьяги могли оказаться в квартире в любой момент. И найти ее возле Колоды Судьбы.

Некоторое время назад Анне довелось провести четверть часа в одной из подвальных комнат Цитадели. Пятнадцать минут. В одиночестве. Сантьяга даже не стал гасить лампы.

Меньше всего на свете Анна хотела повторения этого опыта.

Только потом, оказавшись у себя дома и окончательно успокоившись, девушка поняла, что поступила глупо, что она уже повязана, что к ней все равно будут вопросы, и лучше было бы как раз остаться у Крылова, чтобы выгнать возможных разведчиков. Но менять что-либо не стала. Вдохнула полграна «пыльцы Морфея»[1] — без препарата Анна не сомкнула бы глаз, — благополучно проспала до утра и сразу же направилась к Генбеку. Требовалось скорректировать планы.

И первая реакция старика девушку не обрадовала.

— Не думал, что мы попадемся так быстро, — кисло произнес Хамзи.

— Мы еще не попались.

— Но мы уже под подозрением. — Генбек почесал кончик носа. — Что будем делать?

— Я надеялась, вы мне подскажете, — растерялась Анна. — То есть... что мы вместе решим...

— Я шас, а не наемник, — напомнил старик. — Я не знаю, как выбираться из подобных ситуаций.

— Зато у вас большой жизненный опыт.

С этим заявлением Хамзи спорить не стал. Он пожевал губами, побродил между стеллажами, пробубнил себе под нос нечто неразборчивое и предложил:

— Давайте расскажем все Сантьяге? Хуже от этого не будет, зато пользы целый вагон.

— Какой пользы?

— Он нам выплатит премию.

— А как же моя игра? — после паузы спросила девушка.

— Придется отказаться, — развел руками Генбек.

— Я не хочу.

— Глупо.

---

[1] Порошок, обычно используемый эрлийцами для общего наркоза. Не вызывает привыкания. Применять по назначению врача.

— Я знаю.

Хамзи помолчал, после чего уточнил:

— Очень глупо.

— Я знаю, — повторила Анна.

— Вы позволите прочитать вам небольшую мораль? Мне кажется, я имею на это право.

Девушка молча кивнула. Старик почесал кончик носа и неторопливо начал:

— Много лет назад я был никем. Я был молодым никем и звали меня никак. Вы зря улыбаетесь, Анна, это действительно так. Несмотря на то что мой отец был богатейшим купцом Тайного Города и занимал пост директора Торговой Гильдии, я мог рассчитывать только на себя. Хотя бы по той причине, что таких, как я — детей богатых родителей, всегда много. Но в Темном Дворе уважение за золото не купишь. Тем более за унаследованное золото. Надо работать. И я работал. Я стартовал с самой низкой ступени иерархии Торговой Гильдии и поднялся на самый верх. Разумеется, были падения, осечки, но это мой опыт, моя жизнь, и каждая преодоленная проблема делала меня сильнее. — Генбек помолчал. — В директора Торговой Гильдии нет иных путей. Мы любим золото, Анна, но не преклоняемся перед ним.

Старый Хамзи достиг многого: приумножил полученное наследство, добился уважения соплеменников, прославился как умный и предусмотрительный директор Гильдии. А потом ушел, решив посвятить остаток жизни семейному хобби — собиранию книг. И в этой истории не было ничего необычного: ровесник Генбека, старый Мехраб Турчи, также бывший когда-то директором Торговой Гильдии, тачал сапоги на шумной московской улице.

— Я всего добился сам. Я не играл с судьбой. Я работал.

Он замолчал. Но не торопил девушку с ответом. Даже не смотрел на нее — поглаживал лежащую на прилавке книгу.

— Не подумайте, что жалуюсь, — произнесла Анна, — но мне уже довелось хлебнуть куда больше. Я совершила много ошибок... их не исправить, но... — Девушка подняла голову, и глаза встретились: ее и шаса. — Я считаю, что имею право кое-что изменить. Я достаточно заплатила за свои ошибки.

— Не боитесь совершить новые?

На лице Анны не дрогнул ни один мускул. Лишь черные глаза стали чуть холоднее.

— Не боюсь.

— Ну что ж... Я обещал вам помочь, и я не буду отказываться от своего слова. — Генбек кашлянул. — В разработке оперативных планов я не силен, но, может, вам нужна какая-нибудь информация?

— Меня смущает рассказанная Сантьягой история, — медленно сказала девушка. — Почему «Повелитель Вероятностей» позволил Копыто проиграть?

— Ваш друг должен был выиграть, — пожал плечами старик. — Колода Судьбы куда мощнее какого-то там «Повелителя».

— Возможно... — Анна посмотрела на часы — время еще есть. — Но я хочу быть уверенной... Можно попросить вас подобрать книги об артефактах типа «Повелителя»?

— Конечно. — Хамзи направился было к стеллажам, но, вспомнив что-то, обернулся к девушке: — Кстати, в прошлый раз я забыл рассказать вам один интересный факт. В тысяча девятьсот двадцать первом году концы убедили Великие Дома запретить ВСЕ игровые артефакты, произведенные до этого времени.

Читать отобранные книги Анна отправилась в кабинет Генбека, девушка не хотела, чтобы кто-нибудь увидел ее, изучающую материалы по игровым артефактам, а потому охотно согласилась на предложение старика. У хозяина же магазина были свои резоны, чтобы не пускать Анну в хранилище: там прятался Харций. Точнее, это Хамзи определил, что он прячется, ибо поведение конца резко отличалось от обычной манеры общения представителей веселой семейки. Харций был бледен, грустен, а иногда даже клацал зубами. Он позвонил Генбеку в семь утра, умолил впустить в хранилище, обещая оплатить визит по двойному тарифу, и с тех пор не поднимал головы от книг по играм и игровым артефактам. Именно это подозрительное совпадение заставило осторожного Хамзи не пускать в хранилище Анну.

— Ты закончил?

Генбек задал вопрос негромко, но задумавшийся конец не услышал приближения шаса, а потому подпрыгнул на стуле так, словно ему на колени бросили гадюку. Несколько книг свалилось на пол.

— Осторожнее, — укоризненно проворчал хозяин магазина, поднимая свою собственность.

— А ты не пугай!

— Что это ты такой нервный?

— Спал плохо.

— Ну, тогда понятно, — покачал головой Хамзи. — Так ты закончил или нет?

— Разумеется. Закончил. Спасибо.

Конец рывком выдернул из бумажника карточку «Тиградком» и протянул хозяину магазина. Пальцы у него дрожали. Концу хотелось остаться здесь навсегда, в теплом и уютном книгохранилище, таком спокойном и безопасном.

Ибо за дверями его ждал страшный мир.

* * *

Жилой комплекс «Воробьевы горы».
Москва, улица Мосфильмовская,
6 ноября, суббота, 11.02

Никита не стал спорить, когда Эльдар велел ему принять снотворное, понимал, что отдых необходим, выпил таблетки и провалился в тяжелый химический дурман, оставив все проблемы по ту сторону реальности.

Снов Крылов не видел. Глаза открыл в дурном расположении духа. Даже поморщился кисло, убедившись, что на самом деле проснулся — под одеялом было гораздо лучше, безопаснее. Но поднялся, оделся, добрел до кухни, сделал кофе.

«В конце концов, что особенного случилось? Стреляли? Не в первый раз».

На самом деле не в первый раз. В жизни Никиты случались напряженные моменты. Давно, конечно, годы и годы назад, в молодости, когда он только начинал путь к славе. Когда ввязался в драку за свой кусок пирога, в жестокую грызню, призванную отделить зерна от плевел, выделить наиболее умных, хитрых, приспособленных — и пропустить их вперед, наверх. А остальных... или обратно вниз, или на кладбище.

«Неужели я стал слабым? Четыре... нет, пять раз, включая вчерашний, я видел направленный на себя ствол. Но ни разу еще не просыпался наутро НАСТОЛЬКО испуганным. Разжирел? Не рановато ли? Загрызут...»

Нет, причина неуверенности заключалась в другом.

В том, что на этот раз от него ничего не зависело.

Теперь все решал расклад «Королевского Креста», то, как лежат карты в Колоде Судьбы. В проклятой Колоде!

«Не паниковать! Возьми себя в руки!»

Но не получалось. Не удавалось справиться с подступающим к горлу комком страха. Обыкновенного страха, извечного спутника человека, неспособного бороться. Или думающего, что он неспособен бороться. Расплескивая на ходу кофе, Никита быстро прошел в кабинет, посмотрел на стол — Барабао не было — и присел перед разложенным пасьянсом.

«Надо проверить расклад. Надо проверить расклад! Был мой ход... Сколько прошло времени? Мне надо закончить ход...»

Он потянулся к Колоде, но остановился. Убрал руку. Медленно сменил позу: сел на пол, скрестив ноги по-турецки, не отрывая взгляд от Колоды, сделал большой глоток кофе.

Кто знает, какая карта лежит сверху. Что скрывает рубашка? Возможно, положение улучшится. Возможно — наоборот. Крылов попробовал сосредоточиться и понять, какие карты ему нужны, а какие он не хотел бы видеть. Но для этого надо было вспомнить все сыгранные карты, что при затяжной игре двумя колодами оказалось непростой задачкой.

— Выпить, конечно, не принес.

Крылов поднял голову: маркиз сидел на столе, в своем обычном — когда только успел построить! — кресле из книг.

— Не мешай.

— Вижу, ты стал смотреть на игру несколько иначе, — хмыкнул Барабао. — А ведь я тебя спрашивал: понимаешь ли ты, во что ввязался? Что ты отвечал? Отвечал, что понимаешь... — Лицо кукольного маркиза скривилось. То ли жалостливая улыбка, то ли презрительная гримаса. — Вот теперь ты действительно все понимаешь.

Теперь Никита действительно кое-что понял.

— Приходилось видеть людей в таком положении, да?

— Приходилось, — кивнул Барабао.

— И все боялись перевернуть карту?

— Все.

— Знаешь, а ведь в жизни каждого игрока наступает момент, когда трудно перевернуть следующую карту. Когда страшно перевернуть следующую карту. Я думал, что с моими-то талантами смогу избежать этой участи. — Крылов грустно усмехнулся. — Не избежал. Я никогда не думал, что окажусь за чужим столом. Что открою игру, которая окажется мне не по зубам.

— Испугался?

— Задумался.

— Это хорошо.

— Ничего хорошего, — спокойно продолжил Никита. — Неправильные мысли лишают уверенности.

— Бывает и такое, — согласился Барабао. — Но чаще хладнокровные размышления помогают. Отвлекись от того, что надо открыть следующую карту. Сосредоточься. Продумай свой шаг. Бросок. Или удар. Приготовься и иди вперед. Потому что там, позади, ты уже был. А здесь не место для отдыха, здесь надо бороться.

— Играть.

— Да, играть. Но только по правилам.

— За свой кусок пирога бьются без всяких правил, — заметил Крылов.

— Это в жизни, — буркнул маркиз. — Но раз уж ты открыл «Королевский Крест», то будь добр не жульничать.

— А разве «Королевский Крест» это не моя жизнь?

— Да, это твоя жизнь. Но сейчас ты в нее не живешь, а играешь. Уловил тонкость?

— Уловил, — хмуро бросил Крылов.

— Тогда я скажу тебе еще кое-что, чел Никита, — неожиданно жестко произнес Барабао. Он даже поднялся со своего импровизированного кресла и подошел к краю стола, чтобы оказаться ближе к Игроку. Чтобы смотреть прямо в его глаза. — Я нарушу свои собственные правила, но скажу. Помнишь, как ты возмутился, услышав, что в «Королевском Кресте» все зависит от расклада?

Крылов молча кивнул.

— Мне понравился твой гнев, чел Никита, действительно понравился. Если хочешь спастись, продолжай думать так же. Продолжай рассчитывать только на себя. Продолжай верить в свое мастерство и свою удачу. Если сам себя не подведешь — выпутаешься отовсюду.

— Но...

Никита удивленно тряхнул головой. Открыл и закрыл глаза, но Барабао исчез. Только что стоял на столе, рядом с креслом из книг, и вот растворился или стал невидимым. Или сделал что-нибудь еще, доступное лишь волшебным созданиям.

— Но...

— Я вам не помешал?

Крылов резко обернулся.

Они в кабинете, и совершенно непонятно, почему он не услышал шагов. Лысый мужчина в сером костюме, вместо галстука под воротником сорочки красуется крупный алый камень. Хрупкая девушка в элегантном платье, вызывающий фиолетовый макияж смотрится на ее лице необычайно изысканно. И двое широкоплечих позади. Куда же в наше время без широкоплечих?

— Кто вы?

— Вы Никита Крылов? — осведомился лысый вместо ответа.

— Да.

— Меня зовут Александр Бруджа. Барон Александр Бруджа. — Он небрежно указал на разложенные перед Никитой карты. — Я хозяин Колоды Судьбы.

* * *

Цитадель, штаб-квартира Великого Дома Навь.
Москва, Ленинградский проспект,
6 ноября, суббота, 11.32

Где именно располагался кабинет князя, не знал никто. Возможно, глубоко-глубоко под Цитаделью, в недоступных подвалах, в наполненных древним ужасом лабиринтах, в которые боялись забредать даже обитатели подземелий осы. Возможно, находился на крыше, под самыми звездами, чтобы повелитель мог без помех наслаждаться чернильной тьмой падающей на землю ночи. Возможно, прятался среди небольших флигелей, разбросанных по внутреннему двору Цитадели, ведь некоторые из них, хранящие особые тайны Нави, были опечатаны уже тысячи лет. Возможно... Возможно было все, но точно, абсолютно достоверно, об этом не знал никто, даже Сантьяга, который проникал в главную залу Темного Двора так же, как все остальные: через черную дверь в одном из коридоров Цитадели. Через дверь, за которой пряталась капля вечной Тьмы.

— Я абсолютно уверен, что маркиз Барабао проснулся. Это значит, что Колода Судьбы активизирована, кто-то начал партию в «Королевский Крест».

— И ты, разумеется, догадываешься, кто это, — проскрипела черная фигура, замершая в простом деревянном кресле с высокой прямой спинкой.

Мрак старательно рассеивал контуры князя, скрывая

от Сантьяги подлинный облик повелителя. Впрочем, комиссар прекрасно знал, кто скрывается во тьме.

— Разумеется, догадываюсь.

— Но не идешь проверять свою догадку.

— И не пойду, — кивнул Сантьяга. — Ни один нав не приближался к Колоде Судьбы более восьмидесяти лет, за это время успели выветриться все следы. Даже самые незаметные. Алое Безумие не почувствует ничего, и барон...

— Ты думаешь, он здесь?

— Надеюсь.

— Опять «надеюсь»?

Тьма у ноги комиссара сгустилась в нечто, напоминающее табурет. Сантьяга немедленно поставил на него ногу, оперся локтем на бедро и задумчиво положил подбородок на ладонь.

— Или мы будем осторожными, или наш замысел полетит к чертям.

— Опять человские идиомы!

Сантьяга вежливо улыбнулся. Под черным плащом неразборчиво заклокотало.

— Ты придумал слишком сложную интригу, — произнес наконец князь. — События происходят сами по себе, нет никакого контроля.

— Зато есть много сигнальных колокольчиков. Они звонят, и я вижу, что все идет как надо.

— Ладно, делай что хочешь, — сдался повелитель Темного Двора. Даже он не мог состязаться со своим комиссаром в выстраивании интриг. — Барон-то здесь?

— Здесь, — подтвердил Сантьяга. — Здесь. И уже испытывает нетерпение.

* * *

Офис клана Треми.
Москва, улица Вятская,
6 ноября, суббота, 11.33

Первой мыслью было позвонить Сантьяге. Появление Александра Бруджи — событие неординарное, лидеры Саббат, мягко говоря, не очень любили посещать Тайный Город, и только сверхважные обстоятельства могли заставить барона отправиться в логово злейших врагов. Вот из-за этих самых неизвестных обстоятельств Захар и не торопился отправлять сообщение в Темный Двор. Зачем приехал Бруджа? С делами военными? Пустить кровь старинным неприятелям? Сомнительно, весьма и весьма сомнительно. Епископ Треми был достаточно циничен, чтобы понимать, что фигуры уровня барона Александра в бой не ходят, на это есть смертники. И даже гипотетическая возможность нанести мощный удар по Великим Домам не заставит их покинуть надежное убежище. Войну военными действиями не выигрывают, а значит, за визитом Бруджи стоит нечто иное. Нечто такое, что заставило истинного кардинала рискнуть жизнью. В приставке «истинный», судя по всему, и таилась разгадка: да, барон Александр — враг, но семейного патриотизма в нем гораздо больше, чем во всех его фанатичных последователях, вместе взятых. И за этот патриотизм Захар Бруджу уважал. И кровью, проклятой своей кровью почуял, что дело, приведшее барона в Тайный Город, имеет значение для всех масанов.

И никому ничего не сообщил.

Наблюдать за Ильей оставил Савву, проинструктировал его лично, объяснил кое-что и не сомневался, что старый боец не подведет: и щенка не упустит, и о притаившихся в Люберцах мятежниках не разболтает.

Наблюдать за Бруджа было сложнее — помимо защиты от посторонних глаз Алое Безумие оказывало барону еще целый ряд ценных услуг[1], в том числе сообщало о направленных против его персоны враждебных действиях. Ни о какой магической слежке и речи быть не могло, поэтому Захару пришлось ограничиться наблюдением за особняком со спутника «Тиградком», висящего над городом на геостационарной орбите. Но недостатки метода проявились в полной мере: спутник честно отследил пе-

[1] Подробнее смотри исследование «Амулеты Крови. Факты и легенды», Фрол Гангрел, 1634 г.

ремещение «Ягуара» мятежников в роскошный дом на Мосфильмовской, но кто из них уехал и в какую именно квартиру они поднялись, узнать было невозможно.

Ни следить, ни приблизиться. Что делать?

От размышлений Треми оторвал телефонный звонок.

— Захар?

— Да, комиссар. — Епископ постарался, чтобы его голос звучал как можно естественнее.

— Мы можем встретиться?

— Конечно, но...

— В «Ящеррице».

— Почему там?

— Потому что у нас будет дружеский обед. Никаких дел.

О вызове в Цитадель почти наверняка станет известно, к тому же атмосфера штаб-квартиры Великого Дома Навь не располагала к задушевным беседам. Нет, в личном кабинете Сантьяги не было пыточных приспособлений, но мысль, что ты находишься в крепости самой старой расы Тайного Города, заставляла гостей вести себя осмотрительно. А посему, когда предстояли тонкие переговоры, когда требовалось уговаривать, а не приказывать, комиссар предпочитал встречаться на нейтральной территории.

— Понятно. — Треми потер лоб, криво усмехнулся: — Вы уже все знаете?

— Я догадываюсь.

* * *

Жилой комплекс «Воробьевы горы».
Москва, улица Мосфильмовская,
6 ноября, суббота, 11.51

Кухонные окна в квартире Крылова были закрыты только легкими жалюзи, не самая надежная защита от солнца, а потому чай пошел заваривать Чернышев. Клаудия и Жан-Жак остались в гостиной. Тщательно задернули тяжелые шторы, добившись того, чтобы в комнату не попадал ни один убийственный луч, но все равно передвинули кресла и диван как можно дальше от окон. И молча сидели, глядя в разные стороны. Когда Роберто вкатил столик, слуга поблагодарил чела сухим кивком. Девушка же не сделала и этого. Но Чернышев не обижался: он видел затуманенные глаза Клаудии, понимал, что она работает. Смотрит вперед.

— Что нам придется делать?

— Ничего, — буркнул Жан-Жак. — Барон сам разберется с Крыловым.

Слуга допил чай и, демонстративно развернув кресло спинкой к остальным, углубился в какую-то книгу. Ему не нравился чел. Ему не нравилось, что чел ухаживает за Клаудией.

Роберто подвинулся ближе к девушке и заботливо поправил соскользнувшую с плеча шаль.

— Проиграть миллион для одних — плевое дело, а другие даже не понимают, сколько это — миллион. И убьют себя, оставив в казино сотню монет. Тебе повезло, чел Никита, ты играешь по очень высоким ставкам.

— Мне это нравится.

— Тогда что же ты медлишь, чел Никита? Открывай следующую карту.

Спутники барона в кабинете не остались, поздоровались и ушли в гостиную, предоставив вожаку разбираться с Крыловым наедине. Александр же не торопился, понимал, что вторжение группы неизвестных не обрадовало чела. Разговор начал мягко, плавно, сразу же показал Никите, что не испытывает к нему ни зла, ни ненависти, что согласен подождать окончания партии и только после этого забрать свою собственность. И даже, в качестве благодарности, готов оказать мелкие услуги. «Поверьте, мой друг, я достаточно влиятелен». Успокоив Крылова, Бруджа перевел разговор на интересующую его тему и быстро понял, что появился как раз вовремя: чел переживал кризис неверия в собственные силы.

— Ты любишь играть, наверняка считаешь себя Игроком — в противном случае ты бы никогда не открыл «Королевский Крест». Так чего же ты медлишь?

Никита не отрываясь смотрел на Колоду.

— Я понимаю, вы хотите побыстрее вернуть свою собственность, но торопить меня не надо.

— Насколько я знаю, у тебя осталось не так уж много времени на ход...

«Время! Лысый прав — его практически нет. Еще несколько часов, и придет очередь соперника... Что же там, под рубашкой?»

Крылов решился, резко протянул руку и перевернул верхнюю карту.

— Да!!

Десятка червей помогла ему продолжить одну из линий. Настроение улучшилось.

— Ты часто кричишь во время игры? — с холодной усмешкой осведомился Бруджа.

— Нет, — отрезал Никита.

— Увлекся?

Взгляд Крылова вновь остановился: в Колоде полно неоткрытых карт. Господи, когда же эта партия закончится!

— Вы ведь знаете, почему я крикнул. Знаете!

— Скажи, — тихо попросил барон. Прошелестели железные листья.

— От радости я крикнул. Потому что карта нужная пришла. Потому что если бы я не продолжил эту линию, то...

Крылов замолчал. Александр усмехнулся, погладил пылающий на груди рубин.

— Карты любят озорничать... Красное — черное, черное — красное... Сегодня повезло, завтра — нет. — И, неожиданно: — Для чего ты играешь, чел Никита?

— Чтобы выиграть.

— Правильный ответ. Все мы хотим выиграть. Любыми способами. Особенно — в «Королевский Крест».

«Это точно — пасьянс должен сойтись! Обязательно

должен сойтись! Чего бы это ни стоило!» Крылов пронзительно посмотрел в красные глаза гостя:

— Что значит: «любыми способами»?

— Любые способы — это те, на которые соглашаешься, когда окончательно понимаешь, ЧТО ИМЕННО поставил на кон. Когда не можешь перевернуть карту, потому что дрожат руки. Когда пересыхает во рту и крутит от страха при одной мысли, что придет не та масть. Знакомые ощущения?

— Замолчите!

— И тогда ты понимаешь, что понятие «любые» не имеет смысла. Просто: есть способы, чтобы победить. Есть способы.

Крылов облизнул пересохшие губы. Посмотрел на Колоду, на лежащую сверху карту, под рубашкой которой мог прятаться весьма неприятный сюрприз.

— Какие способы?

— Ты можешь всегда получать нужную карту.

— Понятно. — Пауза. — А в чем твой интерес? Что тебе нужно? Моя душа?

— Душа? — Бруджа не сразу понял, о чем говорит Никита. — Ах, это... — Поморщился. «Какие все-таки дикие верования у челов!» — Нет, твоя душа мне не нужна. Я хочу, чтобы ты как можно быстрее закончил партию и вернул мне Колоду Судьбы.

— Я уже обещал карты...

— Своей любовнице?

— Да.

— Кстати, эта ведьма не слишком тебе помогает.

— Она...

Но Александр не дал Крылову продолжить:

— Она активизировала Колоду и бросила тебя. Оставила мучиться, со страхом ожидать, какая карта придет. А ведь она знала дополнительное правило! Знала, но не сказала.

«Ложь!» Но вместо гневного окрика Никита услышал неуверенный голос:

— Почему?

свой голос.

— Потому что иначе ты бы не отдал ей Колоду Судьбы, — объяснил барон. — Согласись, глупо лишаться стабильно работающего артефакта, приносящего удачу?

— Глупо, — кивнул Крылов. — В таком случае почему ты решил, что я отдам его тебе?

— Потому что в обмен на дополнительное правило ты заключишь со мной дополнительное соглашение: поклянешься своим сердцем, что подаришь мне Колоду после окончания партии.

— Я уже заключил подобное соглашение.

— Придется расторгнуть.

«Я одержу победу!»

«А как же Анна? Красивая, умная... Ты вроде собирался жениться на ней?»

«Объясню, что появился хозяин... ЧЕРТ ВОЗЬМИ! Она скрыла от меня важную информацию!»

— Так что насчет дополнительных правил?

— Ты заинтересовался?

— Разумеется... — Голос Никиты окреп. — Я хочу победить.

— Отлично! — Александр широко улыбнулся. — Дополнительное правило выведет тебя за пределы карточного столика. Ты сможешь помочь картам влиять на свою судьбу.

— Это как другой уровень?

— Нет, это как другая мораль. — Барабао стоял на столике, прямо на разложенных картах. Высокомерно вскинутый подбородок, презрительно оттопыренная губа. — Это как будто ты был честным, а потом нашел на улице кошелек с миллионом и никому об этом не сказал. И продолжаешь делать вид, что все осталось по-прежнему. Честный человек должен вернуть кошелек с миллионом? Должен искать владельца? Как бы ты отреагировал, увидев объявление в газете: «потерялся...»

— Перестань нести чушь!

— Кому это ты? — оторопел Бруджа.

Крылов потер глаза, понял, что Александр не видел маркиза, но обдумывать этот факт не стал.

— Извини... привиделось.

— Что привиделось?

— Неважно... Я с этими картами немного психую. — Никита потянулся было за сигаретами, но, вспомнив, что барон просил не курить, недовольно убрал руку. — Что за правила?

— Жесткие. Но действенные.

— И придет нужная карта?

— Обязательно.

— Что я должен сделать?

— Омыть карту кровью врага.

* * *

Игорный дом «Два Короля».
Москва, улица Большая Каретная,
6 ноября, суббота, 12.14

Поспать не удалось, и туман в голове приходилось разгонять химией. Эльдар высыпал на ладонь три таблетки, коротко ругнулся, бросил их в рот, проглотил и жадно запил водой. Снова выругался: он не любил подстегивать организм подобными препаратами. Закрыл глаза, сцепил за головой руки, потянулся, замер, задержал дыхание, досчитал до пяти, шумно выдохнул. Вернулся к столу, посмотрел на экран мобильного телефона — звонил ли кто? Движение абсолютно бессмысленное — Ахметов не мог не услышать звонка, но оно позволяло потянуть время, показать Даньшину, что никто не торопится продолжать беседу.

— Эльдар...

— Отдохнул?

Ахметов, не поворачиваясь к Владимиру, щелчком выбил из пачки сигарету, закурил. Но зажигалку, стальную, с золотыми насечками «Зиппо», не убрал, продолжал держать в руке.

— Эльдар, пожалуйста, не надо так...

— А как надо?

— Не зверствуй, Эльдар, пожалуйста, не зверствуй. Я ведь знаю, ты можешь. Ты ведь нормальный, Эльдар!

— Настроение дерьмовое, — угрюмо бросил Ахметов.

— Эльдар, пожалуйста...

— Заткнись.

— Но...

— Ты ведь знаешь, Володя, все зависит от твоих ответов.

— Я...

— Заткнись!

Разговор проходил в одной из подвальных комнат игорного дома, в пустом и холодном пространстве с серыми бетонными стенами. Без окон. Труба мощной вытяжки. Из стены торчит кран, к которому прикреплен длинный шланг. Пол кафельный, с небольшим наклоном к сливу, очень удобно смывать грязь. Пластиковый стул. Пластиковый стол. Резиновая дубинка. Пепельница. Мобильный телефон. Вскрытая упаковка таблеток. Бутылка воды.

Даньшин висел в центре комнаты. Связанные руки притянуты к вбитому в низкий потолок крюку. Ноги — сначала Володя дергался — бессильно повисли. Тело натянуто, как струна, видны едва ли не каждая мышца, ребра. И все ссадины видны, все кровоподтеки, след от каждого удара. Из одежды на нем оставили только трусы, пропитавшиеся теперь кровью и водой, которой Владимира окатывали, когда он терял сознание. Эльдар отдавал предпочтение классическим методам ведения допроса.

В начале диалога Ахметов крепко избил Даньшина, подождал, когда тот очнется, и задал пару вопросов. Вместо того чтобы дать на них правдивые ответы, Владимир понес совершеннейшую чепуху: кричал, что не виноват, что у Эльдара поехала крыша от дурного известия, что Ахметов еще пожалеет. За что вновь подвергся безжалостной экзекуции.

На этот раз Даньшин приходил в себя почти двадцать минут. Даже ледяная вода из шланга заставила его лишь открыть глаза и осоловело уставиться на Эльдара — мысли во взгляде не было. А когда появилась, Владимир заговорил совершенно иначе, принялся умолять.

— Дерьмо, — буркнул Ахметов, сминая сигарету в пепельнице. — Дерьмо.

Голова прояснилась, но лучше не стало. Обида вцепилась еще сильнее, сделала горькой слюну.

— Дерьмо.

— Эльдар, не убивай меня, — тихо-тихо попросил Даньшин.

— Как давно ты работаешь на Цвания?

Владимир закусил губу. Он понимал, что, несмотря на демонстрируемую уверенность, Ахметов не до конца убежден в предательстве. Все подозрения Эльдара — результат анализа, прямых улик против Даньшина не было. Но Ахметов упрям, поверит ли он, если твердить о своей невиновности? А если поверит, то когда? К вечеру? Завтра утром? Или после того, как убьет? Или вообще не поверит. Эльдар умный, ему улики не нужны, он и так все видит.

— Не знал, что тебе нравится испытывать боль. — Ахметов взял со стола дубинку.

И Владимир решился:

— Я работаю не на Цвания, а на Автандила Гори.

— Как давно?

— Три месяца.

— Докладывал о наших делах...

— Да.

— Ставил «жучки» в кабинетах.

— Нет, — мотнул головой Даньшин. — Автандил сказал, что светиться не надо. «Жучки» могли найти. Ведь твои люди мне не подчиняются.

— Не подчинялись, — поправил Владимира Эльдар. — Теперь тебе никто не подчиняется.

Даньшин опустил голову.

— Ты рассказал человеку Цвания, как добраться до Никиты, да?

Снова молчание.

Ахметов опять закурил. Выдохнул дым Даньшину в лицо.

— Я проанализировал действия убийцы: все было рассчитано до мелочей. Он знал все нюансы, прошел мимо охраны, как нож сквозь масло, воспользовался едва заметными просчетами в системе безопасности. Ты ему все рассказал.

— У меня не было выхода.

— Выход есть всегда.

— Черт тебя дери, Эльдар! Да оглянись ты!! Против кого вы пошли?! Против Гори!! Ты думаешь, это смешно? Да он раздавит вас и не заметит! Остановись!! Скажи слово, и я сообщу Автандилу, что ты готов договориться! На это было все рассчитано: Никиту убирают, а с тобой договариваются. С тобой хотят договориться, Эльдар! Подумай! Тебе ведь не устоять! Чемберлен не начнет войну из-за тебя.

— Если бы это было так, — негромко возразил Ахметов, — Автандил просто отнял бы у нас казино.

— Но теперь-то вы отняли казино у него! Гори это так не оставит! За свое добро он будет воевать! Все это понимают. Опомнись, Эльдар, договорись с Автандилом. Договорись, пока тебя Крылов не опередил.

— Никита не пойдет к Гори.

— Ты до сих пор так думаешь? Даже после того, как он тебя поимел? Он спит с твоей женщиной, а ты...

Даньшин осекся — Ахметов сделал шаг. Черные глаза яростно вспыхнули в сантиметрах от лица Владимира, тот сжался. Но удара не последовало.

— Володя, мне приятно, что тебя беспокоит моя честь и мое будущее, но я сам выясню отношения с Никитой. С ним и с Анной.

Эльдар даже голос не повысил. Вернулся к столу, бросил в пепельницу окурок, немедленно раскурил следующую сигарету. Глубоко затянулся. Даньшин наблюдал за его действиями с изумлением. Ахметов не был психопатом, не впадал в гнев без причины, но мужчиной он был горячим, и его хладнокровие выглядело крайне странным. Даже для человека, привязанного к крюку.

— Поговорим лучше о тебе, Володя. Не хочешь поведать мне еще о чем-нибудь?

— О чем?

— Ну... не знаю... — Эльдар неопределенно взмахнул рукой. — Например, попытаться объяснить, почему я не должен тебя убивать.

В глазах Даньшина появился ужас.

— Но ведь я все рассказал!

— Тоже мне подвиг. — Ахметов сплюнул. — Попробовал бы ты молчать...

— Эльдар!

— Эльдар Альбертович, мне сказали зайти сюда.

Дверь в комнату приоткрылась, и Ахметов увидел одного из своих телохранителей — Али.

— Да, я тебя звал.

Телохранитель вошел, тщательно прикрыл за собой дверь и с интересом покосился на Даньшина.

— Али, — буркнул Эльдар, — извини, но тебе придется съездить в лес еще раз.

Владимир завыл.

* * *

Южный Форт, штаб-квартира семьи Красные Шапки.
Москва, Бутово, 6 ноября, суббота, 11.33

— Не может быть!!

— Типа, проверь еще раз!

— Мля, да не работает! Не работает!

— Стукни его! — предложил Контейнер.

— Зачем?

— Я так с батарейками делал, — объяснил здоровяк. — Стукал ими обо что-нибудь, и они снова работали.

— Ты головой своей постучи! Головой! — предложил Иголка. — Об асфальт, к примеру. Или еще как-нибудь.

— Ща дошутишься, — пообещал Контейнер.

— Уже дошутились, — буркнул скандалист. — Все. Приехали.

Он был прав: действительно, приехали. Ночью, после разговора с фюрером, Копыто развил бурную деятельность: выскреб все заначки, продал лишнее вооружение, заложил джип — подобной подлости подчиненные от уйбуя не ожидали! — наскреб тридцать тысяч и, наплевав на режим секретности, отправился в первое попавшееся человское казино. К закрытию заведения Копыто выиграл пятьдесят три с половиной тысячи. Затем последовал неспокойный сон, бутылка виски натощак и туманные фразы о том, что «все еще, может быть, образуется». Коротая в казарме время до открытия казино, уйбуй предложил подчиненным перекинуться в картишки — потренироваться, и, к своему ужасу, увидел, что...

Копыто обреченно посмотрел на артефакт. Сомнений нет: разрядился, ибо настолько плохая карта уйбую и раньше-то не часто приходила.

— Сволочь! — Копыто швырнул ставший ненужным медальон в самый грязный угол комнаты и рухнул на койку. — Сволочь!

Мир его предал.

— Сколько у нас есть? — шепотом спросил Иголка.

— Восемьдесят три с половиной, — так же тихо ответил Контейнер. — Еще Урбек сказал, типа, что, если мы джип продадим, он двадцать тысяч добавит.

— Сотня, одним словом. — Иголка вздохнул. — Мало.

— Знаю.

— С сотней к фюреру можно не соваться — точно повесит.

— А может, его, типа, зарядить можно? Артефакт? А? — Контейнер с надеждой посмотрел на уйбуйский затылок.

— Так он же одноразовый, дубина! Заряжай не заряжай, все равно прости-прощай.

Здоровяк ошеломленно вытаращился на Иголку.

— Ну, ты Пушкин.

— Кстати, о пушках... — Мелкий тронул Копыто за плечо. — Может, ограбим кого-нибудь? Нам теперя все одно: нарушения, запреты, они, считай, для живых придуманы. А мы, считай, мертвые.

— Кого ты ограбишь на миллион? Таких с ходу не взять.

— А мы не одного кого-нибудь ограбим, а много.

— А если много, нас поймают быстро, — вздохнул Контейнер. — И повесят.

— Нас все равно повесят.

Копыто простонал что-то неразборчивое.

— Слышь, уйбуй, — буркнул Иголка. — А давай мы фюреру скажем, будто выиграли миллион снова, но ты с деньгами удрал? Тогда нас Кувалда вешать не станет. Только на тебя злиться станет.

— А я куда денусь? — глухо спросил Копыто.

— Удавишься где-нибудь для пользы общества. Тебе ведь все одно пропадать.

Ответить уйбуй не успел: дверь в казарму приоткрылась, и на пороге появился невысокий боец, усиленно ковыряющий в носу.

— Копыто!

— Чо?

— Слышь, Копыто, мы там тебе тачку пригнали. «Матратти».

— Еще пять тысяч минус, — недовольно заметил Иголка.

— Зато Сантьяга от нас отстанет, — рассудительно произнес Контейнер.

— А какая разница, кто нас грохнет: Сантьяга или Кувалда?

— Молчать, паскуда! — Уйбуй поднялся с койки и ловко двинул мелкому скандалисту в челюсть. — Я тебе покажу, удавишься! Я тебе...

Иголка ловко заполз под тумбочку.

— Контейнер, деньги отсчитай! Пошли во двор!

Неожиданная активность Копыто объяснялась очень просто: он вдруг подумал, что возврат «Мазератти» является добрым знаком. Сегодня с Сантьягой все уладилось, а завтра, глядишь, и с фюрером обойдется. Настроение улучшилось, и уйбуй торопливо вышел во двор, где ждал его сияющий, как немецкая мостовая, Булыжник Дурич. И черная машина с тонированными стеклами.

— Здоро...

— Здорово, — кивнул Булыжник, гадая, что заставило Копыто замолчать на полуслове.

А тот и сам не понял, что не так. Вроде тачка та — «Мазератти», цвет тот — черный, стекла тонированные... Но что-то не так.

— Быстро вы управились, — протянул Шибзич.

— Так это тебе не за карточным столом сопли жевать, — засуетился Дурич. — Тута все скорость решает. Раз-два — и в дамках. Деньги давай.

— Машину осмотрю и отдам.

— А фигли тебе машину смотреть?

— А вдруг вы ее поцарапали?

— Мы машины не царапаем.

— Вот и посмотрю.

Копыто обошел «Мазератти», пнул колесо, заглянул в зеркало заднего вида, открыл и закрыл крышку бензобака: все правильно, все на месте.

— Видишь — порядок. Давай деньги.

— А номера зачем сняли?

— А что мы, лохи, с угнанными номерами кататься?

— А зачем вам на ней кататься? — не сразу понял Копыто. — Вы ведь внутрь влезть не могли... Или влезли?

— У них ключей не было! — встрял Иголка. — Пущай не врут!

И тут Копыто осенило: лобовое стекло! Не тонировано! Этот «Мазератти» принадлежал кому угодно, но только не масану.

— Вы чью тачку пригнали, суки?! — взревел уйбуй. — Кинуть меня решили?! Убью!!

Раздосадованный последними неудачами Шибзич выхватил ятаган. Контейнер для острастки пальнул в воздух из помпухи, а Иголка — из пистолета. Обстановка накалилась до предела, но Булыжник, который отнюдь не горел желанием ссориться с приятелем великого фюрера, предусмотрел план «Б».

— А это разве не та машина? — притворно удивился Дурич. — Мля, тренер, я ведь своим ребятам сразу сказал: правую тачку берите, правую, а они взяли левую. Тама, в гараже, две тачки одинаковые стояли, догоняешь? Вот мы и перепутали. Не ту тачку взяли, тренер, ты уж извиняй, мы тебя и думать не могли обманывать.

— Кретины!

Копыто также не желал продолжения скандала: ему нужна была машина, а не труп тупого Булыжника. Ятаган вернулся в ножны.

— Мы сейчас за той тачкой сгоняем и мигом притащим. Все будет, тренер, клянусь соплями Спящего. Маркер, подтверди!

Маркер подтвердил. Дуричи погрузились в «Мазератти» и отчалили. Контейнер поставил помпуху на предохранитель и принялся думать о том, заметит ли уйбуй, если вернуть обратно не пять тысяч, а на пару сотен меньше.

— Надо было у них и эту тачку забрать, — буркнул рассудительный Иголка. — Типа, в компенсацию за моральный вред. И продать.

— Не спасет, — сквозь зубы процедил Копыто.

* * *

Казино «Изумруд».
Москва, улица Шаболовская,
6 ноября, суббота, 13.28

Сомнения остались позади, развеялись в споре, который последовал за жестким предложением барона Александра.

«Омыть карту кровью своего врага!»

«Вы шутите?»

«Испугался?»

«Я не убийца!»

«Ты — Игрок».

«Да, я — Игрок».

Бруджа молчал, и его глаза были похожи на два кусочка красного льда.

«Я не убийца», — гораздо тише повторил Никита.

«Тогда открывай карту».

Играй честно, не нужно дополнительных правил! Верь в себя, в свое мастерство, в свой опыт. Но расклад... Крылов не мог оторвать глаз от разложенных перед ним карт. «Королевский Крест» обманчив, ох, обманчив. Никита уже уловил подлую суть пасьянса и понял, Колода Судьбы не зря предлагает разыгрывать именно его — ситуация на поле может поменяться на диаметрально противоположную молниеносно. Как в жизни.

«Почему именно... убить?»

«Ты играешь с Судьбой. Чтобы изменить ее, нужны кардинальные меры. В этом и заключается суть дополнительного правила: нанести сопернику резкий, неожиданный удар. Страшный удар».

Никита посмотрел на лежащую сверху карту.

«Кого я должен убить?»

«Человек с улицы не подойдет. Должен умереть тот, кто имеет влияние на твою судьбу».

Гори или Цвания? Крылов размышлял недолго: Цвания. Ликвидация Автандила наделает слишком много шума. Уберем Давида и предложим Гори договориться. Уверен, абрек не ждет подобной наглости.

«Как я это сделаю? Моего врага хорошо охраняют».

«Кто охраняет?» И столько презрения прозвучало в голосе барона, что Крылов покраснел. «Твое дело маленькое, чел Никита: убей. А условия я обеспечу. И условие, и алиби. Да что я? «Королевский Крест» все сделает».

И вскоре Крылов понял, что Александр имел все основания для презрения.

Они вышли из квартиры — телохранители не шевельнулись. Один продолжал читать журнал, второй дремал на стуле. Когда Никита и Бруджа входили в лифт, кто-то из охранников чихнул, но Крылов даже не обернулся.

«Главное — не забывай, что ты невидим! Ты можешь

таращиться человеку в глаза, орать на него, сигналить — он все равно в тебя врежется. Он тебя не видит».

Морок, это называется морок...

Выводя из подземного гаража «Мерседес», Никита едва не врезался в «Жигули», долго стоял, дожидаясь, когда на дороге не останется машин. Все это время шлагбаум оставался поднятым, а сидящие в будке охранники смотрели сквозь них. Никита чувствовал себя среди слепых.

— На улице я изменю формулу морока, нас станет видно.

— Но...

— Не волнуйся, — усмехнулся барон. — Вместо «Мерседеса» челы увидят «БМВ», а вместо нас — двух симпатичных девушек. Так пойдет?

— Пойдет.

«Мое дело маленькое: убить, а все остальное он обеспечит...»

Александр покосился на не по-осеннему яркое солнце и прикоснулся к засверкавшему на груди рубину:

— Долго нам ехать?

— Как пробки, — пожал плечами Никита.

— Постарайся побыстрее.

«Мерседес» они оставили в квартале от «Изумруда», пешком добрались до казино, вошли внутрь. Неподалеку от здания Бруджа вновь сделал их невидимыми, так что вопросов у охраны не возникло. Не заметила их и видеокамера, не среагировала рамка детектора, хотя у Крылова был пистолет.

— Где кабинет, знаешь?

— Конечно.

На втором этаже. Давид не подвел, оказался на месте. Открыв дверь, Никита сразу же увидел склонившегося над бумагами Цвания. Рядом застыли Какадзе и девушка в блузке и мини-юбке — секретарша? Цвания что-то говорил, не поднимая головы от бумаг, но Крылов не прислушивался. А вот Какадзе и девушка были куда внимательнее, девушка даже записывала указания в блокнот.

Черноволосая. Худенькая. На мгновение Никита подумал, что надо дождаться, когда Цвания останется один, что это неправильно — убивать девушку. Какадзе еще куда ни шло, но девушка...

А потом Бруджа снял морок.

Девушка вскрикнула. У Какадзе отпала нижняя челюсть. Ошеломленный Давид поднял голову.

И Крылов забыл о том, что не следует трогать девушку, потому что в глазах Цвания вспыхнула ненависть. Дикая ненависть, направленная на него, на Крылова. И за волной этой ненависти позабылась худенькая, черноволосая... тем более что барон уже выстрелил в нее, открывшую рот, чтобы закричать, и на белой блузке появился некрасивый красный цветок.

А следующая пуля навсегда успокоила Какадзе.

А потом Александр посмотрел на Никиту и жестко сказал:

— Твоя очередь.

И ненависть в глазах Цвания уступила место страху. А затем ушел и он — вместе с жизнью.

— Молодец! — одобрил барон.

Крылов подошел к упавшему Давиду, еще два раза выстрелил ему в грудь, достал карту и смочил ее кровью врага.

ГЛАВА 6

Венеция, 1785 год

То, что его нашли именно здесь, Сен-Жермена не удивило: все знали, что он не пропускает восхитительные карнавалы города каналов. Вычислить, у кого именно из венецианских аристократов он гостит, тоже не составляло труда — дружбой с графом гордились. Установили наблюдение за домами, подкупили слуг — в общем, почувствовав пристальное внимание к своей персоне, Сен-Жермен не удивился. Даже похвалил про себя незнакомцев: разыскать его в веселящейся толпе все-таки легче, чем прочесывать европейские замки, гадая, куда на этот раз запропастился не-

уловимый граф. Похвалил и продолжал веселиться как ни в чем не бывало, рассудив, что этикет не позволит преследователям проявить свой интерес до окончания карнавала. Так, собственно, и получилось.

Дни под маской протекли стремительно, как вода в речной стремнине. Вино, сладкие интрижки и две дуэли — время было потеряно не зря. В последнюю ночь Сен-Жермен намеренно громко сообщил друзьям, что собирается отдохнуть как минимум неделю:

«Запрусь и буду спать. Курить трубку и спать. Ну, может, немного вина».

«Вам наскучило в Венеции?»

«По всей видимости, наш любезный друг назначил слишком много свиданий...»

Предположение было встречено оглушительным хохотом. За неутомимость графа наполнили кубки, потом еще раз. Разбавили здравицу скабрезной историей и снова выпили. Карнавал провожали весело. Сен-Жермен охотно смеялся и пил вместе со всеми. Он знал, что услышан.

И не ошибся.

На следующий день, незадолго до полуночи, в дверь постучали. Негромко, но уверенно. Граф специально расположился в большом кабинете на первом этаже — из комнаты вела дверь во двор, и, чтобы впустить гостя, ему достаточно было крикнуть:

— Не заперто! — Не отрывая глаз от книги: — Располагайтесь. И извините меня — хочу дочитать главу.

Гость молча снял шляпу, плащ, прошел в комнату, судя по шагам — мужчина, некрупный.

— Вино, сыр...

— Благодарю.

Голос странный, шуршащий, наводящий на мысль о бегущих по лесу сухих листьях. Настолько странный голос, что граф с огромным трудом подавил желание посмотреть на визитера. Вместо этого буркнул:

— Вино придется наливать самим — я отпустил слуг.

— Весьма предусмотрительно.

Пробка с тихим «ох!» вырвалась из объятий бутылочно-

го горлышка. Послышалось бульканье, и через некоторое время на столе, справа от Сен-Жермена, появился бокал с красным вином.

— Благодарю. Мне осталось совсем чуть-чуть.

— У меня есть время.

— Еще раз прошу меня извинить.

— Я сам большой любитель чтения и знаю, как трудно бывает оторваться от умной книги.

Граф захлопнул том и поднял голову.

Красный, расшитый золотом камзол, пышные кружева, невиданной красоты и невиданных размеров рубин на груди, красные тонкие губы и... красные глаза.

— Я знаю, кто вы, — спокойно произнес Сен-Жермен.

— Мы не были представлены, — учтиво качнул головой визитер. — Барон Александр Бруджа. К вашим услугам.

— Кардинал Бруджа, — вкрадчиво улыбнулся граф.

— Прошу, называйте меня бароном.

— Как будет угодно. — Сен-Жермен поднял бокал — Александр ответил вежливым полупоклоном, — пригубил вино. — Что заставило вас искать встречи, барон?

— Безысходность.

Удивленный граф поставил бокал на стол, с интересом посмотрел на вампира:

— Откровенно.

— Я хочу, чтобы наши отношения с самого начала строились на принципах открытости, — серьезно произнес Бруджа. — Тем более что даже мой камень не сможет скрыть от вас ложь. Вы слишком хороший маг.

— Вы искренни, — задумчиво подтвердил Сен-Жермен.

— Увы, я заинтересован в вас, а не наоборот. Поэтому приходится делать все, чтобы вы мне поверили.

Граф издал короткий смешок, но было видно, что он несколько растерян оборотом дел. Впрочем, Сен-Жермену не потребовалось много времени, чтобы взять себя в руки. Глаза похолодели, голос стал жестче, он даже подобрался, словно собрался прыгнуть на барона.

— Вы истинный кардинал Бруджа, хозяин Алого Безумия, могущественнейшего Амулета Крови. Вы пьете кровь

и живете черт знает сколько. Мы для вас — пища. Чем я могу помочь вам, кардинал? И для чего?

Александр выслушал графа с непроницаемым лицом. Никаких чувств, никаких эмоций, ничего. Абсолютное спокойствие. Достойно выдержал паузу и, только убедившись, что Сен-Жермен закончил, позволил себе легкую нейтральную улыбку.

— Я знал, что не ошибся.

— В чем? — отрывисто спросил граф.

— Вас выгнали. Не так ли?

— Что... — Старая обида рванула душу Сен-Жермена. — Что вы сказали?

— Позвольте, я закончу мысль? — И тут же, не давая вставить ни слова: — Благодарю. Так вот, любезный граф, будем считать, что вы выполнили долг перед соплеменниками: высказали кровососу в лицо все, что вы о нем думаете, облили презрением и ненавистью. Теперь предлагаю поговорить по-настоящему. Цинично, откровенно и по существу.

Сен-Жермен покачал головой, но вновь не успел вставить ни слова.

— Вряд ли я удивлю вас, сказав, что уничтожение вампиров весьма непростое дело. Вы умный чел и понимаете, что не сможете избавиться ни от меня, ни от моего народа одним щелчком пальцев. Мы есть — это факт. И Тайный Город есть. Это тоже факт. А теперь ответьте, любезный граф, кто является большим врагом вашей расы? Погрязшие в междоусобицах масаны или Великие Дома, терпеливо выжидающие, когда вы совершите фатальную ошибку?

— Не вижу особой разницы.

— А она есть.

— Извольте поведать.

Барон прищурился, нехорошо улыбнулся:

— Источники.

— Что Источники? — не понял Сен-Жермен.

— У моей семьи их никогда не было. И не будет.

— Знаю. Ваша магия имеет специфические особенности.

— Которые делают нас слабее Великих Домов. Мы зло,

но зло, с которым можно бороться. С Великими Домами даже Инквизиторы были вынуждены договариваться.

Граф побледнел от бешенства. Но промолчал.

— Так кто же больший враг вашей расы? Вы все еще не видите разницы?

Сен-Жермен поднялся, медленно прошелся по кабинету, потягивая на ходу вино. Бруджа хладнокровно наблюдал за передвижениями чела.

— Вы пьете кровь.

— Мы никогда не высушим всех челов.

— Вы сильнее.

— Но мы живем только ночью. Солнце несет нам смерть.

— Мы все равно будем врагами. Всегда. Вы для нас всегда будете хищниками. Мы для вас — пищей.

— А разве в вашем обществе действуют иные законы? Вы убиваете друг друга в гораздо больших количествах, чем нужно нам для пропитания.

— Это внутреннее дело. Хотим — убиваем.

— Раз уж зашел разговор... Сколько дуэлей вы назначили во время карнавала?

Лгать было бессмысленно:

— Две.

— И скольких челов вы убили?

— Двух и убил.

— Боюсь представить, что было бы, отправься вы в Венецию не развлекаться, а по делу.

— Речь шла о чести дамы, — поморщился Сен-Жермен. — И вообще, давайте заканчивать с душеспасительными проповедями. Мне прекрасно известно, что ни я, ни большая часть моих соплеменников не являются образцом благочестия.

— Тогда не надо мне напоминать о гастрономических пристрастиях. Вы убиваете, чтобы защитить честь дамы. А я — для того, чтобы жить.

— Хорошо. — Граф поднял ладони. — Хорошо.

Подошел к бутылке, долил в свой бокал вина. И замер, неподвижно уставившись в какую-то точку на стене.

Бруджа тяжело посмотрел на задумавшегося Сен-Жермена.

Ситуация была неприятна барону. Уговаривать вспыльчивого чела, убеждать, умасливать, выслушивать его бредни и нахальные заявления — все это ломало гордость истинного кардинала. Но в самые неприятные моменты, когда хотелось отбросить условности и не мудрствуя лукаво вонзить иглы в шею Сен-Жермена... в эти мгновения в ушах Александра звучал голос дочери: «Торопись использовать этого чела, отец. Граф силен, умен, почти гениален. И сейчас он зол. Очень зол. У него настало время ошибок». Слова Клаудии стоили дорого. Ее уже называли Глазами Спящего, ей верили, считали великой предсказательницей. И барон, смирив гордыню, послушно отправился на встречу с человским уникумом.

— Я маг, — произнес наконец Сен-Жермен. — Я знаю пределы возможного.

Он подошел и уселся в кресло напротив Александра. Теперь мужчин разделяло не более шести футов.

— Я знаю пределы камня. — Кивок на Алое Безумие. — С Великими Домами справиться куда сложнее.

— Но вы хотите попробовать.

— Вы, насколько я понял, тоже.

— Я их ненавижу.

— Общий враг — отличная основа для крепкой дружбы.

— Но что мы можем?

— А что хотели вы?

— Не знаю, — угрюмо ответил Бруджа. — У меня есть сила, но она ничто против Великих Домов. Я уже сражался и потерпел поражение. — Быстрый взгляд на Сен-Жермена. — И челы сражались...

— И нам пришлось договориться, — подтвердил граф. — Даже Инквизиторы оказались неспособными разрушить Тайный Город.

— Вас это смущает?

— Делает осторожным.

— Понимаю. — Бруджа допил вино, задумчиво повертел в руке бокал. — Приятно видеть подобную рассудитель-

ность у челов. «Делает осторожным!» А что вам еще остается? Они рядом. Они выжидают, готовятся прыгнуть. А вы? Вы, доминирующая раса, тоже осторожничаете. Тоже выжидаете. Вопрос: чего?

Выслушивать подобные речи Сен-Жермену было больно, едва ли не физически больно. Но что он мог?

— Не пытайтесь меня разозлить, барон.

— Разозлить? — Александр усмехнулся. — Вы умны, вы талантливы, говорят, почти гениальны. Вы читали Черную Книгу. Ну и что? Вы такой же неудачник, как я. У вас нет шансов. — Вампир выбрался из кресла, прошелся по комнате. — У меня есть Амулет Крови. У меня подрастает отличная предсказательница. У меня есть опыт и ум. У меня... — Осекся. — Но иногда мне кажется, что все предначертано. Что самой судьбой им суждено...

— Что вы сказали?

Бруджа резко развернулся к графу.

— Я сказал, что самой судьбой...

— Судьбой...

«Момент озарения?!» Александр подался к челу:

— О чем вы подумали?

— Обычные заклинания здесь не сыграют, — отрешенно пробормотал Сен-Жермен. — Слишком много факторов необходимо учесть. Нужен не разовый выигрыш, а совокупность факторов, которые приведут к достижению результата. Нужен инструмент, позволяющий управлять Судьбой.

— Я слышал о таком! — Барон придвинулся еще ближе, глаза лихорадочно заблестели. — Аркан Желаний!

— Какой еще аркан?.. Оставьте, я не знаю его формулы...

— А какую формулу вы знаете?

— Формулу? Нет, не формулу... просто мысль... — Граф не сводил глаз с пылающего на груди вампира рубина. — Хватит ли нам силы Алого Безумия?

— На что? Что вы придумали?! — Нетерпеливый барон потряс Сен-Жермена за плечи. — Расскажите!

— Рассказать? — Граф очнулся. Во всяком случае, исчез невидящий, устремленный внутрь взгляд. — Рассказать? — Сен-Жермен весело улыбнулся. — Барон, вы играете в карты?

* * *

Москва, ... километр МКАД,
6 ноября, суббота, 13.29

Харций не смог бы внятно объяснить, что именно побудило его примчаться на пересечение МКАД и Варшавского шоссе. Порыв стал следствием паники, это была одна из тех идиотских мыслей, что приходят в голову после первой волны ужаса, когда ты уже не можешь больше бояться, но еще не способен принимать здравые решения. Страх, заглушающий разум, приутих, хочется действовать, хочется куда-то бежать, что-то делать, как-то исправлять ситуацию, и мысль, дающая возможность поработать ногам, кажется удачной и своевременной. А вдруг Копыто окажется в Южном Форте? А вдруг он согласится вернуть (продать, обменять — неважно!) «Повелитель Вероятностей»? Вдруг? Мысли дикарей витиеваты, словно арабская вязь, и столь же загадочны, смена настроения может произойти молниеносно, и за то время, пока конец будет мчаться в Бутово, уйбуй способен и взять назад слово, и смыться из дикарского логова в неизвестном направлении. Нет, уж лучше подобраться к Копыто поближе, на расстояние прыжка — в некоторые моменты Харций ощущал себя вышедшим на охоту тигром, — сделать предложение (от которого невозможно отказаться) и, если все пойдет в нужном ключе, тут же явиться перед ошарашенным уйбуем собственной персоной.

Мысль была признана удачной, и конец помчался в Южный Форт, продумывая по дороге тактику предстоящих переговоров.

— Копыто! — грозным голосом громыхнул Харций, поглядывая на себя в повернутое зеркало заднего вида. — Где артефакт, что я тебе подарил?.. Нет, не так. Копыто! — На сей раз обращение прозвучало не столь агрессивно, но очень внушительно. — Ты похитил у меня артефакт!

Увлеченный конец яростно сверкнул глазами, восхитился увиденным в отражении бескомпромиссным героем, повторил ужимку еще пару раз, наслаждаясь собственным актерским мастерством, и... чуть не вписался в задний бампер «Жигулей». Голубенький «Жук» Харция, украшенный пятью десятками разномастных бабочек, завилял по полосам, родив увертюру на клаксонах в стиле трэш, и вернулся — без повреждений! — к нормальному движению в спокойном правом ряду.

— Уроды!

Что подумали о конце подрезанные водители, осталось неизвестным.

— Копыто! Я тебя спрашиваю...

Сосредоточившись на репетиции, Харций отвлекся от неприятностей и даже несколько раз улыбнулся своему отражению в зеркале — в те моменты, когда он изображал Копыто. А ведь всего лишь пару часов назад конец всерьез подумывал о бегстве из Тайного Города. Еще бы! Маркиз Барабао вернулся, и несчастный Харций не сомневался, что виной тому — подаренный Копыто артефакт, сделанный еще в одна тысяча девятьсот десятом году.

«Но кто мог подумать, что мерзавец маркиз скроется в примитивном «Повелителе»?!»

Тогда, в начале двадцатого века, во время своего первого пришествия, Барабао наделал много шума. Семья концов объявила огромную премию за ликвидацию злокозненного духа, но убедительных доказательств гибели маркиза никто так и не предоставил. Тем не менее Барабао исчез, а поскольку затаиться он мог лишь в игровом артефакте, было принято беспрецедентное решение: уничтожить все магические устройства, произведенные до одна тысяча девятьсот двадцать первого года. Но, как учит история, подобные приказы никогда не исполнялись на сто процентов.

«Кто мог подумать?»

Харций понял, что реакция семьи будет бурной и непредсказуемой. Он мог только догадываться, какое именно наказание изберут миролюбивые толстяки для провинившегося соплеменника, но не сомневался, что будет оно суровым и беспощадным. Ведь речь шла об основах семейного бизнеса. К сожалению, вариант с бегством, даже при поверхностном рассмотрении, оказался неподходящим. Путешествие требует средств: билеты первого класса, хорошие отели, посещение ресторанов и достопримечательностей — нужны деньги, а их не было, ибо все сбережения Харций вложил в «ТарантасЪ». Бежать же как-то иначе конец смысла не видел: горькую чашу можно испить и на родине. А посему решил сдаться соплеменникам, попытавшись предварительно хоть как-то загладить вину. Возвращение подлого «Повелителя» показалось Харцию хорошей идеей, способной существенно улучшить ситуацию, ибо, насколько он разбирался в магии, имея на руках базовый артефакт, решить возникшую перед семьей проблему будет гораздо проще.

«Жук» прижался к обочине. Харций с омерзением посмотрел на торчащий справа Южный Форт, вздохнул и набрал телефонный номер:

— Копыто? — Откашлялся. — Копыто?

— Кому надо?

— Копыто, это я — Харций!

Конец пытался выдерживать внушительный тон, но голос предательски дрогнул. Впрочем, уйбуй подобных тонкостей не различал и в любом случае ответил бы собеседнику именно так, как ответил:

— Подонок, мля! Мерзкий хорек! Жив еще, скотина?

Харций припомнил стрельбу, учиненную Красными Шапками в клубе, и поежился. И это машинальное движение лишило его последних остатков гонора.

— Копыточко, — елейным голосом заговорил конец. — Скажи, пожалуйста, артефактик, что я подарил... Он еще у тебя?

После этого разговор надолго перешел в неконструктивное русло. Уйбуй выкрикивал ругательства и оскорбления, подробно описывал, как именно он обойдется с собеседником, доведись тому оказаться в казармах Южного Форта, а заодно устроил краткий экскурс в происхождение всех концов и Харция лично. Если верить Копыто, история семьи была крайне неприглядной. И только спустя несколько минут Харцию удалось понять, в чем дело: артефакт разрядился, и уйбуй крайне недоволен этим обстоятельством. Конец приободрился.

— Копыточко, — заблеял он, — получается, артефактик тебе теперь совсем уже не нужен. Да?

— Да! — рявкнул уйбуй. — И пошел ты со своим артефактом...

Харций понял, что предстоит вторая серия неконструктива, и заторопился:

— Копыточко! А давай я у тебя его заберу.

— Что заберу?

— «Повелитель Вероятностей», — невинно ответил конец. — Тебе все равно, а мне надо. Для отчетности...

Вторую серию все-таки пришлось выслушать. Но была она куда менее яркой, чем первая, из чего Харций заключил, что уйбуй предложение понял и теперь пытается его осмыслить.

— Зачем тебе «Повелитель»?

— Для отчета, — повторил конец заранее заготовленную, но, увы, не идеальную версию. Придумать что-нибудь более умное Харцию не удалось.

— Так он же разрядился.

— Э-э... — Мышление Красных Шапок отличалось определенным своеобразием, и концу потребовалось некоторое время, чтобы понять, что имеет в виду собеседник, и найтись с ответом: — Потому и нужен: показать, что разрядился, и поставить галочку в журнал.

— В какой такой журнал?

— Фиксирования игровых артефактов, — буркнул Харций. — Слушай, Копыточко, не влезал бы ты в эти заморочки, а то совсем мозги поломаешь. У нас тоже есть бюрократия, и я должен...

— Бесплатно не отдам! — Уйбуй наконец сообразил, что происходит, и сделал правильный вывод.

Харций беззвучно проклял дикарскую жадность.

— Эй, придурок! — Копыто зажал пальцем микрофон и мрачно посмотрел на Иголку. — Слышь, мелкий, поди вон в тот угол и найди «Повелитель», я его куда-то туда зашвырнул.

— Зачем?

— Мля, боец, ты чо, совсем запутался?! Исполняй, мля!

Иголка, ругаясь сквозь зубы, отправился в указанном направлении.

— Пустую тару пристроил, — важно объяснил уйбуй, поймав недоуменный взгляд Контейнера. — Оказывается, игровые артефакты вернуть можно, для этой... концовской отчетности. За большие деньги.

— Десять тысяч за разрядившийся артефакт? — вытаращил глаза здоровяк.

— Угу. Круто я его развел, да?

— Так эта... — Контейнер сделал большой глоток виски. — С чего бы это концу нам такие деньги платить? Здесь, типа, грязно!

— Что?

— Ну, эта, типа, нечисто. Вот. Здесь.

Ответить Копыто не успел. Обдумать слова подчиненного тоже. Потому что второй подчиненный как раз в этот момент принес «Повелитель Вероятностей». В смысле, то, что от него осталось.

— Наступил кто-то, — сделал вывод Иголка, беззаботно помахивая чем-то расплющенным. — У наших ботинки тяжелые...

Уйбуй громко выругался.

— Копыточко, — донеслось из телефона. — Копыточко, что там с моим артефактиком?

Конец заподозрил неладное.

— Приезжай, — после паузы буркнул уйбуй. — Деньги бери и приезжай. Десять тысяч бери, как договаривались. Без денег не отдам.

Контейнер нехорошо улыбнулся и показал, как именно открутит концу голову. Копыто, поразмыслив, согласно кивнул. Иголка хихикнул.

Но Харций не был идиотом, а потому, не услышав в голосе дикаря энтузиазма, насторожился:

— Копыточко, а ты уверен, что с артефактиком все в порядке? Он цел?

— Цел, цел...

— Ты уверен?

— Уверен, уверен... Приезжай, в натуре... Только с деньгами.

Хотелось мчаться в Форт, не разбирая дороги. Затребованные дикарем десять тысяч у конца были: это все, что оставалось на карточке «Тиградком», но природная осмотрительность не позволила Харцию попасть в ловушку.

— Оставайся у себя, — произнес конец важно. — К тебе мой посыльный подъедет. Хван.

— Зачем хван? — насторожился Копыто. Четырехрукие убийцы наводили на Красных Шапок панический ужас. — При чем тут хван?

— Затем, — охотно объяснил Харций, — что, если все будет в порядке, он артефакт заберет и деньги заплатит. А если ты меня обманываешь, то он тебе бандану отрежет. В смысле — то, что ты там, под банданой, носишь. И стоить это будет те же самые десять тысяч...

Уйбуй скривился. Лишаться почти уже заработанных десяти тысяч страшно не хотелось, но встреча с хваном не сулила ничего хорошего.

Копыто печально посмотрел на раздавленный «Повелитель».

— Совсем забыл сказать, Харций, — пропал твой артефакт. Тута его кто-то...

Конец не стал выслушивать рассказ уйбуя. Отключил телефон, бросил его на соседнее сиденье, положил руки на руль и опустил голову. Бывает так: хочешь всего и сразу, а получаешь ничего и постепенно. Черная полоса оказалась чересчур широкой, даже такая мелочь — поиск базового артефакта Барабао — не удалась. «Все против меня!» Харцию мерещились соплеменники: добродушные толстяки в разноцветных пиджаках, шелковых рубашках и золотых цепях. Большинство сжимало в руках бейсбольные биты с торчащими гвоздями. «Я разбудил Барабао!» Фраза звучала приговором.

«Птиций! — Впервые с начала кризиса Харция посетила действительно дельная мысль — управляющий «Ящеррицей» пользовался большим авторитетом в семье и мог заступиться за непутевого приятеля. — Надо ехать в «Ящеррицу», а там будь что будет!»

* * *

Клуб «Ящеррица».
Москва, Измайловский парк,
6 ноября, суббота, 14.23

— Теперь, Захар, вам известно все. — Сантьяга сделал маленький глоток красного вина и вернул бокал на стол. И ни на мгновение не оторвал от епископа внимательный взгляд черных глаз. — Вы понимаете, что я ничего не скрыл — в противном случае разговор потерял бы всякий смысл.

Треми молча кивнул. Он понимал. И, самое главное, верил. Сантьяга умен, он никогда не рассказывает все, что знает, всегда оставляет в запасе пару-тройку фактов, способных повернуть ситуацию на сто восемьдесят градусов — кто знает, что потребуется Великому Дому Навь? Но сейчас — Захар не сомневался — комиссар был искренним до конца. Слишком важный вопрос обсуждался. Речь шла не о тактике — о стратегии. Не интригу замыслил Сантьяга, а грандиозный замысел, призванный исправить старые ошибки и изменить будущее целой семьи. Ум, проницательность и хитрость против многовековой ненависти и смертельной вражды.

— У нас есть шанс, Захар.

— План, — поправил комиссара Треми. — У нас есть отличный план.

— Вы в него верите?

— Вы ведь знаете, как я отвечу, — поколебавшись, произнес епископ.

— Вам надоело убивать братьев.

— Да. — Захар отвел взгляд, побарабанил пальцами по столешнице. — Но ведь и вы не хотите продолжать войну.

— Вы верите в мой план? — с нажимом повторил вопрос Сантьяга.

Непоколебимая вера в успех, в то, что предстояло сделать, была одним из ключевых условий достижения цели. Треми понял это, когда нав объяснил ему его задачу — без стопроцентной уверенности в себе за нее не стоило браться. Епископ прищурился, вспоминая слова Сантьяги, интонацию, жесты... Нет сомнений — нав заинтересован в успехе, для него это важно.

«Хорошо. Очень хорошо».

— Вы верите в мой план?

— Он слишком жесток.

— Мы слишком далеко зашли с этой войной, — холодно ответил комиссар. — Выйти из нее без жертв не получится.

«А продолжать ее — лить еще больше крови...»

— Итак?

Тон Сантьяги не оставлял сомнений: вопрос прозвучал в последний раз. Пора давать четкий ответ.

— Я верю, комиссар, — вздохнул Захар. — Я верю в ваш план. Я готов сделать все, чтобы он осуществился.

Всего на одно мгновение взгляд Сантьяги стал ОЧЕНЬ цепким и жестким: нав оценивал искренность епископа.

— Хорошо, Захар. Я рад, что этим займетесь именно вы.

Клан Треми всегда был верным. Сначала Сила сделал все, чтобы разжечь войну, потому что этого хотела Навь. Теперь Захар сделает все, чтобы закончить войну. Потому что этого хочет Навь.

«Интересно, что с нами было бы, не встреть мы навов? Неужели смогли бы жить самостоятельно?» Но епископ был неглуп и подобные вопросы никогда не произносил вслух. К тому же он понимал, что вмешательство Темного Двора избавило масанов от куда более страшной катастрофы: если бы челы натравили на семью Инквизиторов, вампиры остались бы жить лишь в легендах.

Тем временем комиссар жестом подозвал официанта и негромко задал ему вопрос. Пухленький конец, ожидавший, что уважаемый клиент закажет что-нибудь или потребует счет, удивленно вытаращился на Сантьягу, и лишь повторное обращение заставило его утвердительно кивнуть.

— Проводите меня к ним! — Комиссар поднялся и посмотрел на задумавшегося Треми. — Захар, мне нужно кое с кем встретиться. Не сочтите за труд — дождитесь меня.

Епископ молча кивнул.

— Это невероятно!

— Это ужасно!!

— Это катастрофа!!!

— Да, господа, да — это катастрофа.

Семейные проблемы принято решать в узком кругу, не вынося, так сказать, сор из избы, поэтому на секретное совещание в «Ящеррице» собрались только самые видные и авторитетные продавцы легкой жизни. Птиций, управляющий лучшим клубом Тайного Города «Ящеррица», Бонций, управляющий крупнейшим казино «Реактивная Куропатка», Мурций, управляющий баром «Три Педали», Клаций, директор Тотализатора, и Ляций, директор Тотализатора. Что делать в сложившейся ситуации, концы не представляли, а потому, рассевшись за большим столом и сложив на животиках украшенные перстнями и браслетами ручки, горестно переглядывались, издавали панические вопли и искренне надеялись, что кто-нибудь сумеет придумать, как из всего этого выпутаться.

— Он проснулся!

— Он снова гадит!!

— Его разбудили!!!

— Будем откровенны, господа: его разбудила какая-то сволочь.

Некоторое время присутствующие обдумывали последнее высказывание.

— Давайте поймаем эту сволочь и примерно накажем, — предложил Ляций.

— Давайте, — поддержал агрессивного напарника Клаций.

— Здравая мысль, — согласился Бонций.

— Великолепная, — кивнул Птиций.

— Кто будет ловить? — уточнил Мурций.

Вновь наступила тишина.

— Я ловить не буду, — сообщил Ляций. — Я не умею.

— Я тоже не умею, — примазался Клаций. — К тому же я терплю убытки.

— Это я терплю убытки, — насупился Бонций. — А кое-кто мерзко хихикает.

— Друзья, я вам искренне сопереживаю, — поспешил признаться Птиций. — Меня сильно тревожат семейные ценности, и... Кстати, кто-нибудь уже видел мой новый кордебалет?

«Ящеррица» славилась развлечениями, танцами и красочными шоу. Птиций не устанавливал в клубе игральные автоматы, кризис обошел заведение стороной, и хитрого управляющего постоянно сносило на излюбленные темы.

— Кордебалет?

— Да, господа, да, набрал новых девочек. Недешевое удовольствие, но ведь надо как-то оживлять...

— Птиций, у нас проблемы, — буркнул Бонций. — Тебе о них рассказывали.

— О!

Концы погрустили еще некоторое время, после чего Мурций осторожно предложил:

— Давайте пожалуемся в Зеленый Дом? Пусть королева оторвет от трона свою роскошную задницу и сделает для нас что-нибудь полезное и нужное. Не все ей налоги драть.

Мысль о роскошной королевской заднице и о том, сколько всего полезного и нужного Ее величество может сделать с ее помощью, на мгновение привела концов в отличное расположение духа. Присутствующие одновременно прикрыли глаза, причмокнули и плотоядно улыбнулись.

— Нельзя, — вздохнул Клаций.

— Почему?

— Потому что тогда о появлении Барабао узнает весь Тайный Город.

— И пусть знает!

— И все спросят, чего это мы так заволновались, — объяснил Ляций.

— Как, чего мы заволновались? А нарушение режима секретности? А если челы что-нибудь пронюхают? Барабао — наша общая проблема!

— Это понятно, — поморщился Бонций. — Но всем известно, что маркиз мешает только нечестным игрокам. Соответственно, если наша семья испугалась его возвращения...

По Тайному Городу поползут нехорошие слухи, и концы начнут нести настоящие убытки — вряд ли публика пойдет в бесчестные заведения.

— А мы скажем, что страдают принадлежащие нам человские казино.

— Кто в это поверит?

— Поверить-то, может, и поверят, — вздохнул Клаций, — но что толку? Предложат вести дела честно.

— Да еще и посмеются.

— Но осадок все равно останется.

— Начнут думать о нас всякое.

— Это точно.

— М-дя... неприятная ситуация, — подытожил Мурций.

— К Зеленому Дому обратимся только в самом крайнем случае, — решительно произнес Бонций. — Если не придумаем ничего умнее.

— Подождем до вечера? — уточнил Ляций.

— Нет, вечером я не могу, — пробормотал несколько отвлекшийся Птиций. — Барон Велимир отправился по делам в Сингапур, и я пообещал его драгоценной супруге привезти два билета на завтрашнее шоу. Бедняжка хочет сделать мужу сюрприз.

— Сюрприз у нее получится!

— Но почему бедняжка?

— Она столь наивна... — Птиций кашлянул. — Так что, господа, вечером придется обойтись без меня.

— Позвольте, — вскинул голову Клаций. — Супруга барона Велимира... это же... Ольга!

— Ольга Неприступная, — хихикнул управляющий «Ящеррицы».

— Племянница королевы Всеславы.

— Да, господа, да — все правильно. Теперь вы понимаете, что у меня чрезвычайные обстоятельства?

— Птиций, ты молодчина!

— Герой!

— Спасибо, господа, спасибо! Но праздновать пока рано...

— Нет уж, нет уж: шампанского за успех!

— Помнится, я подбивал к ней клинья, но барон...

Уберечь своих женщин от визита лысых толстяков могли лишь ОЧЕНЬ серьезные персоны Тайного Города, те, с кем концовское общественное мнение НАСТОЯТЕЛЬНО не рекомендовало связываться. Все остальные дамы рано или поздно попадали под прицел любвеобильных продавцов легкой жизни. Впрочем, иногда не спасал и авторитет — концы отличались склонностью к конспирации.

— Зная крутой нрав Велимира, я решил, что женушка у него, без сомнения, фригидна.

— Надеюсь, все пройдет как надо и барон ни о чем не узнает.

— А как насчет нашей проблемы? — хмуро поинтересовался Бонций.

— Я думаю над ней уже несколько часов, — признался Птиций. — Дом барона прекрасно охраняется, незаметно пробраться будет сложно. Правда, Ольга обещала...

— Я о проблеме Барабао!

— Ах...

Концы переглянулись. Услышав о предстоящей победе Птиция, каждый из присутствующих принялся лихорадочно обдумывать, чем утереть нос пронырливому шоумену, и возглас Бонция они восприняли с кислыми минами.

— Давайте наймем кого-нибудь?

— Правильно! Пусть найдут и разберутся.

— У нас есть дела поважнее.

— Кстати, я не рассказывал, что познакомился с Луизой де Лок? Она внучатая племянница Себастьяна де Лока, магистра Горностаев, а значит, приходится родственницей самому Францу де Гиру. Замечательная девушка...

— Так что мы будем делать с Барабао?! — рявкнул озверевший Бонций.

— Что делать, что делать... — насупился Птиций. — Предлагаю остановиться на наемниках, им молчать положено по Кодексу.

— А кто будет платить?

— Кто терпит убытки.

— Не согласны! — в один голос заорали Клаций и Ляций.

— Позвольте узнать, с чем?

Концы замолчали и резко обернулись. В дверях стоял Сантьяга.

По дороге в «Ящеррицу» Харцию пришлось дважды останавливать машину и ждать, когда перестанут дрожать руки. Он обливался холодным потом, несмотря на то, что кондиционер буквально поджаривал воздух в салоне. Его тошнило от страха. В общем, к клубу подъехала даже не тень Харция, а так, остатки ауры. Бледный, взъерошенный, он выбрался из автомобиля, доковылял на подгибающихся ногах до клуба и срывающимся голосом попросил доложить Птицию. Охранник вежливо ответил, что управляющий на совещании, и предложил обождать в баре. Это слово напомнило Харцию челловскую привычку топить неприятности в вине:

«А что еще остается?»

Две подряд порции неразбавленного джина настроения не улучшили и неприятности не утопили, скорее наоборот — тучи сгустились сильнее. Зато появилась некоторая лихость в принятии решений.

Харций оглядел пустой зал, наткнулся взглядом на Захара Треми, одиноко потягивающего вино за столиком, икнул и, прихватив третью порцию джина, нетвердым шагом направился к вампиру.

«Как раз то, что мне нужно! Или поможет, или *высушит*!»

Впоследствии, отвечая на вопрос, отдавал ли он себе отчет в своих действиях и почему для исповеди выбрал именно Захара, Харций убежденно заявлял, что в тот момент его направлял сам Спящий.

Обвинять навов бессмысленно: они жестоки, но рациональны. Им нужен был договор с челами, нужно было остановить Инквизиторов...

«Нет, — поправил себя Захар. — Тайному Городу нужен был договор с челами, Тайному Городу нужно было любой ценой остановить Инквизиторов, и этой ценой стали мы. Нас раздавили, чтобы успокоить челов, но... Нас предупреждали. Нас просили остановиться».

И лишь после того, как истинные кардиналы отказались прислушаться к голосу разума, Сантьяга нанес удар. Расколол семью, навесил на гордых и свободных ярлык мятежников и направил против них гарок.

«Что ж, даже великие могут ошибиться — истребить враждебных вампиров Темному Двору не удалось. Тупик. Но ведь на то они и великие — понятия тупик для них не существует. Они всегда найдут выход...»

Платить за который придется семье Масан.

Захар поднял глаза и безразлично посмотрел на робко опустившегося за столик конца. Как обычно: лысый, невысокий, ярко одет и увешан золотыми побрякушками. Лицо показалось смутно знакомым, но Треми не собирался сосредотачиваться на неожиданном госте. Он не хотел даже прогонять его — пришел, и Спящий с ним. Епископ отвернулся, планируя продолжить размышления, но...

— Помоги мне, — жалобно попросил конец.

Запахло можжевельником.

— Господа, вы кажетесь несколько взволнованными.

— Ну что вы, комиссар!

— О чем вы, комиссар?

— Вам показалось, комиссар!

— Все уже в прошлом...

Ляпнувший не то Птиций прикусил язык и виновато посмотрел на соплеменников. Улыбочки на круглых конповских личиках сделались ненатуральными, но уже через мгновение все вернулось на круги своя.

— Вы ошиблись, комиссар!

— Не желаете шампанского?

— Не откажусь.

— А мы тут собрались старой компанией.

— Поговорить о том о сем.

— О женщинах, конечно.

— На прошлом балу королева Всеслава делала недвусмысленные намеки Птицию.

— У нашего шалуна грандиозные планы!

— Главное, чтобы барон Мечеслав не помешал.

— Шампанское великолепно.

— Благодарю.

— Ваше здоровье.

— Заехали в «Ящеррицу» отобедать?

— Совершенно верно, — подтвердил Сантьяга. — А заодно сказать, что вы напрасно рассчитываете решить проблему Барабао без помощи Великих Домов.

К чести своей, концы справились с потрясением быстро. Отвисшие челюсти захлопнулись, губки растянулись в улыбках, глазки вновь замаслились, но, увы, прежнего задора не чувствовалось. Толстяки, подобно встревоженному стаду баранов, откочевали к письменному столу и попытались издалека сгладить ситуацию:

— С чего вы взяли?

— Комиссар, вы ошиблись!

— А кто такой этот Барабао?

— Вам напомнить? — кротко осведомился нав.

Половина концов потупилась, а вторая зашикала на задавшего нелепый вопрос Мурция. Улыбочки растаяли, на лбы накатила печаль, и даже златые цепи на грудях бренчали без радости.

— Он вернулся, — вздохнул Птиций. — Глупо это скрывать.

— Мы пропали.

— Кроме меня и вас, никто еще не знает об этом, — улыбнулся Сантьяга. — И чем быстрее мы справимся с проблемой, тем будет лучше для всех.

Стадо испустило вздох облегчения, вполне сравнимый по мощи с «ветром дикой охоты» — бешеным смерчем, способным сдуть с поля боя фалангу тяжелой пехоты.

— Да!

— Так будет лучше!

— Мы знали, комиссар, что с вами приятно иметь дело!

— Кто-нибудь, принесите еще шампанского! Нам есть что праздновать!

— Но почему вы решили нам помочь?

Умный Мурций не поддался всеобщей эйфории, и, когда до его сородичей дошел смысл вопроса, они вновь сгрудились поближе друг к другу.

— Да, комиссар, зачем вам это?

— Что за благотворительность?

— Что вам нужно?

— Унесите шампанское!

— Мне нужен Барабао, — спокойно ответил нав. — Я пущу по его следу охотников, а когда они доберутся до маркиза, сделаю так, чтобы он никогда больше вам не докучал. Это мое обязательство. Ваше дело — плата охотникам.

— Если он вам так нужен, сами и платите охотникам, — предложил жадный Клаций.

— Хорошо, — пожал плечами Сантьяга. — Вернемся к вопросу через неделю.

— Но...

— А заодно я поделюсь с «Тиградком» мыслями относительно кое-каких событий в игорных заведениях Тайного Города.

Несколько секунд концы нервно переглядывались, после чего Птиций на правах хозяина выразил общее мнение:

— Не надо через неделю. И мыслей не надо. Давайте договариваться сейчас.

— Давайте, — согласился комиссар. — А начнем с того, что пригласим охотника.

— Они наверняка узнали, что Барабао проснулся, — простонал Харций, прихлебывая джин. Третью порцию с тех пор, как он оказался за столиком Захара. — Они ведь все жулики. Во всех семейных казино сейчас проблемы. Я уж не говорю, какая паника творится на Тотализаторе.

— Ну, знают, — рассудительно произнес Треми. — Ну и что?

— Они меня найдут и накажут.

— За что?

— Вот и я не понимаю, за что? — всхлипнул конец. — Дедушка был честным концом, его любили. И уважали. И любили. И уважали... — Епископу показалось, что Харция заклинит, но конец сумел вырваться из ловушки: — Я и подумать не мог, что этот мерзавец спрячет в артефакте Барабао! Откуда мне было знать?!

— Но ведь существует запрет на старые игровые артефакты, — припомнил Захар.

— Вот и я говорю: откуда мне было знать? Подумаешь — запрет! А если денег нет? Да и дедушка ни в чем таком замечен не был.

Треми опасался, что поддатый конец вернется к ругательствам в адрес подставившего его предка, но Харций ограничился коротким:

— Тварь!

И на время присосался к стакану с джином.

Епископ вежливо улыбнулся.

Первое появление Барабао концам удалось сохранить в тайне. Почувствовав опасность, нависшую над семейным бизнесом, легкомысленные толстяки сплотились и приняли радикальные меры: уничтожили все старые игровые артефакты и ввели трехлетний мораторий на производство новых. Маркиз, который мог существовать только в магических устройствах, исчез, и концы решили, что одержали победу. Чуть позже они протащили запрет через канцелярии Великих Домов, и отныне, обнаружив на своем чердаке старинный шулерский артефакт, вам следовало в обязательном порядке сдать его за небольшое вознаграждение в Службу утилизации.

— Одним словом — я в дерьме, — резюмировал Харций. — И душу тебе раскрыл, потому что в дерьме. Прости. Но я должен был с кем-нибудь поделиться. Так тяжело носить ее в себе... в смысле: его в нем. То есть: их в нас...

— Я понял, что ты имеешь в виду, — кивнул Захар.

— Правда?

— Честно.

— И ты мне поможешь?

— Каким образом?

— Поймай этого мерзавца...

— Твоего дедушку?

— Нет, Барабао. Поймай и засунь куда-нибудь. Тогда они его не найдут и не узнают, что это я его выпустил.

Официант принес еще одну дозу можжевелового топлива, Харций замолчал, не желая говорить о страшных тайнах при посторонних. Захар бросил взгляд на часы — Сантьяга задерживался — и продолжил разговор:

— Откуда он вообще взялся?

— Кто?

— Барабао.

— А-а... это поучительная история. — Конец хлебнул джина. — Долгая и нудная.

— У нас есть время.

Харций вздохнул, сделал еще один глоток, размышляя, стоит ли выдавать чужаку семейные тайны, но пересилил себя — в Захаре конец видел единственную надежду на спасение.

— Все началось в начале двадцатого века. Ну, ты помнишь, как тогда жили: у челов то революции, то войны мировые, то в Сибирь что-то падает, то еще что-нибудь. Как на вулкане, одним словом...

— Вы? — удивился Треми. — То есть мы жили как на вулкане?

Сытые революционные времена епископ помнил прекрасно, но чтобы кто-нибудь из Тайного Города беспокоился насчет человских заварушек? Тут конец палку перегнул.

— Все равно это были нервные годы, — махнул рукой Харций. — И наша семья старалась заработать немного лишнего золотишка на черный день...

Как и большинство проблем современности, появление маркиза Барабао стало результатом жадности и глупости. Неясное ощущение надвигающейся катастрофы стряхнуло с местных челов обычную богобоязненность. Общество охотно предавалось старым порокам и с любопытством примеряло новые. Публичные и игорные дома процветали, и предприимчивые концы организовали целую сеть шулерских притонов, в которых состояния спускались не реже, чем в официально зарегистрированных казино. А может, и чаще, ибо хитрые толстяки не гнушались обыгрывать челов с помощью магии.

— Обычно у нас с этим строго, но тогда мир летел в тартарары. Все это чуяли и плевать хотели на запреты.

— Да, я помню, — скупо кивнул Захар.

В те годы даже Догмы Покорности исполнялись не так строго, как обычно: Забытая пустынь пребывала в растерянности, и Сантьяга позволял вампирам некоторые вольности.

— Свобода нас и сгубила.

Тот проигрыш был не очень велик: наличные, пара долговых расписок и золотые побрякушки, которые юнец ставил на кон последними, не желая подписывать необеспеченные расписки. Всего на тридцать одну тысячу шестьсот восемьдесят девять рублей. Мелочь, конечно, но существовали три обстоятельства. Первое: это было все состояние Андрея Фонрейзова, студента Университета и последнего представителя небогатого дворянского рода. Второе: концы выиграли с помощью магии. Третье: после смерти родителей Андрея за молодым человеком присматривал их старинный друг...

— Граф Спицын объявился на следующий же день. Обманом заставил приехать в условленное место четверых наиболее уважаемых членов семьи и потребовал, чтобы мы признались мальчишке, что жульничали, вернули все деньги и выплатили еще столько же в качестве компенсации.

Граф был Хранителем Черной Книги и мог себе позволить выставлять условия семьям Тайного Города.

— Насколько я понимаю, вы отказались.

— К сожалению, — шмыгнул носом конец. — Мы наябедничали в Зеленый Дом, люды организовали засаду на Спицына, но тот, видимо, почуял подвох и на вторую встречу не явился.

Все пошло своим чередом: граф опять исчез, мальчишка Фонрейзов отправился в Европу, на деньги благодетеля, разумеется, а притоны продолжали приносить стабильную прибыль. К сожалению, концы не учли, что скверным характером Спицына восхищался сам Сантьяга. И добавлял, что столь талантливого Хранителя у челов не было со времен Брюса.

— Мы и подумать не могли, что этот мерзавец сумеет материализовать Духа Честной Игры! — Харций уставился на Треми. — Ты представляешь, что это значит?

— Нет, — честно ответил вампир.

— Он оживил кусочек Великих Законов Игры, понимаешь?! Из-за тридцати одной тысячи шестисот восьмидесяти девяти рублей с николаевским профилем. Идиотизм! Ни один Великий Дом не пошел бы на подобное... Я даже представить себе не могу, какие усилия пришлось приложить Спицыну! И никто не может представить! Древний дух, всегда существовавший в виде закона природы! А этот чел нарядил его в красный камзол, обозвал маркизом Барабао и отправил долбить наши игорные дома!

И в Москве наступила эра честности. Любое нарушение правил Игры каралось не просто строго — безжалостно. Рушились самые продуманные комбинации, неожиданно разбивались скрытые зеркала, привлекая внимание соперников, перепутывался крап, и даже самый лучший катала не мог перетасовать колоду так, как хотел.

— Я уже не говорю о полицейских, которых он каким-то образом наводил на притоны. — Харций повертел в руке пустой стакан. — Мы потеряли миллионы.

Епископ расхохотался.

— Ничего смешного, — буркнул конец.

— Извини... — Вампир честно постарался стереть с лица ненужную веселость, но краешки губ предательски приподнимались в улыбке. — Скажи, Барабао все-таки дух?

— Теоретически — да, — подтвердил Харций. — Но с очень широкими возможностями. Этот мерзавец слишком хорошо знал законы Игры...

— Я уже запутался в твоих мерзавцах, — признался Захар. — Давай оставим это слово для твоего дедушки, а графа Спицына назовем...

— Мой дедушка был выдающимся концом, — возмутился Харций.

— Допустим, — не стал спорить масан. — Но я хотел поговорить о другом. Если Барабао — дух, почему его не могут вычислить? Ведь работающие духи оставляют четкий след магической энергии.

— Маркиз не оставляет.

— Почему?

— Потому что этот мерзавец...

— Какой на этот раз?

— Спицын.

— Понял, продолжай.

— Так вот, этот мерзавец сделал так, что Барабао использует для работы остаточный энергетический фон. Короче, этот мерзавец тянет в себя окружающий магический мусор: шумы Источников, остатки заклинаний, естественные волны. В общем, его даже Великие Дома не вычислят!

Конец прервался, чтобы допить очередную порцию джина. Масан вздохнул.

В принципе, Харций не сообщил ничего нового — обо всем, кроме истории появления Барабао, епископу рассказывал Сантьяга. Но увлеченный основным замыслом Захар совершенно упустил из виду то, в какой шок повергло концов возвращение маркиза. Это казалось незначительным. А вот комиссар считал иначе.

«Все войны, которые вел Темный Двор, были оправданны с экономической точки зрения». Аксиома. И расчетливый Сантьяга нашел тех, кто оплатит операцию Темного Двора.

«Мы сделаем то, что нам необходимо, да еще получим прибыль. Нет, не «мы». Я воин, мне бы не пришло в голову, что битва за будущее семьи тоже требует средств». Треми вздохнул, посмотрел на Харция, задремавшего с недопитым стаканом в руке, улыбнулся и, перегнувшись через стол, потряс конца за плечо:

— Харций!

— А? — Толстяк осоловело посмотрел на вампира. — Что?

— Ты меня понимаешь?

— Вполне. — Харций подобрал слюни. — А что?

— Помнишь, о чем мы говорили?

— Угу.

— Езжай домой и спи спокойно — я тебе помогу.

— Поможешь?

— Даю слово.

* * *

Игорный дом «Два Короля».
Москва, улица Большая Каретная,
6 ноября, суббота, 14.25

Мобильный телефон Крылова не отзывался почти час. Секретарша Ахметова набирала номер непрерывно, дважды выслушивала вопли разъяренного шефа, но ничего не могла поделать с фразой: «Аппарат абонента выключен или находится вне зоны действия сети». И всерьез опасалась, что в следующий раз Эльдар не удержится от рукоприкладства — таким взвинченным выглядел Ахметов.

— Ну?

— Ничего, Эльдар Альбертович...

— Идиотка!

Ахметов вернулся в кабинет, грохот захлопнувшейся двери разнесся, казалось, по всему игорному дому.

«Аппарат абонента выключен или находится вне зоны действия сети».

Эльдар специально не торопился ехать к Никите, боялся, что сорвется, что встреча закончится убийством, заставил себя позвонить, услышать голос друга, хоть немного успокоиться. Когда первые попытки дозвониться не принесли результата, Ахметов связался с охраной дома и получил заверение, что Крылов не покидал свою квартиру. Два личных телохранителя, несущих вахту у дверей, информацию подтвердили. Тем не менее не отвечал ни домашний, ни мобильный... Спит? В ванной? Или до него все-таки добрались? Последний вариант Эльдар после недолгих колебаний отбросил: парням у дверей он доверял, как себе, до Крылова могли добраться, только убив их. «Тогда в чем дело?»

— Эльдар Альбертович, Никита Степанович на третьей линии...

Ахметов схватил трубку:

— Кит!!

— Привет! — Голос у Крылова был веселый, довольный, судя по фоновым шумам, он ехал в машине. Работало радио.

«В машине?»

— Ты где? Разве не дома?

— Мне нужно было съездить кое-куда.

— Куда?

— Эльдар, о чем ты хотел поговорить?

«Почему охрана уверена, что Никита дома?»

— Кит, у нас проблемы.

— Какие?

— Даньшин работал на Цвания.

— Работал?

— Сейчас он перестал это делать.

— Отлично! Но в чем проблема?

Ахметов прищурился, замолчал, недоуменно покачивая головой: не так должен был реагировать Крылов на сообщение, совсем не так. Слишком сухо, слишком деловито, слишком безразлично. На мгновение Ахметов даже усомнился в том, что говорит с Никитой.

— Мы недооценили оборот, в который попали. За нас взялись основательно.

— Не паникуй и ничего не придумывай — за нас взялись обыкновенно. Купили доверенного человека... ну и что? Большинство наездов опирается на предателей. Все в порядке.

— Даньшин знал слишком много.

— Но ведь меньше нас?

— Меньше.

— Тогда чего ты боишься?

«Это на самом деле Никита?»

— Ты можешь приехать в «Короли»?

— Не сразу. Сначала я должен заехать домой.

— Кстати, куда ты ездил?

— Эльдар, я только что решил проблему Цвания, — после паузы ответил Крылов. — Сейчас возвращаюсь домой, у меня дела. Встретимся позже. О'кей?

«Я только что решил проблему...»

Эта фраза позволила Эльдару понять, с каким Крыловым он разговаривает. С ТЕМ САМЫМ Крыловым — взлохмаченные волосы, пустые жестокие глаза, искривленный рот. И поступки, достойные захвативших его демонов. Немудрено, что Эльдар не сразу понял ситуацию — единственный раз он видел ТОГО САМОГО Никиту пятнадцать лет назад. Тогда Крылов поставил на кон свою жизнь, а те, с кем он играл, — жизнь Ахметова. Никита мог уйти, но рискнул, потому что считал Эльдара другом. Рискнул и выиграл. Подарил Ахметову будущее.

А потом он сделал то, на что не хватило духу у Эльдара, — вернулся и убил всех, с кем играл.

«Я только что решил проблему...»

Так он сказал тогда. Но Ахметов видел пустоту в глазах и понял, что проблему решил не Крылов. Проблему решили демоны.

Эльдар положил трубку.

Как Крылов решил проблему на этот раз? Можно сделать вывод, что Цвания мертв: те же слова, те же демоны в голосе. Но Ахметов сомневался. Давид хорошо заботился о своей безопасности и не позволил бы Никите приблизиться на расстояние удара. Тогда что?

«Они договорились? Решили меня подставить?»

Мысль неприятно кольнула. Сам бы Крылов ни за что не предал его — в этом Эльдар был уверен на сто процентов, но оставался фактор Анны.

«Анна... Что же я знаю о тебе? Умна, красива, самостоятельна. Ты работаешь на Цвания или Гори? Вполне возможно. Но...» Для шпиона Анна действовала слишком нелогично: начала обрабатывать одного, перескочила на другого... Или в этом и заключалась цель? Поссорить «Двух Королей»?

Эльдар закурил. Гадать бессмысленно, правду же можно узнать, лишь проанализировав факты. Факты, в свою очередь, следует получать из надежных источников, например, допросив Анну. Жаль, конечно, резать на куски такую красавицу, но, увы, жизнь жестокая штука.

Сигарета слегка подрагивала в пальцах. Перед глазами появлялось ее лицо, пышные волосы, полные губы, шея, плавно переходящая в плечи...

— Сука.

Дверь чуть приоткрылась.

— Эльдар Альбертович...

— Вон!

— Эльдар Альбертович, включите телевизор. Криминальная хроника...

Ахметов понял, что увидит.

«Я решил проблему...»

Кит, ты совсем не изменился. Те же демоны.

Палец надавил на кнопку нужной программы. Экран телевизора ожил, появилось изображение богатого кабинета: широкий письменный стол, кожаное кресло... и мертвый человек на полу. Оператор не показывал убитого крупным планом — запрещено, но Эльдар знал, о ком идет речь.

— Задержать убийцу по горячим следам не удалось. Более того, полицейские выражают сомнения в том, что это вообще удастся сделать...

* * *

Коттеджный поселок «Царский Угол».
Ближнее Подмосковье,
6 ноября, суббота, 14.36

— ...нет ни одного свидетеля. Никто не видел входящих в кабинет Давида Цвания убийц, никто не слышал выстрелов. Охранники «Изумруда» не способны объяснить, как вооруженным людям удалось проникнуть в тщательно охраняемое казино. Полиция подозревает, что...

Автандил Гори, не отрываясь, смотрел на экран. Мертвые тела в кабинете, фасад казино, полицейские джипы и кареты «Скорой помощи». Удивленное лицо Гиви, начальника охраны. Конечно, его придется серьезно допросить, но даже через телевизионный экран Автандил видел, что Гиви ошарашен произошедшим. Нет, он не сдавал.

— Босс, ты слышал...

Шишнанадзе даже не постучал, вихрем ворвался в кабинет, добежал почти до Гори и остановился, когда понял, что именно смотрит хозяин.

— Цвания...

— Пришел доложить о том, что уже по телевизору показывают?!

В черных глазах Автандила вспыхнули бешеные огоньки. Шишнанадзе отвечал за внутреннюю безопасность, и убийство Давида было его проколом. Не обеспечил. Не предусмотрел.

«А может, он сдал?»

«Кому?»

Вопрос мучил Гори с того самого момента, как он узнал об убийстве Цвания. Кому это понадобилось? Чемберлен решил заступиться за «Королей» после неудачного покушения на Крылова? Это был единственно возможный вариант... и самый невероятный. Автандил хорошо знал старика — самый известный в Москве уголовник отличался осторожностью и предусмотрительностью. Разумеется, он умел действовать решительно и быстро, иначе давно бы кормил червей в подмосковных лесах, но нанести такой удар в отместку за неудавшееся покушение? Нет, не в его стиле.

— Давид проводил закрытое совещание...

— Обсуждал, как вернуть казино?

— Мы можем только догадываться, — кисло ответил Шишнанадзе. — Он велел охране не беспокоить, и теоретически тела могли пролежать в кабинете до вечера. Но убийцы не закрыли дверь.

— Хотели, чтобы о бойне узнали?

— Возможно.

— На совещании должен был присутствовать кто-нибудь еще?

— Охранникам Давид ничего не говорил.

Гори задумчиво почесал кончик носа, покрутил головой, посмотрел на работающий телевизор: криминальные новости сменила реклама, поморщился, выключил.

— Позвони Даньшину.

— Уже.

— И что?

— Его мобильный не отвечает.

— Сколько раз ты звонил?

— Два.

— С разных аппаратов?

— Конечно. С разных и «чистых» аппаратов: тот, кто засек номера, не сможет выйти на нас.

«Тот, кто засек номера». Шишнанадзе сказал так, словно не сомневался, что Даньшин раскрыт. Впрочем, другого объяснения не было: отправляясь на совещания, Владимир всегда отключал телефон, во всех же остальных случаях он сразу же отвечал на звонки.

— Предположим, Ахметов и Крылов взяли Даньшина. Что они сделают дальше?

— Побегут жаловаться Чемберлену?

— Крылов бы побежал, — уточнил Автандил. — А Ахметов?

— Думаешь, это его личный ответ на покушение?

— Эльдар рисковый парень. И самолюбивый. И Крылов ему друг. Взял предателя, понял, как близко мы к нему подобрались, и решил показать, что готов идти до конца.

— Не слишком ли круто?

— Напротив — нормально. Ахметов чувствует за спиной Чемберлена и решил, что может себе многое позволить.

Шишнанадзе задумался. В том, что старый уголовник выступил в роли третейского судьи, не было ничего неожиданного, но насколько мощную поддержку готов оказать Чемберлен своим протеже? Или история с «Двумя Королями» всего лишь провокация, призванная втянуть Гори в большую войну? Вопросы, вопросы... требовалось время для анализа, а вот его-то как раз и не было: Автандил хотел принять решение как можно быстрее.

— Цвания должен был завалить Крылова.

Шишнанадзе молчал.

— Теперь этим займешься ты. Подготовься как следует. Не торопись. Но помни: эту ночь Крылов пережить не должен.

* * *

Жилой комплекс «Воробьевы горы».
Москва, улица Мосфильмовская,
6 ноября, суббота, 14.37

— Идея создать Колоду Судьбы стала для графа Сен-Жермена настоящим вызовом. Он не мог его не принять. Он мечтал увидеть реальное подтверждение своего могущества. Он жаждал великих свершений. Он держал на ладони мир. Он переживал свое время ошибок.

Это время наступает у каждого. В период становления или перелома. В юности или в зрелые годы. Счастливчики переживают его в детстве, у неудачников оно настает в самый неподходящий момент. Это не те периоды, когда все валится из рук и наступает черная полоса. Нет! Ты занят, ты увлечен. Все вокруг кипит и спорится. Ты радуешься каждому совершенному поступку, добиваешься немыслимых успехов, шагаешь все дальше и дальше... и почти на самом пике понимаешь, что двигался не туда. Что все прошедшие месяцы или даже годы прожиты напрасно. Что все, чего ты добился, тебе не нужно.

— Они не могли не объединиться. Гений Сен-Жермена нуждался в силе Алого Безумия. Потолок же моего отца — магия Крови, он не способен пойти дальше и ухватился за возможность построить мощное заклинание. Они ненавидели и презирали друг друга, но больше десяти лет их связывала общая идея, общий замысел. Было нечто, что вызывало одинаково сильную ненависть и у отца, и у Сен-Жермена. Тайный Город. К сожалению, отец не сразу понял, что именно вкладывал граф в словосочетание «крепко досадить».

У Сен-Жермена не было доступа к библиотекам — он опирался только на свою память, на сведения, впитанные из Черной Книги. У него не было наставников, способных отпугнуть его объяснениями, сколько сил и времени уйдет на эту работу. На великую работу. На гениальную.

— Все у них было на двоих. Опыты, эксперименты,

провалы — когда опускались руки у Сен-Жермена, его подбадривал Бруджа, павшего духом Александра подгоняли презрительные слова графа. Возможно, у них бы и не получилось ничего, относись они друг к другу иначе. И уж абсолютно точно — все закончилось бы совсем не так.

В том, что увлеченный Чернышев слушал, затаив дыхание, не было ничего странного — каждый новый рассказ, каждый новый эпизод казался ему откровением. Но и Жан-Жак, хоть и делал вид, что читает, на самом деле ловил каждое слово девушки, даже не вспоминая о том, что нужно переворачивать страницы книги. А иногда, совсем забывшись, качал головой или морщился, соглашаясь или не соглашаясь с высказываниями дочери барона. Старый слуга без одобрения отнесся к тому, что девушка столь откровенно рассказывает челу историю Колоды Судьбы, он не смог устоять перед даром Клаудии — она была прекрасной рассказчицей, эта хрупкая предсказательница, пьющая кровь разумных.

— Они с самого начала старались обмануть друг друга. Отец, пользуясь закрытыми разделами магии крови, сумел вплести в сеть арканов Колоды Судьбы дополнительное условие, шулерский прием, позволяющий гарантированно собрать «Королевский Крест». Теперь он мог одержать победу в любой партии. Но Сен-Жермен пошел еще дальше.

Барон Александр ошибся, полагая, что граф создает артефакт для себя. Истинный кардинал, он не мог думать иначе, не мог предположить, что могущественный маг решит остаться в тени, не понял, что Сен-Жермен не позер, а кукловод. Работая над Колодой Судьбы, граф не забывал о светской жизни, об интригах и политике и искал для своего артефакта подходящего владельца: не слишком умного, не слишком одаренного, легко управляемого. А когда нашел — подготовил. А когда подготовил — передал ему Колоду Судьбы, сумев обмануть при этом и Бруджу, и Алое Безумие.

Барон спохватился слишком поздно, когда величайшая в истории партия в «Королевский Крест» уже была открыта и грандиозные армии отправились покорять мир.

— Роберто! Роберто!

Чернышев вздрогнул, подскочил на месте и покраснел, услышав негромкий смех девушки.

— Черт...

Перед глазами стояли картины далеких дней: революция и сражения, идущие в бой армии и города, горящие по воле великого завоевателя, грохот орудий, звон клинков, ржание лошадей... А над всем этим — два великих мага, две противоположности, сплоченные ненавистью к Тайному Городу. И Колода Судьбы, озаренная Алым Безумием.

Он потер глаза.

— Я задумался.

— Я вижу.

— А где Жан-Жак?

— Встречает отца и Крылова.

— А...

В ее глазах мелькнул веселый огонек. Чернышев понял, улыбнулся и привлек девушку к себе, впился в холодную сладость фиолетовых губ.

— Я сделал все как надо?

— Да.

— Я рад.

Короткий диалог состоялся еще в «Изумруде», после того как оба покинули кабинет Цвания. Никита спросил, Александр ответил. Больше до самого возвращения в квартиру Крылова они и словом не перекинулись. Никита хмуро управлял автомобилем, даже пообщавшись с Эльдаром, не сказал барону, кто звонил и зачем. Впрочем, Бруджа и сам догадался. Но промолчал, с любопытством изучая проплывающие за стеклами машины московские улицы. Понимал Александр, что сейчас Крылова трогать не надо. Пусть довезет до дома окровавленную карту. Пусть убедится в действенности новых правил. Пусть окончательно заглотнет крючок.

Тогда и поговорим.

Тогда веры будет больше.

И Бруджа молчал. Молчал до того момента, как Никита, оттолкнув открывшего дверь Жан-Жака, прошел в квартиру.

— Все в порядке?

Слуга молча кивнул.

— Не мешайте нам.

Крылов остановился над разложенными картами, нерешительно поднес руку к карману рубашки, где притаилась карта. Поднял глаза на подошедшего барона:

— Можно?

— Можно.

— Просто достать и открыть?

— Да.

Рука поползла к карману, на мгновение замерла, Никита сглотнул, но продолжил. Вытащил окровавленную карту. Перевернул.

И улыбнулся.

Девятка бубен.

Очень своевременно.

Странно, но кровь на карте была того же оттенка, что краска масти.

— Не разочарован?

— Нет. — Крылов положил девятку на нужную линию. Сел на пол, облокотился на тумбу письменного стола, расслабленная поза человека, только что завершившего тяжелую работу. — А если бы я не убил Цвания... какая бы карта открылась?

— Не знаю, — пожал плечами барон, так же опускаясь на пол. — Любая.

Несколько минут Никита молча изучал расклад «Королевского Креста», вспоминал вышедшие карты, выходило, что оставалось пять неоткрытых красных.

— Мне придется продолжить убийства?

— Решать тебе.

Хотелось пить, но все вино выхлестал Барабао.

— Вряд ли правило заключается только в убийстве, — протянул Никита. — Должно быть заклинание.

— Оно есть.

— Но мне ты его не расскажешь.

— Конечно, нет. — Барон улыбнулся. — Извини.

— Я бы на твоем месте поступил так же.

— Хорошо, что мы понимаем друг друга. — «Шелест сухих листьев... Почему у него такой странный голос?» — Никита, а ты оказался гораздо крепче, чем я ожидал. Приходилось убивать?

— Да, — поколебавшись, ответил Крылов.

«Ты не сам это делал, — усмехнулся про себя Бруджа. — Прятался за своих демонов. И до сих пор боишься вспоминать тот случай».

— А ты непрост. — Александр постарался произнести фразу максимально уважительно. — Ты знаешь, что мир азартен, ты знаешь, что мир жесток. Ты интересный чел, Никита.

Ответить Крылов не успел. Дверь приоткрылась, и в кабинет вошла девушка. Изящная красавица с белыми волосами и фиолетовым макияжем: тени, губы, лак на ногтях. Нереально. В первый момент она показалась Никите куклой, во второй — принцессой. «Как же ее зовут? Сильвия? Офелия? Нет...»

— Клаудия. — Девушка, успевшая бросить пару слов барону, с прохладной улыбкой посмотрела на Крылова.

«Конечно! Клаудия!» Подруга Бруджи показалась куда более стильной штучкой, чем все встреченные до сих пор женщины. Даже образ Анны несколько потускнел... «Почему я вспомнил об Анне?»

— Клаудия моя дочь, — негромко сообщил Александр. — Уверен, ты помнишь об этом.

«Дочь?!»

— Помню.

— Хорошо. — Барон прикоснулся пальцами левой руки к пылающему на груди рубину. — Сюда едет твоя женщина.

— Анна? Черт! — Никита скривился. — Я позвоню и скажу, чтобы она не приезжала.

— Не поможет. Она считает свое дело крайне важным. Ваша встреча неизбежна.

«Хорошо, что папаша не поделился с дочкой голосом», — против воли подумал Крылов. Мелодичный и приятный голос Клаудии ничем не напоминал издаваемые Александром звуки. Девушка подошла чуть ближе, до Никиты долетел тонкий аромат духов. Фиолетовые губы, фиолетовые тени, фиолетовые глаза...

— Ты тоже ведьма?

Он не знал, что контактные линзы скрывают красные зрачки.

— Теряешь голову от колдуний?

«Анна!» Никите показалось, что он падает. Смешалось все: Анна и Эльдар, «Королевский Крест» и Колода Судьбы, выигрыш и покушение, убийство и нужная карта. Дружба, любовь, победа, поражение. Судьба.

И демоны. В отличие от того раза, они не торопились уходить.

Слишком сложно.

Он запутался.

— В основе любого гениального решения лежит предельно простая идея. Умножение сущностей приводит к распылению сил, что не позволяет тебе сосредоточиться на главном. Откажись от того, что мешает. Отринь лишнее. Речь идет о твоей судьбе. Вот и думай о себе. Только о себе.

Это шелестели желтые листья, вползали в душу, подгоняемые легким ветерком плавной, четко выверенной интонации. «Думай только о себе...»

— Не трогайте ее!

Но не мог оторвать взгляд от фиолетовых глаз.

— «Королевский Крест» очень жесткая игра, Никита. Это жизнь. А в жизни ты должен заботиться о себе сам. Женщина, которую ты считаешь своей, хочет завладеть

Колодой Судьбы, только поэтому она позволила тебе начать игру.

— И поэтому вы ее ненавидите. Анна вам мешает.

— Она мешает и тебе, — прошелестели листья. — Но если нам придется уйти, ты вновь останешься один на один с «Королевским Крестом».

Быстрый взгляд на разложенные карты. На закрытую колоду. «Какая карта лежит сверху?!»

«Ты готов убить еще?» Об этом Крылов старался не думать.

— «Королевский Крест» — жестокая игра.

— Обычно нас предают те, кого мы любим, на кого рассчитываем. Меня предавали десятки раз...

— Но ведь ты до сих пор жив!

Барон осекся. Клаудия рассмеялась. Искренне. Заразительно.

— Не убивайте Анну, — попросил Никита.

Отец и дочь переглянулись.

— Будет вести себя правильно — не убьем.

Изучение предложенных Генбеком книг показало, что Сантьяга имел все основания для подозрений: с «Повелителем Вероятностей» произошло что-то непонятное. Правила в подобных случаях просты: при пересечении двух артефактов побеждает сильнейший. Сравнивать «Повелитель» и Колоду Судьбы не имело смысла — одноразовая поделка концов не выглядела даже Моськой. «Повелитель» должен был отключиться или плохими картами подать хозяину сигнал, что за этим столом ловить шансы не следует. А Копыто выигрывал! Брал банк за банком, получая отличную карту и нервируя Крылова, обладающего куда более сильным артефактом. И только затем последовал сокрушительный удар.

Что же произошло?

К сожалению, просмотренные книги не дали ответа на этот вопрос. Если и существовал некий дополнительный фактор, способный привести к столь печальным последствиям, то авторам трактатов о нем не было известно.

Посему оставался единственный выход: ОЧЕНЬ тщательно исследовать Колоду Судьбы.

— Никита! — Никто не отозвался. Странно, Анна была уверена — знала! — что он дома. — Никита!

Девушка закрыла входную дверь — двое телохранителей, разумеется, не узнали о ее прибытии, — сняла плащ и остановилась, ощупывая квартиру: помимо Крылова, в ней находились еще четверо: женщина и трое мужчин.

— Кит!

— Я здесь. — Крылов выглянул из двери кабинета. — Проходи.

В комнате, кроме Никиты, был один из незнакомцев. Не маг, как показало сканирование, — обычный чел, но Анна почувствовала угрозу. НАСТОЯЩУЮ угрозу.

«Обычный чел?!» Девушку не испугал бы и десяток обычных челов, хорошо вооруженных и отлично подготовленных. Даже по меркам Тайного Города Анна была ОЧЕНЬ сильным противником, и справиться с ней могли бы лишь хорошие охотники. Тем не менее интуиция подсказывала, что чел, прячущийся в кабинете Крылова, весьма опасен.

— Ты не один?

Но Никита уже скрылся из виду, и вопрос повис в воздухе.

«Уйти?» Девушка нерешительно помялась в прихожей. «Да! Немедленно!!» Это отозвалась интуиция. «А как насчет Колоды Судьбы?»

— Никита, я спросила: ты не один?

Анна открыла дверь в кабинет.

— Да, он не один. Добрый день.

Девушка узнала мужчину сразу — во время обучения в Темном Дворе ей доводилось видеть изображения лидеров Саббат. А если бы не видела — догадалась. Типичные для всех Бруджа черты лица, но взгляд — властный, жесты — властные, голос — властный, хоть и был он похож на шелест сухих листьев, листья эти летали по царскому лесу. Лидеры масанских кланов держались с большим достоинством, но до сидящего на полу кабинета мужчины им было далеко. Этот был настоящим вождем, истинным. И даже без Алого Безумия, поблескивающего на груди мужчины, девушка бы поняла, кого встретила.

— Добрый день, кардинал.

— Предпочитаю, чтобы меня называли бароном.

— Как вам будет угодно.

— Благодарю.

Никита выглядел несколько ошарашенным, и Анна поняла, что до сих пор Бруджа вел себя более демократично. Теперь же он всем своим видом показывал, кто здесь отдает приказы. И девушке стало ясно, почему все истинные кардиналы Масан отказались подчиниться Темному Двору — они физически не способны склонить голову, их можно только убить.

— Я... — Это начал мямлить сбитый с толку Крылов. — Я...

С его стороны поддержки не будет. Чем-то зацепил его проклятый Бруджа, что-то пообещал, заморочил голову. «Нельзя было оставлять Никиту одного!» Но сожалеть и раскаиваться не время, надо думать, как выкрутиться.

— Зачем вам Колода Судьбы, Анна? Изменить свой статус вы не сможете, и более сильным магом вам не стать — что дано, то дано.

— Я знаю.

— Хотите удачно выйти замуж? Разбогатеть?

— А если я просто хочу сыграть?

И увидела презрительную улыбку на губах вампира.

— Он — Игрок. — Александр кивнул на Крылова. — Он. Ты — нет. Ты просто хитрая стерва. Что тебе надо?

«Они не знают, кто я!» Это давало шанс выжить. Не перебить всех собравшихся в квартире Никиты масанов, нет. С тремя обычными вампирами Анна бы еще попробовала справиться, но не с владельцем Амулета Крови. Не с истинным кардиналом.

— Верни Никите слово, — приказал Бруджа. — Разрушь заклятие Обещания. Это мое условие.

— И что я получу?

— Жизнь.

Нарушит ли он слово? Нарушит, в этом девушка не сомневалась. Возможно — только возможно! — Никиту барон не тронет. А вот ведьму Тайного Города убьет с удовольствием.

— Я тебе не верю.

И бросила взгляд на Крылова: «Кит! Помоги! Сейчас все козыри у тебя!!» Честный владелец Колоды Судьбы может давить на Александра, ведь все зависит от его доброй воли. «Скажи хоть слово, черт!» Но первым ответил Бруджа. К безмерному удивлению девушки — очень спокойно, покладисто, если не сказать — кротко. Без угроз и криков. И обратился барон не к ней, к Крылову:

— В таком случае нам придется расстаться.

— Анна, — тихо произнес Никита. — Верни мне слово.

Губы у него чуть подрагивали.

— Ты шутишь?

— Он нас не тронет, он обещал. Ему нужна только Колода. Верни мне слово, я соберу «Королевский Крест», мы отдадим карты, и он уедет.

— Он не отпустит нас! — оборвала Крылова девушка. — Не будь наивным! Ты что, не понял, с кем связался? Это же вампир!

— Что?

— Ты не знал?

Никита отшатнулся.

— Это кардинал вампиров! Самый старый кровосос в мире! За ним гоняются все маги города, он не будет оставлять следов, он убьет нас!

— Вы не знаете, куда я отправлюсь, — пожал плечами Бруджа. — Не знаете, где спрячусь. Вы не опасны.

— Ты... вы... ты вампир?

Барон поднялся и подошел к Никите. Заглянул в глаза. Жестко. Холодно.

— Я обещал, что оставлю тебя в живых. Что тебе еще нужно?

— Ты пьешь кровь?

— А ты от нее отказываешься?

Крылов не нашелся с ответом.

— Мы только что выяснили, что нет.

— Кит, не слушай его!

Анна не понимала, что происходит: глаза Крылова то умирали, становясь пустыми, лишенными мысли, то оживали, начинали блестеть.

«В «Королевском Кресте» твой противник — ты сам!»

— Мы можем уехать, — подал голос Александр.

— Кит, выгони его!

— Я не могу.

— Почему?

Никита несколько мгновений смотрел на девушку. Но в его взгляде не было огня, не было даже заботы, которую он демонстрировал в начале разговора. Он смотрел на Анну, как на препятствие.

— Барон знает, как выиграть в «Королевский Крест».

— Кит, ты выигрываешь, когда живешь, когда действуешь в реальной жизни, когда тебе помогают друзья. А не когда перекладываешь карты. В этом смысл Колоды Судьбы...

— Не все так просто, Анна. — Он сухо улыбнулся. — Верни мне слово.

— Нет.

— Верни мне слово, сука!!

Глаза у него стали абсолютно пустыми. Чужими. И Анна поняла, что сделает Крылов. И не стала сопротивляться.

— Верни мне слово.

— Нет!

— Верни!!

— Ни за что!!

Никита стоял рядом, а потому пуля попала именно туда, куда он рассчитывал: в сердце. Девушка рухнула на пол.

— Как?! — Крылов изумленно посмотрел на оружие. — Откуда?!

— Я подал, — спокойно ответил Александр. — А ты схватил.

— Схватил?

— Ты захотел ее убить.

— Нет... — Никита бросил пистолет и опустился рядом с девушкой. — Анна...

— Она предала тебя. — Бруджа деловито приложил палец к шее девушки, усмехнулся, не нащупав пульс. — А ты меток.

Почему ведьма не применила боевые арканы? Не успела или поняла, что бесполезно? Скорее, последнее — в Тайном Городе мало магов, способных в одиночку противостоять Алому Безумию. Сдалась! Даже не попыталась защитить свою жизнь. Трусливая падаль! А может, и не успела — судя по досье, Курбатова плохо разбиралась в боевой магии. В любом случае ничего, кроме презрения, мертвая колдунья у барона не вызывала.

— Анна... — Крылов бросил на барона злой взгляд. — Я любил ее.

— Такова жизнь, мой друг. — Александр усмехнулся. — Если тебя это утешит и если ты способен поверить мне, скажу: она тебя не любила.

Никита, перебирающий пальцами черные волосы девушки, задохнулся от гнева, но кричать не стал, словно боялся потревожить мертвую. Спросил тихо, с неимоверной грустью в голосе:

— Ты-то откуда знаешь?

— Я живу на тысячу лет дольше тебя, — вздохнул Бруджа. — И вижу женщин насквозь.

— Не слишком ли ты самонадеян?

Барон весело рассмеялся.

— Если бы она тебе верила, то никогда не заставила бы клясться своим сердцем.

Никита поцеловал Анну в лоб, поднялся, спокойно оглядел кабинет:

— Я не хочу здесь оставаться.

— А труп?

— Разберусь позже. — Крылов прищурился. — На

кухне есть большие полиэтиленовые мешки, пусть твои помощники завернут ее и обмотают скотчем.

— Хорошо, — кивнул Александр. — Куда поедем?

— В «Два Короля». Там моя крепость. Там сходятся все нити. Там мы и закончим «Королевский Крест».

— Как скажешь.

Бруджа сумел скрыть довольную улыбку: перемещение в многолюдное казино полностью соответствовало его планам. Если случится прокол, если маги Великих Домов сумеют вычислить его появление, они не смогут применить в игорном доме всю свою мощь.

* * *

Клуб «Ящеррица».
Москва, Измайловский парк,
6 ноября, суббота, 15.15

— Так, значит, мы можем надеяться? — Семенящий по правую руку Птиций заглянул комиссару в лицо. — Вопрос будет решен?

— Вы слышали, чтобы Темный Двор не сдержал данное обещание? — поинтересовался Сантьяга, продолжая шагать в прежнем, очень высоком темпе.

— Нет.

— Я тоже.

— Мы исключительно рады, что вы... надоумили нас... обратиться к вам... — Забег давался неспортивному Ляцию трудно, речь директора Тотализатора то и дело прерывалась судорожными всхлипами, но он держался. — Не знаю... что бы мы... делали...

На широкой лестнице толстяк сдался и, привалившись к перилам, принялся обмахиваться платочком. Задыхающийся Клаций немедленно сменил компаньона:

— ...делали... без вас...

— Я тоже, — повторил комиссар.

Идущий рядом Захар хмыкнул.

Предположения епископа Треми полностью подтвердились: концы, возбужденные явлением Барабао, согласились с выставленной Захаром ценой и даже выплатили аванс на текущие расходы.

«Все войны, которые вел Темный Двор, были оправданны с экономической точки зрения».

* * *

***Жилой комплекс «Воробьевы горы».
Москва, улица Мосфильмовская,
6 ноября, суббота, 15.49***

Если не принимать в расчет магические способности, то труднее всего на этом свете лишить жизни нава, затем следовали хваны, моряны, масаны и прочие представители Тайного Города. Завершалась же цепочка на эрлийцах, шасах и концах, которые за тысячи лет существования под крылом могущественных рас растеряли боевые навыки и не были способны достойно защитить свою жизнь. Но если исключить еще и воинские характеристики, не рассматривать то, с какой яростью и силой будет сопротивляться жертва, а сосредоточиться исключительно на возможностях организма, то на втором месте после навов оказались бы таты и метаморфы — уникальные человские маги, способные управлять своим организмом на молекулярном уровне. Живучесть у обладателей редчайшего сочетания генов была невероятная.

Сознания Анна не теряла. Ни когда падала, «сраженная» пулей, ни когда лежала на полу — имитируя смерть и слушая разговор убийц. Не видела, но чувствовала горечь Никиты, едва не вздрогнула, почувствовав его прощальное прикосновение, заставила себя остаться равнодушной, мертвой.

«Он меня убил!» Но что-то подсказывало, что выстрелил в нее не Никита. Никогда у Крылова не было столь пустых глаз. Кто-то чужой направлял его руку. «Бруджа загипнотизировал Никиту? Нет, невозможно, в этом случае барону ни за что не стать честным владельцем. Тем не менее он что-то сделал с Крыловым. Пробудил в нем зверя. Как? Предложил что-то очень ценное... Что?»

Грубоватые действия двух крепышей, споро закатавших ее в черный полиэтилен, не помешали размышлениям девушки. Анна стоически выдержала экзекуцию, дождалась, когда упаковщики ушли, выпустила несколько тонких щупалец, наладив теплообмен и доступ кислорода, но все — машинально. Гораздо больше девушку занимали другие вопросы.

«Кит сказал, что Бруджа знает, как выиграть в «Королевский Крест». Оговорился? Вряд ли. Мог ли барон солгать Крылову? Мог. Но Кит неглуп. Он бы не стал вести себя подобным образом, не получив стопроцентных доказательств... Получается, Судьбой можно управлять?»

Услышав, что вампиры и Крылов покинули квартиру, Анна освободилась от полиэтилена, поднялась на ноги и с наслаждением вздохнула. Все-таки традиционный способ дыхания гораздо приятнее аварийного. Затем прошла в ванную и критически изучила свое отражение в большом зеркале. Не так плохо. Несколько движений расческой привели в порядок волосы, рана давно затянулась, и единственной потерей стало платье, украсившееся безобразным пятном крови и аккуратной дырочкой на груди. Девушка сбросила испорченную тряпку, смыла засохшую кровь. «Вот бы удивился Кит, узнав, что я давно ношу сердце справа...»

«Кит, Кит, Кит... Как я могла влюбиться в игрока?»

«А ты влюбилась?»

«Он хороший».

«Это не ответ. К тому же не забывай, кто тебя убил».

«Его обманули! Это был не он!»

«Он!!»

До сих пор Анна старалась рассуждать хладнокровно, по-деловому, но обида ворвалась наконец в душу, кровь прилила к лицу, спутались мысли, и стало горько-горько. В душе, на сердце, на губах... или это слезы?

«Кит, как ты мог так поступить со мной? Кит... Ты меня предал. Ради чего?»

Она сумела справиться с начинающейся истерикой, загнала обиду глубоко внутрь, сдавила, сжала железной хваткой, высушила злые слезы и распахнула дверь ванной.

В коридоре стоял Ахметов.

За его спиной телохранители. Занятая переживаниями девушка не заметила, что в квартире стало многолюдно.

«Кажется, я окончательно расклеилась».

— Привет. — У Эльдара заходили желваки: Анна в доме Крылова, в ванной, кожа влажная — принимала душ? — на теле лишь тоненькие трусики... Накатило бешенство, но он не торопился выпускать гнев наружу. — Отлично выглядишь.

— Спасибо. — Девушка постаралась ответить максимально спокойно. — Ты к Никите?

— В том числе.

— Он уехал.

— Давно?

— Минут двадцать.

А охранники уверяли, что Никита не покидал квартиру.

— Ладно... — Ахметов кивнул на большое полотенце. — Будешь выходить — прикройся.

Дверь закрылась. Анна грустно улыбнулась.

Она появилась в гостиной, завернувшись в мягкое, очень приятное на ощупь синее полотенце. С гордо поднятой головой прошла мимо застывших телохранителей, грациозно опустилась в кресло, позаботившись о том, чтобы Эльдару открылся замечательный вид на ее бедра, и, спокойно выбрав из пачки Ахметова сигарету, закурила. Сам Эльдар не курил, сидел молча, поглаживал рукой подбородок. Справа от него на диване лежала наполовину развернутая газета «Советский спорт». Читал в ожидании? Сомнительно. Скорее — думал. Пауза продержалась недолго — пару глубоких затяжек Анны. Затем Эльдар едва заметно шевельнул рукой — телохранители вышли из гостиной — и тихо спросил:

— Ты давно с ним?

— Нет.

Ахметов ошибся, надеясь, что уличенная девушка начнет рыдать или вымаливать прощение. Анна оставалась спокойной, хладнокровной и чуточку отстраненной. И Эльдар вдруг подумал, что потерял чертовски много...

— Кит тебя обхаживал? Уговаривал?

— Нет, я сама.

— Сама прыгнула к нему в постель?

— Можно сказать и так.

И обжигающий взгляд черных глаз. Резанул, как ножом. Ахметов сбился, потерял контроль над собой:

— Но почему?!

Никогда не задавайте вопросы слабака, ибо в ответ можно услышать:

— Потому что я так захотела.

Жестокий удар привел Эльдара в чувство, заставил собраться. Даже расстроенный мужчина не должен спрашивать так. Не должен унижаться.

— Оставим это.

— Хорошо, — согласилась Анна. — А то я испугалась, что ты захочешь узнать подробности.

Последняя фраза была лишней. И девушка поняла это еще до того, как увидела вспыхнувшую в глазах Ахметова ярость. И пожалела, что слова слетели с губ. Но Эльдар удержался.

— Пожалуйста, не хами мне.

— Извини.

Он помолчал.

— Поговорим о бизнесе. Я подозреваю, что ты работаешь на Гори. Это так?

— Ты поверишь моему ответу?

— Будет зависеть от того, как ты его произнесешь.

Анна затушила сигарету, внимательно, впервые с начала разговора, посмотрела Эльдару в глаза.

— Я не работаю на Гори. И никогда не работала. И не выполняла никаких заданий против вас. Мое общение с вами — с тобой и с... Никитой — носило исключительно личный характер.

Ахметов не поверил ни одному ее слову, но вышибать

информацию не собирался. Нет, только не из Анны, пусть даже она и оказалась недостойной дрянью.

— Я был бы очень разочарован, окажись ты шпионкой.

Он откровенно любовался ею: черные волосы, огромные глаза, стройная шея. Ласкал глазами фигуру. Тер подбородок рукой, которая никогда больше не прикоснется к телу любимой. Он любовался ею. На прощание. Ибо все уже решил. Ибо, несмотря на все договоренности «оставаться свободными людьми», Ахметов не собирался никому отдавать эту женщину. Свою женщину.

— Прежде чем мы расстанемся, — спокойно произнесла девушка, — я хочу тебя предупредить.

— О чем?

— С Никитой происходит что-то непонятное, он не похож на себя.

— Мне уже доводилось видеть его в этом состоянии.

— Тогда ты понимаешь, о чем идет речь.

— Да, понимаю.

Короткое мгновение тишины.

— У него появились новые друзья.

— Люди Гори? — насторожился Ахметов.

— Нет. Поверь мне — нет. Но эти люди очень опасны.

— Насколько?

— Тебе их не одолеть.

— Спасибо, что предупредила.

— Пожалуйста. — Анна с улыбкой посмотрела на мужчину. Помолчала, словно вспоминая что-то, улыбнулась чуть шире: — Ты сам отказался от меня, Эльдар.

Голос прозвучал с хриплой нежностью. Мужчина вздрогнул, сжал кулаки. Но взгляд не отвел, выдержал:

— Тебе следовало расстаться со мной по-другому.

— Я всегда поступала так, как хотела.

— Я тоже.

— Я знаю.

Ахметов будничным жестом отбросил газету и взял спрятанный под нею пистолет. Целиться не стал, вытянутая рука, плюс длинное оружие, плюс накрученный глушитель — ствол почти упирался в грудь девушки. Эльдар вздохнул:

— Мне не жаль.

— Ты врешь.

Он выстрелил в сердце. Ведь настоящий мужчина не станет стрелять любимой женщине в голову.

* * *

Игорный дом «Два Короля».
Москва, улица Большая Каретная,
6 ноября, суббота, 16.02

— Ты заменяешь Даньшина?

Али молча кивнул, Крылов поморщился. Али Тугаев был человеком Ахметова, одним из личных волков Эльдара, а по существующей между компаньонами договоренности эти ребята не имели права занимать ключевые посты в игорном доме. Ахметову следовало передать командование заместителю Даньшина, но делать этого он не стал. Почему?

— Где Эльдар?

— Уехал. — Тугаев не отличался особой разговорчивостью. Впрочем, как и все остальные ребята Ахметова. — Позвонить?

— Не надо, я сам с ним свяжусь. — Никита кивнул на расположившихся в кабинете спутников: — Мои друзья. Могут ходить где угодно.

Барон уселся в кресло, за его спиной возвышался Жан-Жак. Клаудия и Чернышев у шкафа с коллекцией. Али не спеша оглядел всех, после чего буркнул:

— Не везде.

— Да, разумеется... — Крылов запнулся. — Они не станут рваться в запретные зоны.

— Хорошо.

Тугаев развернулся и направился к выходу из кабинета. Никита сжал кулак, но окликать широкую спину не стал. Нет смысла срываться перед Тугаевым — выяснять отношения следует с Ахметовым.

— Твой компаньон не терял времени даром, — заметил Александр.

— Прежний начальник охраны оказался предателем, — хмуро ответил Крылов. — В качестве временной замены Эльдар выбрал того, кому полностью доверяет.

— Временной?

— Не лезь! — вскинулся Никита.

— Хорошо, молчу, — выставил ладони Бруджа. И светским тоном добавил: — Замечательный кабинет. У тебя есть вкус.

Крылов промолчал. Посмотрел на Клаудию:

— На этаже есть большая гостиная. Без окон.

— Очень хорошо. Проводите меня.

— Направо по коридору, затем поворот налево. Третья дверь.

— Спасибо.

Клаудия и Чернышев молча вышли из кабинета. Крылов проводил пару долгим взглядом, но, опомнившись, стремительно вернулся к письменному столу. К шкатулке, которую на него поставил.

— Нужно что-нибудь говорить? Какое-нибудь заклинание...

— Нет, — покачал головой барон. — Игра уже идет. Просто открой.

Никита откинул крышку и машинально сделал шаг назад, зачарованно наблюдая за трансформацией. Не было дыма, огненных брызг или звуковых эффектов, ничего из того, чем щедро сопровождают «магические» действия режиссеры кинофильмов. Стенки разъезжались, изменялись в размерах, переходили одна в другую — бесконечное движение не позволяло сосредоточиться на чем-то одном, можно было ухватить лишь общее впечатление. Вот появилась крышка стола, вот разлетелись по ней карты, восстановив расклад «Королевского Креста», и Крылов полностью ушел в оценку ситуации.

— Не так уж плохо, — проворчал подошедший к столу Александр.

Но сказано это было из вежливости. Оба, и барон, и Крылов, видели, что расклад существенно изменился. Всего за один ход черным удалось существенно выправить положение, не оставив почти ничего от колоссального преимущества красных.

— Ему везет. — Никита зло посмотрел на Александра.

— Зато теперь мы точно видим, что дело движется к развязке. — Бруджа кивнул на ставшую совсем тоненькой колоду закрытых карт. — Следующий круг станет последним.

— Но ему везет!! — заорал Крылов.

— Он закончил ход, — холодно напомнил барон. — Пришла твоя очередь.

«Мой ход и пять неоткрытых красных карт...»

«Следующий круг станет последним», — намек барона был более чем прозрачен. Впрочем, Никита и сам это видел. Совершенно необъяснимым образом сопернику удалось выправить положение, и, глядя на столь удивительное везение, действительно можно было предположить, что до победы ему осталось не более двух ходов... или даже один...

«Почему ему так везет?!»

Крылов тоскливо посмотрел на Бруджу, потом — на закрытую колоду. На верхнюю карту. Руки мелко задрожали.

— Что делать?

— Давай не спеша обдумаем сложившуюся ситуацию, — предложил Александр. — И решим, с чьей помощью мы откроем следующую карту. Не хотелось бы ошибиться в выборе.

«Пять карт — пять человек. Те, кто так или иначе может повлиять на мою судьбу...»

Крылов скривил губы в усмешке:

— Согласен. Давай все обдумаем.

Александр перевел взгляд на слугу:

— Жан-Жак, нам с Никитой нужно поговорить, а ты осмотрись вокруг.

— Да, барон.

* * *

Игорный дом «Два Короля».
Москва, улица Большая Каретная,
6 ноября, суббота, 16.35

— Мля, чую, даром прикатили!

— Цыц!

Отвертка пугливо вжал голову в плечи, но, увидев, что уйбуй не собирается награждать его подзатыльником, продолжил нытье:

— На кой ляд нам возиться с угоном? Мы на той тачке нехило заработали.

«Мазератти», угнанный у человского барыги, был удачно продан Урбеку Кумару, ведущему скупщику краденого Тайного Города, и боец не понимал, для чего уйбуй вновь потащился на охоту.

— Гордый стал, да? — осведомился Булыжник. — Пять кусков уже не деньги?

— Не пять, а четыре, — уточнил Отвертка. — Штуку мы шасам отдали.

— А за четыре тысячи потеть не хочешь, да?

Что-то в голосе уйбуя подсказало бойцу, что следует немедленно заткнуться. Несмотря на то что Булыжник не отличался особой кровожадностью и не считался злопамятным, думать о нем как о пай-мальчике не следовало — головы десятник рубил охотно.

— Хотел только сказать, что в прошлый раз не получилось, — пискнул Отвертка.

— Зато в этот раз все будет адназначна тип-топ! — отрезал Булыжник.

Боец Маркер утвердительно кивнул.

— Или ты не веришь, что я тренер?

— Тренер ты, тренер, — поспешил согласиться Отвертка, ежась под подозрительным взглядом Булыжника.

Маркер чихнул, громко выругался и запустил палец в ноздрю.

— Все будет круто! — пообещал уйбуй.

Отвертка послушно приободрился.

На самом деле, все действительно должно было пройти как по маслу. Избавившись от первой «Мазератти», Булыжник немедленно поведал Урбеку о возникших трудностях, искренне надеясь на помощь. И не ошибся. Всего за десять минут хитроумный шас разработал план похищения, к которому не смогла бы придраться Служба утилизации, снабдил Красных Шапок подробными инструкциями и всеми необходимыми артефактами. Услуги обошлись десятке всего в тысячу, что, учитывая генетическую жадность шасов, было весьма и весьма недорого.

— Так чего делать надо?

— Сейчас узнаешь! — Булыжник вытащил бумажку с инструкцией. — Активизируем артефакт!

Урбек, прекрасно понимающий, кому предстоит претворять замысел в жизнь, предложил самый простой вариант действий. Проникнув в гараж, дикари включали сложный артефакт, наводящий невидимость на «Мазератти» и одновременно создающий его фантом. Призрачный автомобиль на всех парах вылетал из подземного гаража, пугая охрану завыванием клаксона, а через пару поворотов в буквальном смысле растворялся в воздухе — при этом специальные датчики следили, чтобы вокруг не оказалось ненужных свидетелей. Настоящий же «Мазератти» отправляли через грузовой портал. Чистенько и аккуратненько.

— Делов на пять минут, адназначна. И одна штука делается в четыре. Чиста бешеная прибыль.

Отвертка угрюмо вздохнул. Булыжник облокотился на капот «Мазератти», расправил бумажку с инструкцией и прочитал следующий пункт:

— Закрепите артефакт на объекте и нажмите кнопку «Обзор»...

— Булыжник! — Маркер вытащил палец из носа и дернул начальника за рукав. — Булыжник!

Потревоженный уйбуй резко обернулся:

— Чо?

— Вон там...

Из открывшегося лифта в подземный гараж вышел вампир.

Разумеется, челы-охранники, курящие у въезда, ничего не видели. Равно как и их видеокамеры и прочие датчики — магические методы маскировки не по зубам подобному барахлу.

«А должен ли их заметить я?»

Жан-Жак очень медленно шел по центральному проезду гаража, стараясь не глядеть направо, где прятались за машинами три дикаря. Жан-Жак отчетливо чувствовал их страх, правильнее было бы сказать — ужас, слышал, как клацают зубы, слышал судорожное дыхание. И как лязгнули затворы — тоже слышал. Вот только Красным Шапкам было понятно, чем закончится перестрелка с масаном. Дрожали, сжимая оружие потными руками, но и только — использовать оружие дикари собирались в самом крайнем случае.

«Они навели морок, челы их не видели».

Несмотря на вчерашнюю охоту, Жан-Жак ощутил желание попробовать кровь разумного: легкая дрожь в груди, удлинившиеся *иглы*. Что делать — инстинкт. Пришлось приложить усилие, заставить себя вспомнить о деле. Жан-Жак включил передатчик, по закрытому каналу вызывая барона, едва слышно прошептал:

— Проблема.

— Что случилось?

— Красные Шапки.

— Количество?

— Трое.

— Что им нужно?

— Сейчас... — Жан-Жак как раз проходил мимо «Мазератти». — О-па!

— Выражайся яснее.

— В гараже стоит машина, принадлежащая масану.

— Ты уверен?

— Лобовое стекло затемнено... — Очень-очень быстро, едва заметным, легким прикосновением Жан-Жак просканировал гараж. — Черный «Мазератти», стекла тонированы умельцами Тайного Города, артефактов внутри нет. Красные Шапки, трое, работающий артефакт морока, пока не активизированный артефакт...

— Что дикари?

— Затаились.

— Прими решение по обстоятельствам. Но если все тихо — оставь их.

Жан-Жак понял мысль барона. Красные Шапки не входили в число самых умных семей Тайного Города. Ну, оказались три урода не в том месте не в то время, вряд ли они поняли, что столкнулись с масаном из Саббат, а посему логичнее всего не обращать на них внимания. Боевое столкновение вещь непредсказуемая, у дикарей могла оказаться с собой «дверь»[1] — удерут, сообщат. Жан-Жак с сожалением вздохнул и усилием воли вернул *иглы* в спокойное состояние.

«А как бы повели себя в данной ситуации масаны из Тайного Города? Не заметить дикарей невозможно, значит, надо как-то реагировать...»

Еще пара шагов, «Мазератти» остался позади.

— Эй, придурки!

— Мы будем защищаться!

— Здесь вам делать нечего. Ясно?

— Ясно.

— Вот и проваливайте!

Масан перекинулся парой фраз с челами-охранниками и покинул гараж по лестнице, находящейся неподалеку от въезда. С Красными Шапками он больше не разго-

[1] «Дверь» — общепринятое сленговое обозначение артефакта портала. Однако в данном случае Жан-Жак, по всей видимости, имел в виду другое устройство: более быстродействующую «дырку жизни», автоматически наводящуюся на приемный покой Московской обители.

варивал, не проверял, исполняют ли они приказ, даже голову лишний раз не повернул — велел и ушел, не сомневаясь в результате. Впрочем, правильно.

— Сваливать надо, — вздохнул Маркер.

— То-то мне эта тачка сразу не понравилась, — припомнил Отвертка. — Тонирована она как-то неправильно...

— Копыто, сучонок, специально нас подставил, — прорычал Булыжник. — Смерти моей хочет, гнида!

— Ему-то зачем?

— Откуда я знаю? Прижму, гаденыша, сам все расскажет.

— Прижмешь его, как же...

— У Копыто полно приятелей-кровососов, — сообщил Маркер, глубокомысленно изучая извлеченный из носа палец. — Кто-то из них проголодался и попросил Шибзича нас подставить.

— Масаны, когда голодные, — чистые психи, — согласился Булыжник.

— Мы, типа, угоняем тачку, а ейный сторож безнаказанно нас выкуривает.

— *Высушивает.*

— Неважно. Кровь нашу сосет, падла.

— Тогда почему не высосал? — осведомился Отвертка.

— Маркер, ты — тренер, — похвалил подчиненного уйбуй. — Ты этого мерзавца Копыто на раз-два вычислил. Хвалю!

Маркер зарделся.

— А морду этого масана кто-нибудь запомнил?

Булыжник с отвращением посмотрел на надоедливого бойца.

— Брал бы с Маркера пример, дубина! Он все и так видит, словно ведьма какая-нибудь. А ты, ошибка Спящего, даже физиономию масана не запомнил...

— Сваливать надо! — Маркеру были приятны речи уйбуя, но оставаться в гараже боец опасался.

— Поехали! — Булыжник воинственно опустил ладонь на рукоять ятагана. — Найдем Копыто и отрежем ему...

ГЛАВА 7

Неподалеку от Москвы, 1812 год

На мгновение рука замерла над колодой. Всего на мгновение. Не потому, что он сомневался в успехе, — нет. Жест, несущий в себе признак нерешительности, в действительности был вызван совсем иными чувствами: игрок переживал момент торжества. Он не сомневался, что откроет нужную карту, и остановился лишь для того, чтобы сейчас, наедине с самим собой, насладиться триумфом. Пышные церемонии и льстивые речи придворных — потом, он давно привык к сопровождающей победы мишуре, принимал почести с приличествующей важностью, надувался спесью, вел себя холодно и величественно, как подобает гению... а радовался — по-настоящему радовался! — именно сейчас, услышав от себя: «Я победил!»

«Я поднялся еще выше. Я заставил врагов рыдать, а соратников восхищаться. Я просиживал ночи над картами и планами, я заключал союзы и засылал шпионов, я заслужил уважение талантливых военачальников и любовь простых солдат — и те, и другие готовы умереть за меня. Я работал как каторжный, и я добился поставленной цели. Очередной цели. Это — моя победа. Мой труд. Моя кровь, моя воля, мое упорство и моя вера!»

И даже Судьба, приготовившая для него смешную перспективу мелкой службы в захолустном гарнизоне, отступила перед таким напором.

Наполеон I Бонапарт небрежно перевернул верхнюю карту. Как и следовало ожидать, она была той самой. Нужной. Необходимой. Последней картой красной масти в Колоде Судьбы. Несколько мгновений император с улыбкой смотрел на десятку червей, а затем бросил ее на столик. «Королевский Крест» собран.

«Я победил!»

И почти сразу же из-за двери донеслось покашливание адъютанта:

— Мой император!

— Входите, Огильви.

Бонапарт отошел от столика и с улыбкой посмотрел на вошедшего офицера — молодого, стройного, красивого. Даже в походных условиях Огюст Огильви ухитрялся сохранять парижский блеск, лаская взор повелителя чистотой кожи, ухоженными ногтями и запахом ароматного парфюма. Юноша стал близок недавно, уже во время кампании, и буквально угадывал желания повелителя.

— Мой император, прибыли гонцы от командующего авангардом...

— Что говорят?

— Они умоляют предоставить возможность самим донести до вас...

— Понятно. — Принесенная гонцами весть не стала для Наполеона сюрпризом — он ждал ее. Но следовало продемонстрировать радость. — Пойдемте, Огильви, послушаем.

Сопровождаемый молодым офицером, Бонапарт вышел на крыльцо — гвардейцы у двери дружно взяли на караул — и едва не оглох от радостных воплей:

— Они ушли!

— Русские ушли!

— Русская армия бежала!

— Москва ваша, император!

Уже в самом начале кампании Наполеон понял, почему колдун так опасался вторжения в Россию, почему заставлял готовиться с такой тщательностью, почему потребовал собрать под своими знаменами всех — всех! — кто хотел сражаться.

«Важен каждый лишний солдат! Каждая лишняя сабля! Каждый штык!»

Итальянцы и испанцы, пруссаки и поляки, саксонцы, вестфальцы, португальцы, баварцы, хорваты — не только французы шли убивать русского медведя. Дворяне и простолюдины, вчерашние студенты и детишки мелких лавочников, профессиональные убийцы и грабители, насильники и воры, грязная пена человечества, поднятая революцией и последовавшими войнами. Вербовщики не мучили рекрутов особыми расспросами: готов воевать с русскими? Бери ружье и вперед. Императору нужны солдаты.

Но колдуну и этого было мало: еще! Еще людей! Еще!!

Бонапарт, в свою очередь, соглашался с увеличением армии, будучи поражен гигантскими просторами России — только до древней столицы варваров армии предстояло идти несколько месяцев. Наполеон понимал, что для захвата и удержания завоеванных территорий потребуются войска. И, лишь перейдя границу восточной империи, корсиканец сообразил, что колдун советовал собрать огромную армию по другим причинам: с таким ожесточенным сопротивлением Бонапарту еще не приходилось сталкиваться. Итальянцы и испанцы, пруссаки и поляки, саксонцы, вестфальцы, португальцы, баварцы, хорваты — все склонили головы перед величием императора французов и раболепно принесли ему унизительные клятвы верности.

Русские становиться на колени отказались.

И воевать Наполеону приходилось не только с регулярной армией, но со всем народом, с каждым русским лично, ибо, в отличие от просвещенных европейцев, славяне не собирались терпеть на своей земле присутствие чужой армии. Дворяне жгли поместья, купцы — лавки и товары, разрушали все, что можно разрушить, уничтожали, что можно уничтожить, и уходили. Сначала такое поведение покоряемого народа развлекало, поддерживало общепринятое убеждение, что воевать, по сути, приходится с тупыми варварами, почти с животными. Время шло, войска продвигались вперед, а ничего не менялось, несмотря на неудачно складывающуюся кампанию, сдаваться русские не собирались. И постепенно улыбочки на лицах штабных красавчиков превращались в гримасы: они поняли, что «варвары» слишком свободны и независимы, чтобы терпеть над собой власть плюгавого корсиканца. И появился страх. И чем дальше забиралась на восток великая армия, тем страшнее становилось, тем меньше верилось в победу.

С императором подобными мыслями не делились, но Наполеон о них знал. И понимал, что первый же крупный успех воодушевит войска. И добился этого успеха: взял Москву.

А о том, что будет трудно, он знал задолго до вторжения.

«Европа — для разминки, уж больно проста сия добыча. Немножко славы, немножко разговоров в свете... Завоевать Европу все равно что стать героем модных салонов — шум вроде есть, но что толку? Кто помнит о Филиппе Македонском, покорившем Грецию? Зато Александр, бросивший вызов миру, остался в веках!»

«Александр пошел на великого восточного соседа... — Глаза Бонапарта вспыхнули: — И я — тоже! Россия! Последняя преграда на пути к...»

«Пока рано говорить о чем-то большем, — охладил его пыл колдун. — Главное сейчас — Москва. Это будет сражение, достойное твоего величия!»

Колдун предупреждал, учил, советовал. Помогал. Многие годы он стоял рядом. Старел, но глаза оставались молодыми, а голос — твердым. Колдун подарил будущему императору Колоду Судьбы. Могущественный артефакт, с помощью которого...

«Не забывай о том, что Колода не примет за тебя решение. Не проверит посты, не проведет переговоры с союзниками, не обманет врага. Трудись! Работай! Только в этом случае карты выдадут благоприятный расклад — им некуда будет деваться. Живи настоящей жизнью!»

Наполеон понял, о чем говорил колдун. Согласился. Сам разрабатывал планы кампаний, готовил войска, ломал голову на переговорах, учитывал нюансы, хитрил, искал друзей и уничтожал врагов. Он делал для победы все и потому никогда не боялся открывать следующую карту — она всегда оказывалась нужной.

Судьба благоволит к умным и трудолюбивым.

Более того, когда император не был уверен в необходимости похода, он не открывал «Королевский Крест», не рисковал. И предчувствия его не обманывали: неудачей закончилось вторжение в Египет, проиграны морские сражения англичанам. Но эти поражения не стали судьбоносными — Франция оставалась величайшей мировой державой. Русская война также вызывала у Бонапарта опасения: ог-

ромные пространства, варварский народ... Единственная преграда на пути к мировому господству. Свалить медведя за одну кампанию не представлялось возможным, посему Наполеон, по совету колдуна, принял решение действовать постепенно. И первый «Королевский Крест» был открыт на взятие Москвы.

«Древняя столица русских... Мы должны взять ее, слышишь? Взять обязательно! Камни этого города скрывают вековые тайны!»

«Какие?»

«Узнаешь, мой император, узнаешь. Всему свое время. — Когда колдун начинал говорить о восточной столице, в его голосе появлялась сталь. — Захвати Москву! Наполни ее солдатами! Стань ее господи́ном! И им придется говорить с тобой!»

«Кому «им»?»

«Узнаешь...»

Но странно: в день, когда Бонапарт открыл «Королевский Крест» против Москвы, колдун неожиданно помрачнел, словно идея, к осуществлению которой он готовился годы, неожиданно опротивела ему. Колдун запирался в кабинете... Прятался? От кого? Но соглядатаи докладывали, что колдун не трясется от страха, не вздрагивает при каждом шорохе, не вглядывается в людей напряженно, ожидая увидеть врага. Нет, если колдун и прятался от кого, так только от самого себя. Часами сидел в кресле, устремив неподвижный взгляд в стену. Иногда шептал что-то на незнакомых шпионам языках, но по большей части молчал. И чем огромнее становилась великая армия, чем больше появлялось в ней штандартов, пушек, солдат, чем громче звучали походные трубы, тем мрачнее делался колдун.

За три месяца до вторжения он сжег свою библиотеку.

И в тот же день умер.

Наполеон не горевал: колдун начинал вызывать беспокойство, и его смерть пришлась как нельзя кстати. Он выполнил свое предназначение — выпестовал величайшего в истории завоевателя и научил его управлять Судьбой.

— Они ушли!

— Русские ушли!

— Русская армия бежала!

— Москва ваша, император!

— Отлично! Огильви уже подготовил пакеты для маршалов! Огильви!

Бонапарт обернулся — адъютант исчез. Только что стоял за спиной и вот — исчез.

— Мой император, я знаю, где пакеты. Я немедленно принесу...

— Где Огильви?!

Гонцы проводили бросившегося в дом Наполеона недоуменными взглядами. Лощеные штабисты принялись перешептываться, кто-то даже позволил себе шутку. А император со всех ног бежал в кабинет. Бежал, чтобы подтвердить страшную догадку, чтобы увидеть: Колода Судьбы украдена.

Великий Бонапарт остался с разъяренными русскими один на один.

* * *

Коттеджный поселок «Царский Угол».
Ближнее Подмосковье,
6 ноября, суббота, 17.51

Смысл покушения на Крылова Ахметов истолковал правильно: это предложение к переговорам. Гори давал понять, что желает сохранить лицо — за потерю казино кто-то должен заплатить, — но в то же самое время не против диалога. В противном случае он бы ударил по обоим компаньонам.

Причина покладистости была очевидна: Автандил наконец-то сообразил, что загнан в угол. Чемберлен с удовольствием объявит Гори беспредельщиком, а все остальные московские группировки охотно поддержат обвинение и вцепятся в него, как стая собак. Угроза была более чем реальной, и Автандил искал пути спасения. Но неторопливо, без паники. Гори желал выйти из кризиса с высоко поднятой головой, сохранив авторитет и уважение среди бандитов. Поэтому он рискнул с покушением: клацнул зубами, показывая остальным волкам, что готов драться. Но сам ждал, что предпримет Эльдар: согласится на переговоры или побежит к Чемберлену? Будет искать компромисс или захочет войны? Подобными вопросами задавался не только Автандил. Все московские уголовники ждали, как ответит Ахметов. Ждали, но потихоньку готовились к худшему развитию событий — к войне. Точили зубы на предприятия и территории Гори, прикидывали, какие кости Чемберлен бросит поддержавшим его группировкам... Готовились с определенной долей неуверенности, все-таки с последних серьезных разборок минуло больше десяти лет — как получится на этот раз? Но готовились.

Но и Эльдар, подобно Автандилу, к войне не стремился, понимал, что сильно рискует. Пусть Гори против всех и не выстоит, но обидчиков своих достанет обязательно. Всем пожертвует, но достанет. А если не достанет, то какую цену назначит Чемберлен за помощь? На словах старик клянется, что за закон воровской глотку порвет, но Эльдар давно не верил словам. В жадность верил, в подлость верил, в злобу дикую верил — этого у воров в достатке. А в слова не верил. И чуял, чуял, что за кровь Чемберлен большой кусок потребует, война ему руки развяжет, все спишет. А значит, надо с Автандилом договариваться, без крови надо обходиться, чтобы никому обязанным не быть. Но на каких условиях договариваться? Еще несколько часов назад Ахметов обязательно воспользовался бы критическим положением Автандила и постарался бы вытрясти из уголовника максимум возможного. Но сейчас он думал о другом...

— Я не могу оставить Крылова в живых, — развел руками Гори. — Что подумают люди? Что я не смог убить какого-то шулера? Извини, Эльдар, я говорю как есть.

— Я понимаю, — коротко кивнул Ахметов.

— Вот и хорошо. — Автандил вздохнул. — Такие поступки и приводят к потере уважения. Сегодня никого не наказал, завтра никого не наказал, а через неделю шофер будет без спроса брать мою кредитку.

Эльдар молчал.

— Или женщину, — запустил пробный шар Гори.

«Откуда узнал? От Даньшина, разумеется. Когда этот... обнаружил запись, то в первую очередь позвонил хозяину. Настоящему хозяину...» Но вслух Ахметов ничего не произнес. Даже в лице не изменился. Автандил, видя такую выдержку, одобрительно покачал головой.

К вечеру похолодало, разыгравшийся ветер рвал за окнами ветви деревьев, порывами набрасывался на стены особняка, но отступал. Морозный воздух при всем желании не мог прорваться в особняк, но в голосе Гори и без того было достаточно льда.

— Крылов плохой человек. Он не должен был так поступать с тобой. Поэтому... пусть все будет так, как я решил.

— В таком случае поговорим о твоей собственности, — предложил Эльдар. — «Изумруд» недешевое предприятие.

— Ты готов его вернуть?

— Почти. — Ахметов закурил сигарету. — Цвания имел с казино двадцать процентов?

— Десять!

— Мне будет достаточно пятнадцати. Всего пятнадцати.

— Тебе?

— Да, лично мне.

Это было очень щедрое предложение. Фактически — отступление. Оба собеседника понимали, что через год-полтора пятнадцать процентов будут выкуплены за символическую цену, и «Изумруд» вернется к хозяину. Эльдар предлагал крайне мягкие условия мира. Причину покладистости он только что объяснил.

— Крылов? — помолчав, переспросил Автандил.

— С Никитой разберусь я.

— Ты разберешься? — уточнил Гори.

— У меня есть к нему вопросы по поводу взятых без спроса кредиток, — объяснил Ахметов. — Но это наше с ним личное дело. И мы его решим вдвоем.

Автандил молчал довольно долго. Взвешивал, прикидывал, размышлял. Возврат казино против жизни врага, деньги против потери лица — Гори должен был сделать вид, что выбор дался ему нелегко.

— Десять процентов с «Изумруда», и ты должен лично убить Крылова.

— Десять процентов, — кивнул Эльдар. — А что случится с Никитой, не твое дело.

Гори снова помолчал:

— Только запомни, Эльдар: я этого гаденыша видеть больше не желаю. Появится на глазах — убью.

Хорошая встреча. Нужная. И результативная. Автандил не рассчитывал, что Ахметов предложит договориться так дешево. Думал, вцепится мелкий фраер в упавший с неба кусок, глотку начнет рвать, Чемберленом прикроется ради журавля в небе. Гори слишком хорошо знал старого бандита и понимал, что просто так он бы Эльдара не поддержал — долю бы потребовал. А там, глядишь, и вошли бы «Два Короля» в империю чемберленовскую на правах неотъемлемой части, перешли бы в собственность братвы. Выходит, Ахметов не такой уж лох, каким Автандил его себе представлял, с понятиями паренек, с головой. Понял, что жадничать себе дороже, и соскочил.

— Молодец...

— Кто?

Голос Шишнанадзе вывел Гори из задумчивости. Прищурившись, посмотрел он на помощника, потрогал себя за кончик носа.

— Кто молодец?

— Ахметов.

— А, этот... — Шишнанадзе ухмыльнулся. — Струхнул, щенок?

— Нет, — медленно ответил Автандил, припоминая твердость, с которой держался Эльдар. — Он не струхнул, он просто умный. Ахметов не хочет ложиться ни под Чемберлена, ни под меня. Он надеется остаться самостоятельным.

— И ты его отпустишь?

— Мне деваться некуда, но... — Губы Гори заиграли в легкой усмешке. — У Ахметова тоже выбора нет. Рыпнется — Чемберлен его сразу проглотит.

— Значит, не отпускаем? — удовлетворенно протянул Шишнанадзе.

Автандил тяжело вздохнул — тупость соплеменников удручала.

— Я ребят уже подготовил. Приедем к этим уродам, и...

— Задачу ты знаешь — надо мочить Крылова, — холодно перебил помощника Гори. — Так должно быть. Но только Крылова! Мочите и уходите, понятно?

— А если Ахметов начнет бузить?

— А ты все сделай так, чтобы Эльдар с тобой схлестнуться не успел, — внушительно произнес Автандил. — Эльдар перебесится, остынет, и мы с ним продолжим разговор.

* * *

Игорный дом «Два Короля».
Москва, улица Большая Каретная,
6 ноября, суббота, 18.05

Крылов почти жалел, что не окропил карту кровью Анны, что удержался, не поставил девушку вровень с Цвания. Почти... Пусть ведьма и обманула его, использовала в своих целях — так получалось со слов барона, за это она заплатила сполна. Относиться же к Анне как к врагу Никита не мог: он до сих пор вспоминал ее лицо, ее глаза, ее улыбку, запах ее волос, чуть хриплый голос и ласковые прикосновения. Сердце Крылова еще не смирилось с тем, что девушка умерла. Сердце начинало биться сильнее, когда Никита забывался и бросал взгляд на часы, пытаясь прикинуть, когда приедет Анна. А когда вспоминал о случившемся... сердце заставляло Крылова заливаться краской стыда, ненавидеть себя.

А потом он начинал стыдиться стыда, злиться, требовать от себя быть сильнее, жестче. Он начинал прислушиваться к голосу рассудка и тогда начинал жалеть, что не воспользовался кровью Анны. Потому что в этом случае ему осталось бы перевернуть на одну карту меньше, чем теперь. Потому что был бы на один шаг ближе к финалу. К победному финалу. И в этом случае Крылов куда спокойнее относился бы к тому, что...

— Тебя не должно смущать, что он сумел изменить расклад в свою пользу, — спокойно произнес Бруджа. — Как и любая игра, «Королевский Крест» непредсказуем. Нет! Он еще более непредсказуем, чем любая игра, ведь «Королевский Крест» имеет непосредственное отношение к жизни, к реальности, к Судьбе.

— Заканчивай с философией, — поморщился Никита. — Давай принимать решение.

Александр слегка улыбнулся: его забавляло поведение Крылова. Чел напуган, до колик напуган — барон подметил панику в глазах Никиты, увидевшего неприятно изменившийся расклад, — но старается не показывать виду. Ершится. Огрызается. Хотя напряжен неимоверно, дотронься — взорвется.

— Так что скажешь?

Почти час Крылов объяснял Брудже сложившуюся ситуацию, рассказывал, кто и против кого играет, кто чего добивается. Александр слушал внимательно, задавал уточняющие вопросы, затем взял время подумать, замолчал и лишь сейчас, по прошествии пятнадцати минут, заговорил. Разумеется, вконец издергавшийся Крылов хотел в первую очередь услышать мнение барона по главному вопросу.

— Нам нужно пять человек. — Пальцы Никиты мелко дрожали. — Кто?

— Не волнуйся, крови хватит. Крови всегда... больше, чем нужно. — Бруджа помолчал. — У нас точно пять карт?

«Он издевается?!» Крылов готов был вспылить, сорваться, накричать на наглого вампира, но не посмел. Стерпел.

— Да, пять.

И замолчал, напряженно ожидая, когда Александр соблаговолит ответить.

— Этот Жори...

— Гори, — поправил барона Никита.

— Непринципиально. Этот Гори — большая фигура, так?

— Так.

— Значит, сам он на встречу не поедет, пришлет помощника. — Бруджа усмехнулся. — Можно сказать, что с первой кандидатурой мы определились.

— Если Гори согласится вести переговоры, то, скорее всего, пошлет Шишнанадзе, — задумчиво пробормотал Крылов. Покосился на Александра: — Думаешь, эта пешка будет иметь серьезное влияние на мою судьбу?

— Конечно, — широко улыбнулся барон. — Шишнанадзе едет убирать тебя.

— Почему ты так уверен?

— Потому что я на месте Гори такой приказ обязательно бы отдал.

Крылов скривился.

— Хорошо, первый — Шишнанадзе. Дальше?

— Дальше по обстоятельствам. Сам Гори, Чемберлен...

— Чемберлен? — выдохнул оторопевший Никита.

— Он влияет на твою судьбу.

— Убить Чемберлена?! Ты серьезно?

— Я? — Бруджа презрительно посмотрел на собеседника. — Не следует забываться, чел.

Крылов понял, что едва не перешагнул опасную черту, едва не вызвал у Александра припадок ярости.

Барон молчал. Никита досчитал до пяти и очень медленно произнес:

— Прошу прощения, если мои слова прозвучали некорректно, но... Ты представляешь, кто такой Чемберлен?

— А ты представляешь, кто я?

Всего мгновение до Крылова доходил смысл вопроса. А затем в его глазах мелькнуло понимание. «Чемберлен и Бруджа! Смешно сравнивать!»

Александр удовлетворенно улыбнулся:

— Ты представляешь. А раз так — подумай: кто для меня Чемберлен?

— Никто, — едва слышно прошептал Никита.

— Громче!

— Никто!

— Правильно, — кивнул барон. — Ты все понимаешь правильно. Так что пользуйся моментом — с моей помощью ты способен сотворить многое.

Крылов с облегчением вздохнул, радуясь, что Бруджа вернулся в доброе расположение духа, посмотрел на разложенные карты, облизнул пересохшие губы и спросил:

— Ты сам говорил, что «Королевский Крест» тесно связан с реальной жизнью. А в ней трудно добиться чего-либо значимого одними убийствами.

— Как посмотреть, — не согласился Александр. — Правильно спланированная цепочка ликвидаций порождает хаос. Обрываются налаженные связи, рушится система управления, никто не знает, что следует делать, возникает недоверие даже внутри крепко спаянных групп, и первая же мелочь превращается в casus belli. Хаос — это война, а война стирает все следы. — Бруджа неожиданно поднялся, подошел к шкафчику с коллекцией Крылова и замер, разглядывая раритеты через стеклянные дверцы. — Поверь, чел Никита, убийствами можно добиться многого. Главное — знать, как правильно использовать их в своих целях.

— Как? — после паузы поинтересовался Крылов. — Кто? Все-таки Чемберлен? Ты настаиваешь? А что будет потом?

— Повторяю еще раз, — буркнул барон, не отрывая взгляд от экспонатов. — В настоящее время определяющее влияние на твою судьбу оказывает Автандил Гори. С него и начнем. Позвони и предложи договориться, упирай на то, что тебя подталкивают к войне, к которой ты не стремишься. Гори обязательно ухватится за предложение и пришлет своих помощников. Мы их уничтожим, после чего атакуем самого Гори. Твои враги умрут, но все будут знать, что это произошло против твоей воли: ведь ты предлагал переговоры. Значит, потребуется виноватый...

— Кто? — едва слышным шепотом осведомился Крылов.

— Но потребуется он не сразу: после смерти Гори возникнет неразбериха. — Бруджа сделал вид, что не услышал вопрос. — Все сильно удивятся. Особенно — твой покровитель. Неожиданная смерть Гори спутает Чемберлену карты — он ведь рассчитывал начать войну по-другому. Чтобы вывернуться, он сдаст тебя. Поэтому правильнее было бы убить и его, записав смерть на ребят Автандила. Мол, мстили за вожака.

— Но ко мне все равно будут вопросы, — буркнул Никита. — Смерть Автандила...

— Именно поэтому в убийстве Гори должны обвинить твоего компаньона.

— Эльдара?!

— Ты же будешь демонстрировать, что стремился к миру и не одобряешь самостоятельных действий Ахметова.

— Обвинить Эльдара?!

— Тебя что-то смущает? — Александр резко отвернулся от шкафа и уставился на собеседника.

«Ничего! Кроме того, что речь идет о моем друге!» С минуту Крылов бешено смотрел на безмятежно улыбающегося вампира. Сжимал и разжимал кулаки и смотрел. Не отрываясь. Всего два дня назад Никита был готов навсегда расстаться с Эльдаром, разбежаться. Но — расстаться, не подставить, не отправить на смерть. Хотя... ради Анны — убил бы, подставил, послал на смерть. Ради Анны. А ради собственной шкуры? На этот вопрос у Крылова пока не было ответа.

«Ради Анны...» Анна мертва. «Мой друг...» А могу ли я

так называть Эльдара? Все изменилось. Все очень сильно изменилось... «Он поставил начальником охраны своего человека!»

Никита с ненавистью посмотрел на разложенные карты. На Колоду Судьбы, медленно складывающуюся в «Королевский Крест»... и меняющую его жизнь. Меняющую его. «При чем здесь карты? Я сам, я сам...»

— Тебя что-то смущает?

— Не хочу подставлять Эльдара.

— К сожалению, чел Никита, из заварухи выберется только один.

— С чего ты взял? — Бруджа начал было отвечать, но Крылов перебил барона: — Нет! Молчи! Все равно с чего. Мы не должны так поступать!

Александр покачал головой:

— А ты не задумывался, чел Никита, почему было совершено только одно покушение? На тебя. В Ахметова, если помнишь, никто не стрелял.

— Эльдар находился в казино, здесь безопасно.

— Во-первых, не так безопасно, как тебе кажется. Ведь враги прислали не автобус с автоматчиками, а профессионала-одиночку, способного пройти куда угодно. К тому же на них работал начальник вашей охраны... Кстати, действительно работал? Ты знаешь об этом исключительно со слов Эльдара...

— Замолчи!

— Хорошо. Допустим, что в казино действительно не пройти. Но ведь Эльдар помчался к тебе домой — что мешало накрыть его по дороге?

— Они не ожидали, что Эльдар поедет ко мне.

— Чушь! Должны были ожидать!

Крылов отвел глаза. Он не знал, что говорить, что думать.

— Гори хотел убрать только меня?

— И договориться с Ахметовым. — Барон высокомерно усмехнулся: — Я больше чем уверен, что в настоящий момент твой приятель общается с Гори...

— Не может быть!

— Ты обратил внимание, как ведет себя Тугаев? Какие взгляды он бросает в твою сторону? Тугаев видит в тебе врага. Не просто так, смею тебя уверить, ему велено...

— Замолчи!

Никита не выдержал, шагнул к Александру, ярость затуманила голову, захотелось ударить, почувствовать, как кулак... Одним толчком Бруджа отправил чела в кресло. И тут же подошел, склонился, упер палец в грудь, не позволяя подняться, не позволяя пошевелиться — тяжела хватка истинного кардинала, не вывернешься. И голос... Сухие листья окончательно взбесились, взлетели, взметнулись, закружили дикий хоровод вокруг Никиты, ворвались в душу, расцарапали, разбередили...

— Запомни, чел Никита, судьба, она одному дается. Одному. На двоих не разделишь, чужой удачей не прикроешься, чужим счастьем себя не обрадуешь, не спасешься. Как ни старайся, а чашу свою испить придется одному, всю, до последней капельки. Одному.

— Не надо! Не говори!

— Пятеро нам нужны, пятеро. Гори и помощник его, Эльдар с Тугаевым да Чемберлен — вот они, пятеро. И от каждого из них, чел Никита, зависит твое будущее. Твоя судьба.

«Эльдар? Нет!»

Но трудно противиться яду шелестящих листьев, опыту многовековому, хитрости нечеловеческой. «Доверяй только себе, все остальные обманут. Каждый думает только о себе! Успей предать первым...»

— Что я должен сделать?

Бруджа кивнул на телефон:

— Звони.

Автандил положил трубку и с улыбкой посмотрел на Шишнанадзе.

— Крылов? — недоверчиво спросил помощник.

Гори утвердительно кивнул.

— Просил мира?

— Ага.

— Струсил!

— Или узнал, что Эльдар с нами повязался.

Последнее предположение заставило Шишнанадзе нахмуриться:

— А если узнал? Вдруг он...

— Ничего он не сделает, — махнул рукой Гори. — Ахметов у них силен, Ахметов. А Крылов — игрок, не более. В казино он царь и бог, а в деле — сопляк.

— Чего он хотел?

— Поговорить, — коротко ответил Гори. — К себе приглашал.

Дальнейшее Шишнанадзе слышал: Автандил вежливо отклонил просьбу, предложив отправить вместо себя «брата», чтобы тот выслушал предложение Никиты. «Ты как будто мне расскажешь, как будто я с тобой за столом сидеть буду...»

— Твоя задача существенно облегчается, — усмехнулся Гори. — Тебя пустят внутрь.

— То есть мы придурка все равно мочим? — уточнил Шишнанадзе.

— Конечно! Раз мы договорились с Эльдаром, значит, Крылов не нужен. А этот разговор... — Автандил постучал пальцем по подключенному к телефону нехитрому звукозаписывающему устройству, — укрепит Ахметова в мысли, что его компаньон — бесчестный подонок.

— Что и требовалось доказать, — усмехнулся Бруджа. — Не сомневаюсь, Гори рассчитывает убрать тебя, так что в любом случае произошедшее сочтут самообороной... Но лучше, если к приезду гостей Ахметов окажется в казино. Пусть все решат, что оборонялся он, а не ты.

— Эльдар звонил, — буркнул Никита. — Он едет.

— Замечательно! — Александр потер руки. — В таком случае начинаем. Для начала изолируем Али Тугаева...

— Сейчас?

Крылов вздрогнул: он еще не привык к мысли, что придется действовать против Ахметова, а барон уже торопит события.

— Да, сейчас, — подтвердил Бруджа. — Тугаев контролирует охрану и может нам помешать. Убери его. Жан-Жак поможет сделать все незаметно.

И столько уверенности чувствовалось в голосе барона, что спорить с ним не было никакой возможности. Можно только подчиняться.

— Хорошо, — после паузы произнес Никита. — Хорошо.

— И будем ждать гостей...

Александр вышел из кабинета.

Крылов стиснул зубы и тихо выругался: на душе было погано. При этом Никита не сомневался, что поступает правильно. Для себя — правильно. Не сомневался, что другого выхода нет. Для него — нет. Но настроение не улучшалось.

«Анна, Эльдар... Я остаюсь один...»

«Это Судьба, ее нельзя ни с кем разделить».

«Ложь!»

— Согласен!

Никита знал, кого увидит, а потому обернулся спокойно, даже нашел в себе силы улыбнуться:

— Давно не виделись.

— Соскучился? — осведомился маркиз.

— С тобой... интересно.

— Гм... любопытное замечание. — Барабао одернул красный камзол, медленно прошелся по столу и остановился у карт. Постоял, заложив руки в карманы и покачиваясь с мыска на пятку. Вид у него был независимый и... чуть презрительный.

«Да! — поймал себя на мысли Крылов. — Именно презрительный! Но почему?»

— Выпьешь?

— Не хочу!

Маркиз ответил, как... как... как своему крепостному!

Другого определения Никита подобрать не смог — как крепостному! Как рабу, осмелившемуся без разрешения подать голос. Ответил высокомерно. Сказать, что Крылов был удивлен, значит не сказать ничего — тон Барабао ошарашил Никиту.

«Почему он так себя ведет?! Возможно, все дело в...»

— Я заметил, ты избегаешь барона.

— Его общество мне неприятно.

— А мое?

— С тобой было... интересно. — Маркиз выдержал паузу, посмотрел Крылову в глаза, чуть скривил губы.

— А теперь?

Никита спросил и замер, со страхом ожидая ответа. С таким же страхом, с каким ожидал открытия карты в «Королевском Кресте». Он почувствовал, что от ответа Барабао зависит очень и очень многое...

— Теперь с тобой неинтересно, чел Никита, совсем неинтересно. — Показалось или в голосе маркиза на самом деле скользнула грусть? Впрочем, какая разница? — Мы больше не встретимся...

— Но...

— ...поскольку с тобой действительно было интересно, я дам тебе совет: посмотри расклад еще раз. Внимательно посмотри. Очень внимательно. Ты кое-что упустил.

* * *

Южный Форт, штаб-квартира семьи Красные Шапки. Москва, Бутово, 6 ноября, суббота, 18.08

— Ну, что, старый фруг, соберешь феньги к сроку?

Кувалда выловил уйбуя случайно: Копыто выбрался из «Средства от перхоти» в тот самый момент, когда во дворе Форта остановился фюрерский «Форд-Экспедишн». Вождь направился было к личному подъезду, но, увидев опального приятеля, притормозил.

— У тебя офин фень остался.

— Я помню, фюрер, — вытянулся Копыто. — Я все помню!

Уйбуй изо всех сил старался не покачиваться: участие в поминках по безвременно почившему артефакту здорово отразилось на координации движений.

— Много собрал?

— Много, — неопределенно ответил уйбуй. — Сам даже удивляюсь, как много.

Кувалда недоверчиво посмотрел на Копыто и вдруг сделался подозрительным:

— Тогфа почему не несешь? Потеряешь еще... феньги — это такая вещь, потерять очень фаже легко. Неси давай. Вот прямо сейчас неси!

— Да времени нет! — не растерялся уйбуй. — Все суета какая-то... Там копеечку найдешь, здесь монетку... Я думаю, соберу всю сумму, тогда и принесу. И тебе приятно, и мне лишний раз не бегать.

— Мне по-всякому приятно.

— А я эта... чисто из суеверия не хочу. Вдруг я тебе денег отнесу, а они после этого и кончатся.

— Кто?

— Деньги.

— А... — С минуту фюрер размышлял над словами уйбуя, пришел к выводу, что деньги действительно способны кончиться в самый неподходящий момент, а следовательно, Копыто прав, и рисковать не стоит. — Значит, успеешь фо понефельника?

— Я постараюсь.

— Ну, старайся.

Расстроенный Копыто тоскливо посмотрел в спину уходящему вождю и обреченно поплелся к украшающей двор мусорной куче сделать то, ради чего покидал кабак.

— «Старайся»! Тебе легко говорить, высокопревосходительство господин великий фюрер. Ты весь в шоколаде, хоть и одноглазый. А как тут «старайся», мля, если полный кирдык, куда ни плюнь?

— Вот он!

— Даже амулет закончившийся продать не получилось, потому что тварь какая-то на него наступила...

— Явился, клянусь печенью Спящего!

— Ишь, расфуфырился!

— Подлый тритон!

— Кто?

— Зверь такой.

— Да не тритон это, а Копыто! Известный кретин.

— Хватит руками по штанам елозить, чучело! Отвечай, когда с тобой разговаривают!

Уйбуй перестал бормотать себе под нос и в замешательстве уставился на появившуюся толпу: не менее трех десятков бойцов во главе с Булыжником.

— Стоять, борзый!

— Чего надо?

Почувствовав неуверенность в голосе Копыто, Дуричи завелись окончательно — жертва слаба, жертва напугана, жертва в одиночестве. Последний пункт радовал особенно: хоть приятели Булыжника и имели численное превосходство, драться с десяткой Копыто они не хотели — мало ли как обернется. Однако подчиненные несчастного Шибзича, почувствовав, что у шефа крупные неприятности, старались держаться от него подальше. Большая их часть временно покинула Форт, а повязанные с уйбуем Иголка и Контейнер наблюдали за встречей с Дуричами из дверей «Средства от перхоти».

— Что, скотина, не нравится?

— Что не нравится?

— Я тебе покажу «что не нравится»! — Распаленный Булыжник потряс перед носом Копыто кулаками. — Ты у меня попляшешь! Ты куда меня послал?

— Далеко я тебя послал, — раздраженно ответил Шибзич. — А могу и еще дальше!

— Все слышали, как он надо мной издевается? Все слышали, как он Дуричей не уважает?

— Все, — послушно выдохнула толпа. — Мочи отморозка, Булыжник! А мы тебя всегда со спины прикроем.

Только сейчас до Копыто дошло, в какой переплет он

попал. Один, в окружении отчего-то возбужденных и жаждущих крови Дуричей. Запахло смертоубийством. Шибзич сглотнул подступивший к горлу комок и спешно изобразил на лице улыбку:

— Подожди, Булыжник, зачем кричать? Я ведь никуда тебя не посылал...

— Тритон позорный!

— Изворачивается, гнида!

— Уйти хочет, паскуда!

— Дайте ему по башке!

— Ща дам, — вальяжно пообещал упивающийся моментом Булыжник. — Адназначна этот чухонец не уйдет. Хватит! Намучились!

— Да за что по башке-то?!! — заорал ничего не понимающий Шибзич. — Сразу говорю: все, что вы обо мне слышали, — вранье! У меня до хрена завистников!

— И то, что ты мертвых демонов поубивал, — вранье? — осведомились из задних рядов.

— Насчет мертвых демонов — чистая правда, — твердо ответил уйбуй. — Я действительно герой войны.

— Заткнись! — оборвал Дурич перепуганного Копыто: — Подставил меня, сука? На смерть послал?!

— На какую смерть?

— А кто, чтобы угнать машину, пять штук предложил?

— Так это же бизнес! В натуре, бизнес, любой подтвердит, мля!

— Заюлил, собака!

— Купить хотел задешево, — проревела толпа. — А еще другом прикидывался!

— Денег обещал!

— Все Шибзичи — гады!

На бойца, выкрикнувшего последний лозунг, зашикали — никто не хотел переводить конфликт в политическую плоскость, все-таки великий фюрер того, тоже Шибзич... К счастью, антиконституционного вопля никто не услышал, и скандал продолжал развиваться в прежнем направлении.

— Да в том гараже масанов битком набито!

— Каких еще масанов?

— Самых настоящих масанов! С зубами!

— Ну и что?! Я тебе кого велел притащить: машину или масана? Машину! При чем здесь масаны?

— Он твою машину стережет!

— В засаде!

— Сам ее теперь угоняй!

— Мы, мля, еле от масана отбились!

— Не фига было ему подмигивать!

Обидное замечание Копыто отпустил машинально, напрочь позабыв в пылу ссоры, что находится в плотном кольце враждебно настроенных бойцов. Расплата последовала незамедлительно: притаившийся за спиной Шибзича Отвертка толкнул Копыто на Булыжника. Дурич ответил прямым левой в челюсть. Шибзич неловко отшатнулся и локтем въехал Маркеру в глаз.

— Убивают! — вякнул Маркер, и Копыто с ужасом осознал, что это правда...

— Могли бы, типа, и совсем грохнуть, — проворчал Контейнер, поднимая уйбуя с земли. — Идти можешь?

Ноги Копыто не держали, подгибались, избитый уйбуй практически висел на плече верного здоровяка, но тем не менее нашел в себе силы пробубнить:

— Угу.

— Тогда пошли.

— Куда? — страдальчески поинтересовался пострадавший, обозревая мутным взглядом двор. — Куда мне, мля, податьшя?

Контейнер посмотрел на окончательно павшего духом Копыто... и промолчал. Здоровяк и сам не представлял, куда идти, где спрятаться от судьбы-злодейки. В казарму? Запереться и сидеть, дожидаясь неминуемой гибели? Гульнуть напоследок в «Средстве от перхоти»? Пойти и учинить сражение с наглыми Дуричами? Пасть в бою, оставив о себе память на пару дней? Вроде: «Гордая десятка гордого уйбуя Копыто не стерпела позора и учинила великое сражение! Так выпьем же за храбрость покойных...»

Но падать в бою ни Контейнеру, ни Копыто решительно не хотелось. Уйбуй в настоящий момент мечтал прилечь где-нибудь и поспать, дать отдохнуть избитому организму, но разве с этими переживаниями заснешь? Мало того, что деньги никак не собираются, так еще и «Мазератти» Булыжник не угнал. И не собирается угонять.

— Куда идем? — переспросил Контейнер.

— Мотать надобно, — подал голос Иголка. — Прятаться, в смысле. Давай куда-нибудь в Сибирь сбежим? Побудем там, пока о нас забудут. Потом вернемся.

— Года через два?

— Пусть и через два. Зато живыми.

— За два года ты в Сибири околеешь. Там же зима кругом, снег...

— Ты еще скажи: китайцы, — фыркнул Иголка.

— Китайцы, шаманы, — продолжил перечисление Контейнер. — Кедровые шишки и прочая дикость. В общем, край света, мля.

— Пойди выпей, — посоветовал скандалист. — А то у тебя в голове совсем пусто.

— Не, еще чуть-чуть осталось. — Здоровяк осторожно постучал себя по лбу. — На донышке.

— Это осадок.

— Ф Шибири наш тоже найдут, — сообщил Копыто. Губы у него распухли, что и послужило причиной изменения дикции. — От Шантьяги не шпрячешшя. Надо машину фернуть. А то федь и прафда найдет...

— Пусть находит, — махнул рукой Иголка. — Один хрен.

Мелкий боец давно понял, что бежать бесполезно, и разговор о Сибири завел просто так, по привычке.

— И то правда, — поддержал вечного оппонента Контейнер. — Чего суетиться, если, типа, все и так ясно?

Копыто посмотрел на подчиненных со всем возможным в его положении скепсисом.

— Шего фам яшно, придурки? Шофшем протрешфели, што ли? Фюрер добрый, он наш прошто пофешит, и фше. А Шантьяга штанет пытать.

Бойцы переглянулись — в словах уйбуя чувствовался глубокий смысл.

— Это почему Сантьяга станет нас пытать?

— Потому что — наф.

— Не успеет, — буркнул Контейнер. — Фюрер нас первей повесит.

— А ешли ушпеет? Нафы они фше такие: припретшя ф полночь, шкажет, мол, фошкрешенье уже началошь, и начнет пытать.

— Я тогда себе харакири сделаю, — пообещал Иголка. — И тебе, ослиная башка, тоже. Понял меня? Первая пуля из харакири — твоя.

— Как в Сибири, — эхом отозвался Контейнер. — Глаз за глаз.

— А ешли мы Шантьяге тачку фернем, у него наштроение хорошее штанет, и мы его попрошим нам помочь, — развил мысль Копыто. — Чего ему штоит жа наш шлофечко перед фюрером шамолфить? Мол, не надо убифать, потому шта мы еще пригодимшя.

— Ты Сантьягу попросишь? — недоверчиво прищурился Иголка.

— Попрошу, — пожал плечами уйбуй. — Мне шейчаш фше по фигу.

Бойцы вновь переглянулись:

— Получится?

Контейнер пожал плечами:

— Может, и получится. Типа, чем штаны протирать, лучше поехали, правда, за тачкой...

* * *

Игорный дом «Два Короля».
Москва, улица Большая Каретная,
6 ноября, суббота, 18.43

Надо верить!

Стискивать зубы, приказывать себе не отступать, не сомневаться, не сворачивать с выбранного пути. Верить! Верить в себя. Верить в то, что делаешь. Только так можно добиться результата, достичь желаемой цели: с горящими глазами, с искренней верой в свою правоту, с готовностью пожертвовать собой. Искренность подкупает, заставляет задуматься, останавливает занесенную для удара руку. Искренность — мостик, перекинутый через реку огня, идти по нему чертовски трудно, но ведь другого пути нет. Все остальные дороги ведут в хаос...

Только искренностью можно заслужить доверие хозяина всевидящего Амулета Крови. Только предельной честностью.

А для этого нужно верить. И Захар верил. Он верил, что поступает правильно, что действует на благо семьи, и был готов, в случае необходимости, пожертвовать собой. Захар прекрасно знал, что ненавидим. Что любой мятежник с удовольствием *высушит* его, а еще лучше — отправит на солнце, дабы насладиться чудовищными муками епископа. Но Захар слишком устал от войны, слишком устал от ненависти. *Высушат* значит *высушат*. Отправят на солнце значит отправят на солнце. Поверят — отлично.

Подъехав к «Двум Королям», Треми специально припарковал машину напротив главного входа и десять минут просто сидел за рулем, предоставляя Брудже возможность привыкнуть к своему присутствию. Затем епископ медленно проехал к воротам подземного гаража и холодно улыбнулся вампиру, стоящему рядом с челами-охранниками:

— Sai chi sono?

— Si.

— Sono venuto da solo. Non sono armato. Voglio vedere il barone.

— Sei qui per negoziare?

— No. Nessuno sa che sono qui[1].

---

[1] — Ты знаешь, кто я?
— Знаю.
— Я приехал один. Я невооружен. Я хочу видеть барона.
— Ты парламентер?
— Нет. Никто не знает, что я здесь *(итал.)*.

Жан-Жак поморщился, но молча кивнул челам, приказывая поднять шлагбаум и пропустить в гараж «Инфинити» Захара.

* * *

Книжный магазин Генбека Хамзи.
Москва, улица Арбат,
6 ноября, суббота, 18.44

— Смешно, правда? Они оба меня убили. Оба меня любили, и оба меня убили. Прямо рифма... Проклятая поэзия... — Анна повертела в руке бокал, сделала большой глоток вина. Смотреть Генбеку в глаза девушка избегала, отворачивалась, прятала взгляд. Не хотела, чтобы старик видел слезы. — Убили, потому что любили. — Еще один глоток вина. — Меня.

Метаморф способен сопротивляться воздействию спиртного сколь угодно долго, для него не составит труда изменить свой организм так, чтобы он стал невосприимчив к алкоголю. Небольшая коррекция клеток, и поступающее вино начинает оказывать на них такое же действие, как и обыкновенная вода. Ты остаешься трезвым. Ты отчетливо воспринимаешь происходящее. Помнишь каждую мелочь... Но сейчас Анна не хотела оставаться трезвой, не препятствовала винному дурману туманить голову. Надеялась заглушить боль, расслабиться, смыть виноградной кровью горькие мысли.

Но не получалось.

— Я все испортила.

Хамзи приоткрыл рот, собираясь что-то сказать, передумал, вздохнул и тоже глотнул вина. Пригубил, если быть точным, ибо в отличие от заканчивающей вторую бутылку девушки шас до сих пор тянул первый стаканчик.

— А все моя глупость, — продолжила Анна. — Судьба! Разве могут ее изменить какие-то карты? Чушь! Чушь! Генбек, вы были абсолютно правы...

Последнее замечание совсем не удивило старика.

— Какая я дура!

К этому заявлению Хамзи также отнесся с пониманием.

— Судьба — это жизнь! Жизнь! Настоящая жизнь! За карточным столом ее можно только проиграть! Не выиграть! Не изменить! А только проиграть!! Почему я вас не послушала...

Анна всхлипнула. Генбек сочувственно вздохнул и, воспользовавшись тем, что девушка уткнулась в носовой платок, бросил тоскливый взгляд на висящую на входной двери табличку «Закрыто на учет» — дружба нанесла бизнесу предательский удар. Закрыть магазин в разгар дня! Все существо шаса возмущалось этим поступком, голоса предков дружным хором требовали одуматься и отворить двери посетителям, но Хамзи держался. Он понимал, что Анне необходимо выговориться, знал, что пойти девушке больше не к кому, а потому стоически переносил невзгоды.

— Мне было хорошо с Эльдаром. С ним спокойно, с ним интересно. Если бы он относился ко мне как к любовнице, все было бы иначе... — Еще один всхлип. — Но он в меня влюбился по-настоящему. Я видела. Я знала. Эльдар хотел от наших отношений большего, но не мог спорить с отцом. Это нас мучило. Его... меня... А Никита...

Хамзи держался, несмотря на то, что трагическую историю любовного треугольника ему предстояло выслушать в пятый раз — говорить о чем-либо другом Анна не могла. Интрижка, увлечение, настоящая любовь, обида, внезапно появившийся деловой интерес, новая любовь... С точки зрения шаса, уйдя к Никите, девушка поступила абсолютно правильно: в первую очередь следует думать о бизнесе. С другой стороны, Генбек избегал смешивать деловое и личное, ибо видел, к каким последствиям приводит страстный коктейль бизнеса и чувств. В общем, чем умнее женщина, тем больше она делает глупостей.

— Я видела, что Никита не врет! Он любит меня! Или

любил... — Вздохнула: — Эти проклятые карты изменили его...

Играя с Судьбой, изменяя свою жизнь, трудно остаться прежним. Мало кто из игроков в «Королевский Крест» задумывался над этим. По крайней мере, до игры.

— Никита стал другим...

Но, несмотря на свое состояние, девушка оставалась наемником и утаила от старика факт появления в городе барона Александра. Знала, что Хамзи обязательно донесет в Темный Двор, и утаила. Объяснила поступок Крылова тем, что во время игры у Никиты случилось нечто вроде временного помешательства и он решил не отдавать Колоду. И о том, что она метаморф, не проговорилась, сказала, что навела морок, заставив Крылова и Ахметова увидеть себя мертвой.

Хамзи делал вид, что верит.

— Эльдар наверняка захочет убить Никиту. Он не простит оскорбления. — Еще один глоток вина. — Что делать?

— Теперь-то ты понимаешь, что пришло время обо всем рассказать Сантьяге?

Анна поставила бокал на прилавок, высморкалась, сложила платок и внимательно посмотрела на Генбека. Благодаря блестящему контролю над организмом метаморфу требуется мало времени, чтобы протрезветь.

— А что, собственно, изменилось?

От изумления Хамзи едва не выронил стакан.

— Тебя два раза убили.

— Ну и что? Мы ведь собираемся заполучить Колоду Судьбы, а не ведем учет моим смертям. Не так ли?

Черные глаза Анны гипнотизировали, вязали по рукам и ногам, оторваться от них было невозможно. Старик кашлянул и осторожно согласился:

— Так.

— Я поеду и заберу ее.

— Одна?

— Одна.

Решение пришло внезапно. Правильное оно или нет, покажет время, но сейчас идея полностью захватила Анну. Убить Бруджу. Или взять в плен. Последнее, конечно, предпочтительнее, но сойдет и первый вариант. Убить или взять в плен. А заодно устроить шумную заварушку. ОЧЕНЬ шумную заварушку: стрельба, взрывы, полиция, кровь и обязательно — пожар. Такую заварушку, чтобы ни у кого не осталось сомнений в том, что Колода Судьбы погибла.

Оставалось продумать план атаки.

— Генбек, я ведь могу заказать через вас снаряжение?

— Если товар на складе, его доставят в течение десяти минут. Если потребуется искать или изготавливать — в течение часа.

Торговая Гильдия являлась коммерческой организацией, нацеленной на получение прибыли, а потому из любого ее магазина можно было заказать любой товар. Зашли в гастроном и неожиданно вспомнили, что позабыли о надувной лодке с форсированным двигателем? Никаких проблем: обратитесь к продавцу, и он оформит заказ за мизерное дополнительное вознаграждение[1]. В принципе, можно было бы просто позвонить операторам Гильдии и получить товар с курьером. Но в этом случае пришлось бы назвать номер карточки «Тиградком», а Анне не хотелось, чтобы среди покупок мелкой ведьмы с мирной специализацией появились боевые артефакты и характерное для наемника снаряжение.

— Генбек, я не хочу приобретать оружие на свое имя.

---

[1] «Несмотря на всю прелесть этого предложения, за сложным хозяйственным оборудованием (а уж тем более — за оружием) я всегда отправляю мужа в специализированные магазины. Пусть шасы и уверяют, что любой из них лучше всех разбирается в чем угодно, — только у профессионалов можно получить действительно стоящие консультации и сделать оптимальный для себя выбор из существующих вариантов...» **Маргаретта фон Зюйдов.** Как делать шопинг в магазинах этих ужасных шасов? М., 2002.

— Хорошо, — вздохнул старик. — Я сделаю заказ на магазин.

— Спасибо.

Анна рассеянно улыбнулась — она уже обдумывала, что именно следует взять с собой. С чем выйти против Бруджи.

Со стороны решение девушки могло показаться, мягко говоря, спорным — рискнуть в одиночку атаковать истинного кардинала мог или слишком самонадеянный боец, или слишком тупой. Даже гарки, элитные воины Нави, предпочитали с вождями вампиров не связываться и честных дуэлей избегали — Амулеты Крови обеспечивали своим владельцам хорошую защиту. Но у Анны было преимущество: благодаря своим уникальным способностям она могла обмануть Алое Безумие, могла подобраться к барону на расстояние удара.

Темный Двор считался самым жестким из всех Великих Домов. Прямая, как стрела, вертикаль власти абсолютной монархии, колючий характер навов, а также сплоченность, проявляемая семьями во время конфликтов, — все эти факты порождали слухи о рабском подчинении, которого требовали от вассалов темные. Сложившуюся за тысячелетия репутацию поколебать очень сложно, ведь штампами думать удобнее, проще, и мало кто обращал внимание на то, что именно вассальные семьи Нави вели себя в Тайном Городе наиболее свободно и независимо. Власть во Дворе была выстроена жестко, но времена, когда она опиралась на штыки и кнуты, миновали — Тьму давно перестали интересовать рабы.

Вот почему Генбек мог себе позволить действовать так, как считал нужным: придерживать важные сведения, прикрывать Анну, другими словами, вести свою игру, зная — зная! — что мешает Сантьяге. Вот только вести себя подобным образом рекомендовалось недолго. Успеешь получить прибыль до того, как ситуация выйдет из-под контроля, и навам не придется прикладывать больших усилий для ее исправления — никто тебе и слова не скажет. Не успеешь, заиграешься — пеняй на себя.

Старый Хамзи был умен даже по меркам шасов, он прекрасно знал правила игры и никогда не допускал ошибок.

— Что она решила?

— Хочет все исправить.

— Это ее право.

— Она... — Хамзи кашлянул. — Она...

— Анна до сих пор ищет себя. Совершает ошибки. Готовится к новым. У нее трудный период.

— Время ошибок...

— Можно сказать и так.

— Вы на нее не сердитесь?

— В настоящий момент меня устраивают действия, которые она готовится предпринять.

— Мне стало спокойнее.

— Неужели? А мне показалось, вы чем-то расстроены.

— Вы, как всегда, не ошиблись, — с глубокой грустью произнес Генбек, — понимаете, ради Анны мне пришлось на время закрыть магазин...

* * *

Цитадель, штаб-квартира
Великого Дома Навь.
Москва, Ленинградский проспект,
6 ноября, суббота, 18.56

— Но при чем здесь я? — недоуменно переспросил Сантьяга. — Даже в мелких лавках обязательно есть второй продавец на случай...

— Видимо, я слишком близко к сердцу воспринял вашу просьбу помочь бедняжке, утешить ее и тонко направить на выполнение нужных ВАМ действий. Конечно, мне следовало бы сообщить несчастной, что я рассказал обо всем Темному Двору...

— ...остается в торговом зале, а вы с девушкой идете, к примеру, в кабинет...

— ...она так мне доверяет...

— Но вы решили, что управитесь один...

— Каково будет Анне узнать, что каждый ее шаг известен...

— ...в итоге не можете отлучиться даже на пять минут...

— ...разобьет ей сердце!

— ...и наносит непоправимый ущерб бизнесу!

Собеседники одновременно замолчали, пытаясь понять, о чем, собственно, говорил оппонент. Первым нашелся шас:

— Извините, что говорю, когда вы меня перебиваете.

— Ничего страшного...

— И тем не менее, комиссар, от вас я такого не ожидал! — с чувством продолжил Генбек.

— Темный Двор тоже пострадал, — буркнул Сантьяга. — Закрытие магазина не увеличит налоговые отчисления.

— Я исполнял ваш приказ, — твердо заявил Хамзи. — Фактически я находился на военной службе. Или на тайной службе. Я действовал в интересах...

— Вы пытались загладить...

— Возможно, я рисковал жизнью!

— Не думаю, что во время разговора с Анной опасность была столь высока, — терпеливо произнес комиссар. — Сейчас, к примеру, она намного выше.

— Вы мне угрожаете? — выдержав паузу, осторожно поинтересовался Генбек.

— Нет, я смотрю на часы — у меня очень мало времени.

— В таком случае не буду вас отвлекать, — поспешил закруглить разговор шас.

— Благодарю...

— А размеры компенсационных выплат мы обсудим позже.

И прежде чем Сантьяга успел ответить, Хамзи бросил трубку. Комиссар хмыкнул, сложил телефон и повернулся к терпеливо дожидающимся окончания беседы подчиненным.

— Прошу прощения, господа, — дела.

Участники совещания с пониманием покачали головами. Их было трое. Ортега, ближайший помощник комиссара, переминался у находящейся в центре комнаты объемной модели «Двух Королей» — превосходного образца магической голографии. И два Гангрела в креслах: Нил, кардинал клана, и Платон — епископ. Беловолосые, худощавые, бесстрастные, убежденные сторонники Камарилла. Гангрелы, как и Треми, считались наиболее верными Темному Двору масанами, на них комиссар мог положиться полностью.

— Продолжим? — предложил Сантьяга.

— С удовольствием! — Ортега вновь взялся за указку. — Подземный гараж казино мы разобрали, на очереди первый этаж.

На одном уровне с пафосным холлом, основной достопримечательностью которого являлся фонтан с мраморной скульптурой, находились ресторан, кухня, два зала автоматов, а также гримерные и некоторые служебные помещения. На втором этаже разместились главные залы: столы для рулетки, костей, «блэк джека», клубного покера и прочих карточных игр. Два бара, касса. Третий уровень предназначался для самых дорогих гостей, прибывших в игорный дом по особому приглашению. В его роскошных комнатах собирались тонкие ценители Игры, чтобы сразиться друг с другом в настоящий покер или бридж по невозможным для посетителей общедоступного зала ставкам. Здесь устроили свои кабинеты Крылов и Ахметов, и здесь же находился оперативный центр службы безопасности. Гости попадали на верхний уровень «Двух Королей» на особом лифте, обслуживающий персонал — по черной лестнице...

— ...которая блокируется двумя стальными дверями. Та из них, что находится на площадке второго этажа, снабжена стандартным электронным замком. Сотрудники, имеющие право доступа на третий этаж, открывают ее своими чипами. После чего поднимаются на два пролета и оказываются перед следующей дверью, открыть которую может лишь находящийся внутри охранник. Замки связаны между собой, одновременное открытие двух дверей возможно только в случае пожарной тревоги.

— Придется обеспечить, — усмехнулся Нил.

— Придется, — сухо согласился Ортега. — Как вы понимаете, господа, проникнуть в казино нашими методами несложно, однако нельзя забывать о режиме секретности. Челы изрядно удивятся, увидев стремительно проржавевшие двери или появившихся из воздуха воинов...

— Не в первый раз, — бросил Платон.

— Знаю, — кивнул нав. — Но предупредить обязан.

— Вы уверены, что нам придется идти на третий этаж?

— Не сомневаюсь, что Бруджа засядет именно там. Скорее всего, в кабинете Крылова. — Указка Ортеги уткнулась в одно из помещений, и модель, подчиняясь воле помощника комиссара, увеличилась в размерах, во всех подробностях демонстрируя выбранную комнату. — Наш план разработан, исходя из этого предположения.

— С вашего позволения, господа... — Сантьяга подошел к модели и остановился рядом с помощником. — В плане произошли некоторые изменения.

— Серьезные?

— Интересные. — Комиссар улыбнулся. — Большую часть неприятной работы за вас исполнит один из моих наемников. А вам предстоит проследить за тем, чтобы...

* * *

Игорный дом «Два Короля».
Москва, улица Большая Каретная,
6 ноября, суббота, 19.02

Сен-Жермен не рискнул похитить у Бонапарта Колоду во время партии, ибо такой грубости, такого пренебрежения к своим основным законам Игра бы не простила. Могущественный артефакт мог превратиться в обычные карты, а граф не допускал мысли, что Колода, в создание которой он вложил столько сил, погибнет. Нет, артефакт следует сохранить. Не для себя — Сен-Жермен понял, что никогда более не прикоснется к своему детищу, но в будущем, возможно, Колода принесет пользу, поможет в важном деле. В гораздо более важном деле, чем уничтожение Тайного Города...

Десятки лет граф мечтал покончить с гнездом нелюдей. Прятался от их всевидящего ока, скрывал свою суть, строил планы и по кирпичику выстраивал чудовищную махину, призванную смести с лица Земли ненавистное поселение. Десятки лет трудов, поражений и побед. Десятки лет... потраченных впустую. Он выпестовал нового Аттилу. Он собрал огромную армию и приготовился напасть на великую империю. Он не сомневался в успехе вторжения, был на сто процентов уверен, что французы возьмут Москву.

Но что дальше?

Простая мысль, простой вопрос. Но ослепленный ненавистью Сен-Жермен задумался над ним только сейчас. В последний момент. Когда маховик раскрутился. Когда стало невозможным остановить новых варваров. Только сейчас... До этого отмахивался от подобных размышлений, гнал сомнения прочь, стискивал зубы и упрямо шел вперед. Но как долго можно прятаться? Как долго можно не задумываться о том, что ждет тебя на вершине?

Можно взять русскую столицу, наводнить ее мародерами и насильниками, грабителями и убийцами. Можно. Но заметит ли это Тайный Город? Что для нелюдей человские войны? Забавы. А даже если заметят, если поймут, что корсиканец грезит мировым господством, если решат воевать — возникнет ли глобальный конфликт цивилизаций? Встанут ли на сторону Наполеона те, кто способен помериться силами с Великими Домами? Об этих людях Сен-Жермен не забывал, переписку с ними вел очень осторожно, едва ли не заискивающе. Убеждал, что «время пришло»; вздыхал, что «человечество в опасности»; подводил к мысли, что «надо решаться». И лишь недавно раскрыл карты, рассказал все.

Й состоялась встреча со специально приехавшим в Париж русским монахом, и первое, что услышал на ней граф:

«Мы не поможем».

«Одумайтесь! Отвлекитесь от патриотизма, забудьте, что война будет идти на территории России! Подумайте обо всем человечестве!»

«О нем мы и думаем, граф. Мы думали о нем, когда сражались с Тайным Городом плечом к плечу с гиперборейцами. Мы думали о нем, когда уничтожали гиперборейцев плечом к плечу с Великими Домами. Мы думали о нем, когда Инквизиторы ставили нелюдей на колени, и позже, когда мы истребляли Инквизиторов, желавших, подобно вам, сражаться до конца».

«Трусы! Предатели!»

«Вы ищете славы или смерти? Пытаетесь удовлетворить амбиции или сделать что-то действительно важное? Разберитесь в себе. И объясните мне, почему люди должны платить за ваше величие?»

«Они ждут! Великие Дома ждут, когда мы ошибемся!»

«Сделайте так, чтобы не дождались. Этим вы окажете человечеству гораздо большую услугу. — Русский вздохнул. — Поверьте, граф, люди не настолько плохи и заслуживают жить в мире... со всеми».

«Отказывая в помощи, вы отдадите Западную цивилизацию на растерзание Тайному Городу!»

«Нет, — покачал головой монах. — ВЫ отдадите...»

Отказ не сломил графа — оставалась надежда, что в случае войны Забытая пустынь изменит точку зрения. Если правильно разыграть партию, могущественные монахи не смогут остаться в стороне: события вынудят их действовать. Сен-Жермен, опытный кукловод, в своих силах не сомневался, знал, что интрига удастся. Но графа смутила уверенность монаха. Смутило, что русский не обвинил его в подготовке вторжения. А ведь не мог монах не видеть, что ждет страну: боль и страдания, еще не пришедшие на русскую землю, отражались в глазах посланника Забытой пус-

тыни. Жгли душу. Но промолчал монах. Промолчал. Говорил не о войне. Говорил о мире..

Это следовало обдумать.

Проще всего было уйти из лагеря порталом и сразу оказаться вдали от взбешенного императора. Но переход был слишком заметным заклинанием, построенный в такой близи от Москвы, он бы наверняка привлек внимание наблюдателей Великих Домов. Граф же не хотел встречаться с боевыми магами нелюдей, а потому поскакал в город верхом, миновав французские посты при помощи легкого, едва заметного для Великих Домов морока. Окрыленный успехом Сен-Жермен совершенно забыл, что не только он пристально следит за Колодой Судьбы. Не обратил внимания на сгустившуюся ночную тьму. И опомнился, лишь когда вставший на дыбы жеребец едва не выкинул его из седла: из открывшегося портала вынырнули всадники. Много всадников, почти два десятка.

— Какая встреча, граф! Надеюсь, вы обо мне не забыли?

Мрак прятал облик говорящего, но невозможно было не узнать уникальный голос.

— Бруджа!

— Пришло время расплатиться, граф!

Сен-Жермен машинально положил руку на седельную сумку, в которой лежала шкатулка с Колодой Судьбы.

— Отец предусмотрел все, кроме появления партизан, — вздохнула Клаудия.

И если Сен-Жермен забыл о масанах, то Бруджа, в свою очередь, совершенно упустил из виду тот факт, что русские восприняли вторжение чрезвычайно серьезно и не собирались придерживаться общепринятых правил ведения войны. Нет, регулярные части действовали как положено: отступали, производили перегруппировку, совершали маневры, отрезая Наполеону дорогу на юг. В то же время население не выступало в роли стороннего наблюдателя, а способствовало, чем могло, истреблению захватчиков. Войска Кутузова ушли, а в окрестностях Москвы оставалось полным-полно русских отрядов, изматывающих противника молниеносными рейдами.

— Будь это только челы, у отца не возникло бы проблем. Но Великие Дома испросили у Забытой пустыни разрешение на участие в боевых действиях. Масаны Камарилла, юные рыцари Ордена и дружинники Зеленого Дома — все, кому захотелось повоевать, помахать саблей, такую возможность получили...

На близком расстоянии Алое Безумие не способно скрыть хозяина от сканирования, и подскакавшие чуды сразу поняли, на кого наткнулись.

— Масаны?!

— Саббат!!

— Смерть кровососам!!!

Они сшиблись в рукопашном бою: восемнадцать вампиров и десяток молодых рыцарей. Сабли и шпаги против кирас и прямых палашей, скорость и ловкость против силы и натиска. Сшиблись, смешались, заговорили на языке клинков, разорвав ночную тьму звоном железа. Отступать никто не собирался: чуды, отправившие в Замок сигнал, были уверены, что помощь придет, а масаны надеялись захватить Колоду Судьбы. И они были близки к достижению цели: оттеснили рыцарей, метким выстрелом свалили жеребца Сен-Жермена, но...

Сбыться надеждам не удалось: сначала на шум схватки подоспел отряд чуловских гусар, а следом явилось подкрепление из Замка.

— Дальнейшее тебе известно. Отец спасся благодаря самопожертвованию телохранителей. Сен-Жермен сбежал — ему тоже не хотелось встречаться с чудами, которые, в свою очередь, разбив отряд отца, быстро покинули место схватки, разъехавшись с челами в разные стороны. Следы скрыла Служба утилизации... — Клаудия помолчала. — В отряде гусар воевал поручик Денис Чернышев.

Твой предок. Он-то и стал счастливым обладателем красивой шкатулки с двумя колодами карт.

— Но он не открывал «Королевский Крест», — тихо произнес Роберто. — Бабушка рассказывала, что первым сыграл с Судьбой Дмитрий Чернышев, сын Дениса.

— Чтобы открыть пасьянс, нужна помощь колдуна. Возможно, Дмитрий каким-то образом узнал о Тайном Городе, или сам...

Но было видно, что подробности семейной истории графов Чернышевых не интересуют Клаудию. Последние фразы она произносила без души, без страстности, едва ли не механически, полностью увлеченная, как понял Роберто, коротким сообщением, которое сделал заглянувший в комнату Жан-Жак. Слуга произнес несколько фраз на незнакомом Чернышеву языке, ушел, а девушка, помолчав некоторое время, продолжила повествование без прежнего энтузиазма.

«Какие-то проблемы?»

Но спрашивать Чернышев не стал. Знал, что Клаудия сама расскажет. Так и произошло. Девушка ласково провела прохладным пальчиком по плечу Роберто и улыбнулась:

— Тебя, наверное, интересует, что сказал Жан-Жак...

Ответить Чернышев не успел: в комнату вошел барон. Быстро, без стука. Угрюмо посмотрел на Роберто, чуть скривился, повернулся к дочери и громко задал вопрос. На древнем языке масанов, как догадался Чернышев.

— Я не смотрела в будущее, — по-русски ответила Клаудия.

Александр проигнорировал намек девушки и переходить на знакомые Роберто языки не стал. Впрочем, смысл его второго вопроса был понятен и без перевода.

— Потому что это не нужно, — отрезала Клаудия. — Я устала повторять, что некоторые события следует обдумывать и анализировать, а не пытаться предсказать, к чему они приведут.

Еще один вопрос.

— Да, я думала. А ты?

На этот раз Бруджа говорил довольно долго, минуты две. Сменил тон: из грубовато-недовольного он стал просто ворчливым и даже, увлекшись, принялся активно жестикулировать. Клаудия внимательно выслушала отца, помолчала, после чего кивнула:

— На твоем месте я поступила бы так же.

Барон усмехнулся и вышел. Немного задетый Чернышев недовольно смотрел в сторону.

— Не обижайся на отца, — вздохнула девушка. — Он сильно нервничает.

Роберто почувствовал, что на душе становится теплее. Милая, все понимающая Клаудия. Умная. Любимая. В минуты, когда барон становился совсем невыносим, Чернышев вспоминал его прелестную дочь и успокаивался. Воистину, ради того, чтобы находиться рядом с Клаудией, стоило терпеть выходки Александра.

— У нас неприятности?

— В том-то и дело, что непонятно, — вздохнула Клаудия. — Нам нанесли чрезвычайно странный визит. — Помолчала. — Отец несколько растерян.

— Следует ли понимать так, что я окружен, а ты парламентер?

Сухие листья шуршали очень осторожно, негромко, но уверенно. Барон не боялся услышать плохой ответ, это чувствовалось в его взгляде, читалось в уверенных жестах, в твердости тихого голоса. Не боялся, но, разумеется, не хотел.

— Я пришел один, — спокойно ответил Захар.

Поверил? Вряд ли. Лидеры Саббат еще не скоро привыкнут к мысли, что можно верить словам вождей Камарилла. И наоборот.

— Как ты меня выследил?

— Через Илью. Молодые масаны неосторожны.

— Ты следишь за братьями? — В голосе барона послышалась презрительная нотка.

— А ты не следишь? — осведомился Захар.

— Потому что я считаю это нужным, — парировал Бруджа. — Я! А не Темный Двор.

— Почему ты отказываешь мне в способности принимать самостоятельные решения?

Александр ответил не сразу, выдержал паузу:

— Потому что ты навский раб.

— Мы хотим жить нормально. Мы хотим жить, не опасаясь за свое будущее. А это возможно только в Тайном Городе. Мы хотим жить, а не воевать. И мы — не рабы.

И столько уверенности прозвучало в словах Треми, что истинный кардинал запнулся.

«Я ему верю?»

Повисла тишина. Масаны сидели в креслах и молча смотрели в разные стороны. Бруджа поглаживал Алое Безумие. Захар не шевелился. О чем думали два вождя, разъединенных смертельной, многовековой враждой? О прошлом? О настоящем? О будущем?

— Я знаю, что многие молодые масаны разделяют идеи Саббат.

— В некотором возрасте ваши лозунги кажутся любопытными.

— Боишься не удержать семью под контролем?

— Устал убивать братьев из-за лозунгов.

— Но в Саббат не хочешь.

— Мы должны жить нормально. — Захар усмехнулся. — Только не говори, что ты об этом не задумывался.

Как ответить? Честно? Александр понял, что должен — нет, обязан! — ответить честно. Время ошибок затянулось, слишком затянулось и наполнило души невыносимой усталостью. И пусть перед бароном сидел один из Треми, о ком говорили, что с тех пор, как масаны дали Спящему слово пить кровь, они не сдержали ни одного обещания, Бруджа чувствовал — знал! — что сейчас Захару можно верить. От крови устают все, даже вампиры.

— Я задумывался. И иногда ловлю себя на мысли, что тогда, давным-давно, совершил страшную ошибку.

В глазах истинного кардинала мелькнула такая тоска, что Треми вздрогнул. Сжал кулаки. Покачал головой:

— А мне иногда кажется, что страшную ошибку совершил мой отец.

Несколько мгновений барон пристально смотрел на епископа и, только убедившись, что Захар произнес фразу искренне, кивнул и глухо произнес:

— Ты пришел один. Значит, у тебя есть что сказать. Говори.

* * *

Игорный дом «Два Короля».
Москва, улица Большая Каретная,
6 ноября, суббота, 20.00

Никита просидел над картами больше часа. Припоминал каждый ход, сделанный во время игры, каждую вышедшую карту. Восстановил в памяти рассказанные Анной правила «Королевского Креста», выпил четыре чашки кофе, выкурил полпачки сигарет и наконец понял, что имел в виду Барабао.

Понял.

Разумеется, игрок уровня Крылова давным-давно должен был разглядеть надвигающуюся угрозу, почувствовать опасность и постараться ее избежать. Но сначала хладнокровному анализу мешало все нарастающее нервное напряжение. Страх, который испытывал Никита, открывая очередную карту, не позволял сосредоточиться на игре должным образом. А затем наступила эйфория вседозволенности. Убедившись, что способен манипулировать Колодой, Крылов успокоился, и даже внезапное везение соперника не ввергло его в панику: оставалось всего пять карт, и Никита не сомневался, что откроет их в течение следующего хода. Главное, найти пять человек, имеющих влияние на его Судьбу. Люди-то нашлись, но углубленное изучение расклада показало, что не все так просто, как казалось на первый взгляд. Не совсем правильная тактика, использованная Крыловым, — ничего удивительного, учитывая, что Никита впервые собирал «Королевский Крест», — а также грамотные действия соперника привели к тому, что теперь требовалось не просто открыть красное — нужна была карта определенного достоинства, нужен был валет червей. Первым следовало открыть последнего красного валета, оставшегося в игре. Только эта карта — никакая другая! — могла связать выложенные Никитой масти и позволить продолжить игру. А самое страшное заключалось в том, что любую другую карту Крылов будет вынужден сбросить, передав тем самым ход противнику.

Которому в последнее время удивительно везло...

— Валет червей. Валет червей, черт бы его побрал!

Никита не был уверен, что даже дополнительное правило барона Александра сможет обеспечить выпадение конкретной карты.

— Ты, — прошептал Крылов, имея в виду маркиза, — ты, маленький подлец, сыграл против меня...

Телефон Али Тугаева молчал. Именно молчал, отзываясь на запрос лишь длинными унылыми гудками. Не было противного голоса: «Аппарат абонента выключен или находится...» — Али просто не снимал трубку. Странно, очень и очень странно.

Встревоженный Эльдар позвонил Четвертакову, исполнявшему роль заместителя Тугаева, узнал, что Али «только что был здесь и куда-то отлучился», и приказал срочно отыскать пропавшего начальника охраны. Но и сам продолжал набирать номер помощника: поставил телефон на автодозвон и угрюмо наблюдал за периодически появляющимся на дисплее номером Тугаева.

«Куда мог отправиться Али? В подвал? С кем-то разбираться? Вряд ли. Я приказал не предпринимать без меня серьезных шагов. Забыл телефон в кабинете? Выронил?»

Все эти варианты имели право на существование. Равно как и тот, что Тугаев уже мертв. Но верить в такой исход дела Ахметову не хотелось.

— Крылов сказал, чтобы мы пришли без оружия. Автандил обещал ему. — Шишнанадзе широко улыбнулся. — Когда охранники этого шакала станут нас щупать, ведите себя спокойно, не грубите. Понятно, да?

— Мы все поняли, Шалва, — подтвердил один из троих уголовников, расположившихся на заднем сиденье «БМВ». — Пальцы не гнем, базары пустые не ведем.

В отличие от покойного Давида, полагавшегося на профессионалов, Шишнанадзе выходцам из имперских спецслужб не доверял. Конечно, убивать эти ребята умели, но держались они с жителями бывших колоний высокомерно, четко соблюдали дистанцию и не подпускали к себе ближе, чем того требовало дело. Шовинисты проклятые! Поэтому Шалва на серьезные дела брал проверенных парней, своих, в соседних саклях выросших, в большой город перебравшихся лишь благодаря Автандилу.

— Из подземного гаража на третий этаж ведет лифт. Металлоискателей нет. Значит, досматривать нас будут при въезде. У шлагбаума.

— Пусть смотрят, — ухмыльнулся водитель. — Мамой клянусь — ничего не найдут.

— Они могут дать сопровождающего.

— Если дадут — его первого и замочим, — скривился Шишнанадзе.

Подчиненные дружно заржали, затрясли плохо выбритыми щеками, водитель надавил на газ, и боевая машина воров еще быстрее помчалась к «Двум Королям».

— Ты же сам проиграл Крылову «Мазератти», — не унимался Иголка.

— Ну и что? — хрюкнул Копыто, прикладываясь к горлышку фляжки. — Что ш того?

В салоне запахло кукурузным виски.

— А теперь будешь проигранную тачку угонять!

— Ну и что?

— Сам говорил, что тебе теперь в карты везти не будет! — провозгласил Иголка. — И даже в беспроигрышную лотерею!

— Лотереи эти беспроигрышные для кретинов вроде тебя придуманы, — пробубнил сидящий за рулем Контейнер. — Играй не играй — один хрен. Только наличные спустишь.

— Ты кого кретином назвал?!

— Тихо! — Уйбуй глотнул, рыгнул, вытер губы тыльной стороной ладони, вздохнул и произнес: — Ежели мы иж этого дерьма выберемшя, я в карты больше не игрок. Хватит!

Заложенный джип вез грустных дикарей к «Двум Королям».

Захар знал, что она придет.

Клаудия Бруджа, таинственная и загадочная. О ее способностях ходили легенды, о ее пристрастиях — пошлые анекдоты.

Глаза Спящего.

Римская Шлюха.

Старый барон берег дочь почище иного сокровища, что было совсем нехарактерно для семьи Масан, в которой дети рано покидали родителей. Старый барон потакал всем капризам дочери, что было совсем нехарактерно для него — жесткого и властного. Старый барон верил каждому слову дочери, что было нехарактерно для Саббат.

И поэтому Захар был уверен, что она придет. Не сможет не прийти, ибо его поступок возбудил интерес Клаудии, взволновал: лучшая предсказательница Масан не могла предположить, что епископ Треми сделает этот шаг.

Захар был уверен и тщательно готовился к встрече...

Треми прекрасно слышал легкие шаги идущей по коридору девушки, уловил едва заметное движение воздуха — беззвучно отворилась дверь в комнату, но оборачиваться к Клаудии не стал. Остался сидеть, как сидел: спиной к дверям, лицом к окну.

— Ты сильно рисковал.

Девушка говорила на масари, древнем языке ночных кланов, и через несколько мгновений Захар понял причину: услышал дыхание остановившегося за дверью чела. «Очередной любовник?» Мысль неожиданно царапнула. Не то чтобы епископ презирал челов, но ему было неприятно думать, что дочь истинного кардинала отдается тем, кого считают *пищей*.

— Ты произнесешь хоть слово? Или отец отрезал тебе язык?

В голосе послышалось раздражение. «Пора!» Треми поднялся с кресла, развернулся и элегантно склонился в поклоне ир-хаминэ — именно так древний этикет Масан предписывал приветствовать женщин, «чья красота заставляет звезды умирать от зависти». Пять часов потратил Захар, выбирая наиболее подходящий поклон из ста девятнадцати существующих, и понял, что угадал: в глазах Клаудии появилось удивление и даже легкая растерянность.

— В наши дни предпочитают говорить «привет»...

Треми чуть-чуть, уголками губ, улыбнулся, показывая, что оценил шутку девушки, но продолжал молчать, дожидаясь окончания церемонии.

Она протянула правую руку — знак благорасположения, прохладные пальчики девушки коснулись лба Захара и чуть задержались — знак интереса. Треми на мгновение накрыл их пальцами правой руки — подчеркнул восхищение.

— Я у ваших ног, Клаудия. Будучи наслышан о вашем уме и мудрости, я не ожидал увидеть перед собой женщину столь дивной красоты.

— В Тайном Городе нет моих фотографий?

— Фотографии и магические картины — бездушные образы, неспособные передать ваше очарование.

Она улыбнулась. Мягко, почти нежно. Опустилась в кресло, жестом разрешила присесть Захару.

— Признаться, епископ, я представляла вас более... современным.

Он второй раз сумел сбить ее с толку.

— То есть невоспитанным и необразованным.

— Я рада, что ошибалась. — Клаудия продолжала улыбаться, но Треми понял, что обмен любезностями завершен. — А теперь, епископ...

— Прошу вас: Захар.

— Хорошо. — На мгновение улыбка стала искренней, но то была последняя вспышка — девушка окончательно перешла на деловой тон: — А теперь, Захар, расскажите, ради чего вы так сильно рискуете?

Али Тугаев так и не ответил на телефонные звонки, а потому, когда кортеж Эльдара оказался в подземном гараже игорного дома, Ахметов почувствовал жгучее желание не отпускать телохранителей в отведенную для них комнату на первом этаже, а подняться к Никите в окружении всех своих парней. Пусть будут рядом. С ними спокойнее. Но после короткого раздумья Эльдар отказался от этой идеи и даже разозлился на себя за проявленную слабость. Чего опасаться? Верные люди из числа охранников сообщили, что прибывшего в казино Крылова сопровождали четверо: трое мужчин и одна женщина. И хотя позже к компании присоединился еще один мужчина, причин для опасений не было — никто из них, включая самого Никиту, не был вооружен. Активных действий крыловские приятели не предпринимали, в системы безопасности не вторгались, подозрительных бесед с охранниками не вели, сидели на третьем этаже, словно спрятавшись от кого-то...

«Что это за люди? Чего они ждут? Меня? Но Кит знает, что со мной всегда вооруженные телохранители. На что он рассчитывает? На чью помощь?» И снова: «Кто же эти люди?»

Эльдар не сомневался, что охранники казино, несущие вахту на третьем этаже, не станут вмешиваться в возможный конфликт: рядовые сотрудники службы безопасности были ребятами честными и законопослушными. То есть Никита может рассчитывать только на своих приятелей, и Ахметов принял решение отправиться наверх лишь с двумя постоянными телохранителями. Остальные же получили приказ ни на секунду не прерывать связь с Рустамом и Шамилем и быть готовыми в любой момент ворваться на третий этаж.

Два вооруженных человека против четверки безоружных... Неужели этого не достаточно? Ответ на вопрос можно было получить только опытным путем.

— Да, мы на месте. Ждем. — Платон Гангрел сложил телефон и посмотрел на Нила: — «Ласвегасы» звонили. Проверяют.

Кардинал клана поморщился:

— Перестраховщики... — Сделал маленький глоток кофе. Чуть подобрел. — Хотя дело свое они знают.

Платон согласно кивнул.

В точном соответствии с разработанным Ортегой планом масаны расположились в небольшом кафе напротив главного входа в игорный дом. Двое бойцов заняли столик у окна, а Платон и Нил — в глубине зала. От всевидящего ока Алого Безумия вампиров прикрывали советники Темного Двора, высшие маги Нави, что ясно показывало, насколько важна операция для навов. Тем не менее смысл ее от масанов ускользал.

— Почему они не хотят прибить Бруджу? — Платон произнес фразу едва слышно, практически одними губами. Кардинал даже не услышал — догадался, о чем спросил епископ.

— Сантьяга затеял игру.

— Хочет переманить Александра?

— Сомневаюсь. Бруджа — истинный кардинал, один из основателей Саббат, он никогда не перейдет на сторону Тайного Города. — Нил помолчал и добавил: — Даже если очень захочет — не перейдет. Слишком гордый. Слишком сильный.

— А Сантьяга не хочет его убивать...

— По крайней мере, комиссар не скрывает от нас своих действий, — пробурчал кардинал. И, заметив поданный одним из бойцов знак, бросил: — Ведьма приехала.

Вычислить изменившего внешность метаморфа невероятно сложно. Магической энергии оборотни использовали немного — основа их умения заключалась в совершенном контроле за уникальным организмом, поэтому даже самые сильные колдуны Великих Домов пасовали, неспособные узнать метаморфа в ином обличье. «Ласвегасы» же вели Анну удаленным поиском по генетическому коду: в свое время они позаботились о том, чтобы получить образцы тканей девушки, и только поэтому смогли указать Гангрелам, что обещанный Сантьягой наемник прибыл — о том, что Анна метаморф, масанам знать не полагалось.

Девушка замаскировалась великолепно. Лицо, фигура, походка, манера одеваться и накладывать макияж — изменилось все. Вместо яркой красавицы Анны, известной каждому охраннику «Двух Королей», в игорный дом вошла высокая девушка, приятная, но неброская, одетая дорого, но не стильно, ведущая себя свободно, но не вызывающе, одним словом — обычная. Взгляд на такой надолго не задержится.

И не задерживался. Как и рассчитала Анна, сотрудники службы безопасности лишь обозначали свой интерес к гостье — «серой мышке» доставались мимолетные короткие взгляды, а в результате девушка могла делать все, что хотела. В дамской сумочке лежали двадцать «сюрпризов»: миниатюрных, размером с горошину, зажигательных артефактов, и большая их часть, согласно замыслу Анны, должна была остаться на первых двух этажах казино. Бруджа при всем желании не сможет почувствовать «спящий» артефакт, а когда магическая вспышка приведет «сюрпризы» в действие, будет поздно — к этому моменту, как планировала девушка, она будет контролировать ситуацию.

— Я тебя ждал.

Выглядел Крылов плохо. Лицо осунувшееся, волосы взлохмачены, жесты резкие, дерганые — нервничает? А самое главное — в глаза не смотрит. Этот момент стал для Эльдара определяющим: Кит избегает его взгляда, прячет глаза. Такого не случалось ни разу за все годы дружбы. «Которая, кажется, закончилась...» На мгновение Ахметову стало по-настоящему горько. Гораздо горше, чем в тот момент, когда он узнал о предательстве Анны. Гораздо горше, чем в тот момент, когда он увидел ее в квартире Никиты. Гораздо горше, чем было до сих пор. Одно дело злиться на друга, ненавидеть его, но издали, на расстоянии. И совсем другое — смотреть на друга и понимать, что их отношениям действительно пришел конец. Что ничего нельзя поправить, ничего нельзя изменить.

И когда Крылов поднял глаза, Эльдар увидел в них отражение своих мыслей, своей горечи — Кит переживал те же самые чувства. Мгновение. Одно-единственное мгновение, и умерло все, что их связывало. Умерло навсегда.

— Что за люди приехали с тобой? — поинтересовался Ахметов.

Он уселся в кресло и поставил справа тонкий чемоданчик. Закурил. Руки не дрожали. Голос звучал, как обычно на деловых переговорах.

— Почему ты назначил Тугаева начальником охраны без согласования со мной? — вопросом на вопрос ответил Крылов.

— Не успел посоветоваться. — Эльдар выпустил клуб дыма. — Кстати, где Али?

— Не знаю, — пожал плечами Никита. — Это твой человек.

«Знает, — понял Ахметов. — Знает! Похоже, Али действительно мертв».

— Когда-то у нас не было деления на «мои» люди — «твои» люди.

— У меня никогда не было «моих» людей, — усмехнулся Крылов. — Я тебе доверял.

— А теперь не доверяешь?

Никита неопределенно развел руками.

— Разве что ты скажешь, зачем ездил к Гори.

Ахметов почти не изменился в лице, и даже рука — он как раз подносил сигарету к пепельнице — не дрогнула. Но Крылов хорошо знал друга и понял, что попал в точку.

— Ты сдал меня, Эльдар. Ты меня сдал.

— Вывести тебя из игры принципиально для Автандила, — коротко ответил Ахметов. — Он боится потерять лицо. Ты должен исчезнуть. Здесь миллион наличными. — Эльдар кивнул на стоящий у кресла чемоданчик. — Бери и уезжай.

— Недорого ты оценил мою долю, — заметил Крылов.

— Ты знаешь, почему я оценил ее именно так.

Секунду Никита непонимающе смотрел на Ахметова. Догадался. Качнул головой. Грустно улыбнулся.

— Заезжал ко мне?

— Сначала от Даньшина узнал. Он в твоем компьютере покопался.

— Вот в чем дело... — Крылов тоже закурил. Вздохнул. Секунд десять разглядывал тлеющую сигарету. — Эльдар, ты извини, но миллион я не возьму. И из дела не выйду. Нет мне сейчас резона из дела выходить. Нет.

— Резоны твои просты, — твердо произнес Ахметов. — Или ты уходишь, или тебя валят.

— Ты ошибаешься.

И настолько уверенно прозвучал голос Крылова, столько веселья было в нем, столько демонов, что Эльдару стало страшно. Так страшно, что он, не спуская глаз с Никиты, громко позвал:

— Рустам! Шамиль!

Тишина. Крылов глубоко затягивается, вдыхает дым, смотрит на Ахметова. Молча смотрит. Но в глазах — демоны. У Эльдара задрожали пальцы.

— Рустам! Шамиль!

Дверь стала медленно открываться, но по тому, как Никита улыбнулся, побледневший Ахметов понял, что ожидать появления телохранителей не следует.

Размещение «сюрпризов» на первых двух этажах не отняло много времени: на все про все ушло меньше двадцати минут. Закончив, Анна поднялась на третий, привилегированный уровень — о наличии соответствующей гостевой карточки девушка позаботилась заранее — и не спеша направилась к покерным комнатам. Еще пара «сюрпризов», и можно приступать к главной цели визита — к атаке на Бруджу.

В том, что ее появление станет для кардинала неожиданностью, Анна не сомневалась. Оставалось только правильно распорядиться преимуществом.

«Ты, старикашка, еще пожалеешь, что связался со мной...»

Но появившаяся в коридоре процессия отвлекла девушку от приятных размышлений. Крылов. Хмурый, мрачный, угрюмый. Непохожий на себя. Чужой Крылов. Следом за Никитой — массивный слуга Бруджи, несущий на плече связанного Эльдара. В мороке. К счастью, о том, что они в мороке, Анна догадалась сразу и повела себя соответственно: не заметила. Поняла же девушка потому, что ее различитель, выполненный в виде контактной линзы, работал на минимально возможной мощности, на уровне магического фона, шума и выдавал крайне размытую картинку. Лица и фигуры едва угадывались, движения казались неестественными, зато артефакт нельзя было обнаружить даже с помощью Амулета Крови.

— Как это возможно? — Изумленный Эльдар до сих пор не мог прийти в себя. — Как ты это сделал, твою ...?

Удивляться и впрямь было чему. Вошедший в кабинет человек Крылова — необычайно сильный громила со странными красными глазами, умело связал Ахметова черным шнурком, полностью лишив его возможности двигаться, и заткнул рот кляпом. Операцию он проделал быстро и, несмотря на попытку сопротивления, без особых усилий, что для Эльдара, не без оснований считающего себя мужчиной крепким, стало крайне обидным. Затем громила закинул Ахметова на плечо, Крылов открыл дверь, и они вышли из кабинета. И вот тут-то Эльдара поджидало настоящее потрясение: никто — НИКТО! — не обратил на процессию никакого внимания! Они прошли мимо охранника в коридоре, они встретили не менее шести гостей, перед ними открылись двери на черную лестницу, на которой повстречались два официанта и еще один охранник, — ни один человек никаким образом не отреагировал на связанного Ахметова. «Их всех купили? Ну, ладно, охрану купили, а гости? Уж они-то должны были проявить хоть какой-то интерес!» Скосить глаза, бросить взгляд, отвернуться, в конце концов! Ведь понятно же, куда несут связанного человека! На смерть несут! Разве можно удержаться, не посмотреть? Тем более что он мычит и пытается извернуться на плече громилы? Разве можно не проявить хоть какой-то интерес?!

Как оказалось — можно.

Все встреченные по дороге в подвал люди не обращали на подозрительную троицу никакого внимания, НЕ ЗАМЕЧАЛИ ее.

— Как вы это сделали?

Первое, о чем спросил Эльдар, когда вынули кляп. И когда прошел шок от увиденного в камере. Разумеется, Ахметов догадывался, что обнаружит в подвале Рустама и Шамиля. Но увидеть здесь всех! Всех своих телохранителей, остававшихся на первом этаже! Такого Эльдар не ожидал. Десять вооруженных профессионалов. Кучей. А в дальнем углу привязан к стулу Али Тугаев. Во рту кляп, глаза вытаращены, судя по посиневшим кистям — давно тут сидит. На громилу смотрит с нескрываемым страхом:

все понятно, наверняка на тех же плечах в подвал прибыл. НЕЗАМЕЧЕННЫМ.

— Как вы это сделали?

Ахметов имел в виду и путешествие по казино, и убитых телохранителей — необычные, невозможные факты. На ответ он не рассчитывал, но и не спросить не мог. Как оказалось — правильно делал, что не рассчитывал. Громила лишь скривился, а Никита, постояв рядом с лежащим на полу Эльдаром, наклонился и бросил:

— Мне на самом деле жаль, что ты решил меня предать.

И неожиданно обида захлестнула Ахметова. Не гнев, не ярость, а именно обида. На человека, который когда-то был другом.

— А ты меня не предал?! Ты и Анна!

— Я ее любил!

— Вы трахались! Вы обманывали меня!

— Какое теперь это имеет значение? — очень и очень грустно произнес Крылов.

«Он знает! — понял Эльдар. — Знает, что я убил Анну, и мстит».

— Зачем ты в меня плюнул, Кит? Зачем ты связался с Анной?

— Ты бы все равно ее бросил.

Ахметов замолчал. Отвел глаза.

— Я ее любил. — Пауза. — Я хотел говорить с отцом. — Вновь молчание. — Я бы ее не бросил.

— Пошел бы против воли отца?

— Да. — Эльдар ответил не для Никиты — для себя. И понял, что верит. — Да. Я бы пошел против отца.

— Значит, мы все ошиблись. — Крылов вздохнул и повторил: — Впрочем, какое теперь это имеет значение?

Громила в дверях был похож на статую: неподвижный, массивный. «И холодный, — вспомнил Ахметов. — Очень холодный. Ледяные руки, ледяная шея». Почему эта мысль пришла в голову? Почувствовал приближение смерти? Холод — смерть, смерть — холод.

— Ты меня убьешь?

Вместо ответа Никита протянул руку, и громила вложил в нее пистолет. Эльдар прищурился, скрипнул зубами, но Крылов прошел в глубь камеры. Когда раздался выстрел, Ахметов перекатился набок и увидел обмякшее тело Али.

«Не моя очередь...»

Никита извлек из кармана игральную карту и, совершенно не стесняясь ошарашенного Ахметова, смочил ее в крови Тугаева.

Увеличение уровня магической энергии в подземном гараже «Двух Королей» Бруджа почувствовал сразу. «Атака?!» Мысль неприятно кольнула сердце, но тут же исчезла — опытный воин понял, что, если бы его действительно выследили Великие Дома, они не допустили бы столь детской ошибки, не позволили бы засечь себя на примитивном мороке.

Барон догадался, что в казино наведался житель Тайного Города, собрался отправить на проверку Жан-Жака, но вспомнил, что слуга занят с Крыловым. Дочь на предложение сходить в гараж только фыркнет, посылать Чернышева бессмысленно, а посему барон, как следует выругавшись, спустился на нижний уровень самолично.

Увиденное не удивило: Красные Шапки заняты угоном автомобиля. Обычная, можно сказать — пасторальная, картина. Ничего другого от дикарей ожидать не приходилось. С полминуты Александр обдумывал, не выгнать ли Красных Шапок из гаража, но решил оставить все как есть — лишний шум ни к чему.

— У нас назначена встреча с господином Крыловым, — веско произнес Шишнанадзе. — Вас предупредили?

Охранники, стоящие у въезда в подземный гараж, подозрительно оглядели пассажиров «БМВ», один из них связался по рации с начальством, подождал ответ, получил его и махнул рукой, указывая, что автомобиль должен отъехать в сторону:

— Пожалуйста, выйдите из салона.

Самих бандитов проверили с помощью портативных металлоискателей, машину осмотрели и, не найдя ничего подозрительного, пропустили.

Чуть отъехав от поста, Шишнанадзе и боевики обменялись довольными улыбками: все шло по плану.

— Всех под монастырь подведешь, — предупредил Иголка. — Помнишь, что фюрер говорил: режим...

— Плефать я хотел на режим шекретношти! Берем тачку, и фше! Я шкажал!

Предложенный уйбуем план угона многострадальной «Мазератти» не отличался особенной сложностью и, по сути, копировал первую попытку Булыжника. Предполагалось навести морок и утащить машину через грузовой портал. А то, что со следящих человских мониторов «Мазератти» просто-напросто исчезнет, растает в воздухе, Копыто не волновало.

— Пушть что хотят, то и думают! Мне по фигу! У меня петля на шее!! А Шлужба утилижации...

Свое отношение к этому славному учреждению уйбуй решил изложить развернуто, ибо чувствовал, что ругается, возможно, последний раз в жизни. Копыто уселся на капот автомобиля и, перемежая свою речь глотками виски, припоминал все новые и новые ругательства.

— ...копчики шпаренные! Вонючки!

— Уйбуй!

— Готофо? — Копыто огляделся, пытаясь рассмотреть вихрь грузового портала. — Чего орешь?

— Там челы приехали, — доложил Иголка.

— Афигительная нофошть! — Уйбуй глотнул еще виски. — Ты, боец, шофшем очумел? Ты еще рашшкажи, что ф этом доме ф карты играют!

— Странные такие челы: вышли из машины, посмеялись, а потом открыли багажник и из тайника автоматы достали.

— Афтоматы?

— У них там стенка фальшивая в багажнике, — уточнил Иголка. — А за ней пушки — «Аграны». Челы их под плащи сунули и пошли наверх.

— Грабить! — Глаза уйбуя вспыхнули. — Они кажино грабить приехали!

— А нам-то что? — угрюмо осведомился Контейнер. — Нам-то какая радость?

— Как это что?! — Копыто соскочил с «Мазерати». — Нам федь кажино грабить нельжя, так?

— Так.

— А челам можно. — Уйбуй торопливо запихивал фляжку в карман штанов. — Фот пусть они грабят...

— А мы деньги заберем! — понял Иголка. — Пусть потом на челов думают!

— Фперед! — И дикари припустили за бандитами.

Проникновение в подвал не вызвало у Анны затруднений. Дождавшись ухода Никиты и Жан-Жака, девушка приняла свой обычный облик, вызвала по интеркому сидящего внутри дежурного и попросила открыть дверь. Охранник, прекрасно знающий Анну, выполнил просьбу и немедленно пострадал за столь вопиющее нарушение должностных инструкций: прямой удар в голову стал для него билетом на пятнадцатиминутное посещение черной дыры. Девушка же, завладев ключами, быстро отыскала нужную камеру, открыла дверь и сразу, не дав Ахметову опомниться, произнесла:

— Я рада, что тебя не убили.

Решение отправиться за Эльдаром пришло спонтанно. Увидев, как его, связанного, несут по коридору, Анна почувствовала острую, щемящую боль. Так нельзя! Неправильно! Он не должен умереть! Какое-то время девушка сдерживалась, убеждала себя, что будет лучше, если Никита и второй вампир уйдут, оставив ее наедине с бароном, но в итоге, так и не закончив расставлять «сюрпризы» на третьем этаже, бросилась в подвал.

— Ты?! — По глазам Ахметова было ясно, что, не будь он связан, одним прыжком отскочил бы от девушки ярдов на пятьдесят. — Ты жива?!!

— Надеюсь, ты рад?

Анна перевернула Эльдара на живот и разрезала веревки. Ножа у нее не было, поэтому пришлось на мгновение превратить один из пальцев в длинный и острый, как бритва, коготь. Ахметов этого не заметил, иначе бы вряд ли справился с потрясением так быстро.

— Что происходит? Почему ты жива? Почему Никита пачкает карты кровью? — Эльдар поднялся на ноги, размял затекшие кисти. — Что за люди его сопровождают? Гипнотизеры? — Незаметное для посторонних путешествие на плече холодного громилы заставило рассматривать самые фантастические гипотезы. — Поэтому ты жива? Загипнотизировала меня? Заставила подумать, что я тебя убил?

Он хотел услышать ответы, но времени не было.

— Мы в дерьме, — сообщила девушка, решив использовать для описания сложившейся ситуации максимально простые понятия.

— Это я знаю, — спокойно ответил Ахметов.

— Кит хочет тебя убить.

— Тоже не новость.

— Но он не виноват.

— У него крышу снесло, — кивнул Эльдар. — Я уже видел его в таком состоянии.

— Он не виноват, — повторила Анна. — Его загнали. Его довели. Это все еще наш Кит, Эльдар, наш! Просто... он почти не понимает, что делает.

— Кто эти люди? — снова спросил Ахметов.

— Их надо убить.

— Я уже пробовал убить тебя.

— Они тоже... гипнотизеры. — Девушка улыбнулась. — Но я надеюсь справиться. Поможешь мне?

Черные глаза Эльдара встретились с черными глазами Анны. Черные, горящие бриллианты.

— Ты хочешь вытащить Никиту?

— Да.

— А почему пришла за мной? Почему помогла?

— Ты знаешь почему, — твердо ответила девушка.

Ахметов вздрогнул, отвел взгляд, сделал шаг в сторону, склонился над телом Рустама и вытащил из кобуры телохранителя пистолет.

— Ты со мной? — тихо спросила Анна.

— Никита мой друг, — жестко ответил Эльдар.

— Ему можно доверять? Твое мнение?

— Не знаю. — Клаудия закусила губу, помолчала, покачала головой: — Не знаю, отец, действительно не знаю. И сейчас я думаю совсем о другом.

Барону нечасто приходилось видеть дочь в такой растерянности.

— Что случилось?

— Появление Захара спутало все карты, все мои прогнозы. Грядущее смешалось.

— Ты не видишь будущего? — насторожился Александр.

— Вижу, — помолчав, произнесла девушка. — Но не столь явно, как раньше.

— И оно... — Бруджа не стал продолжать: вопрос был ясен и так.

— Будущее пока благоприятно, — ответила Клаудия. — Но я бы рекомендовала уехать из Москвы как можно скорее. Не следует играть с огнем.

— Я понял, — кивнул барон. — Я немедленно иду к Крылову. Постараюсь его поторопить.

Никита еле сдерживался. Посмотреть, что скрывает выпачканная в крови карта, хотелось настолько сильно, что Крылов даже укусил себя: вцепился зубами в большой палец, надеясь, что боль отрезвит. Так и вышло. Опомнился. Но не унялся. Бегом добежал до кабинета, до стола, на котором красовался расклад «Королевского Креста», дрожащей от нетерпения рукой достал карту.

Перевернул.

И тупо уставился на восьмерку пик.

На ВОСЬМЕРКУ ПИК.

На ЧЕРНУЮ карту!

— Не может быть! Нет!!

Бумажный прямоугольник выскользнул из окровавленных пальцев. В голове зашумело, ослабли ноги — Крылов опустился на стул. На мгновение показалось, что он спит, что он внутри кошмара. Никита встал. Но тут же вернулся на стул, обхватил себя за плечи и замер, слыша, как стучат зубы.

И холодным потом его накрыло ощущение близкого конца.

В первый раз им пришлось убивать в лифте. Помпезный подъемник — почти комната, площадью чуть ли не в девять квадратных ярдов, отделанная блестящей сталью с позолотой, зеркалами и миниатюрами, — готов был поднять людей Шишнанадзе на третий этаж... но только после того, как их снова досмотрят охранники. Разумеется, металлоискатель сразу же среагировал на спрятанные под плащами автоматы, и на зеркала брызнула кровь.

— Теперь действуем очень быстро, — буркнул Шишнанадзе.

Боевики покивали головами. Лифт отправился на третий этаж.

— А почему остальные челы выстрелов не услышали? — осведомился Контейнер.

— Тупица, — презрительно скривился Иголка. — У них же глушаки стоят.

— А... — Здоровяк полез мизинцем в правое ухо. — То-то я смотрю...

Скрытые мороком дикари стояли в самом углу лифта,

мрачно разглядывая тела мертвых охранников и широкие спины бандитов.

— Эта... Копыто, а ты уверен, что челы грабить приехали? Что-то эти кудрявые на честных воров не похожи. Отморозки какие-то.

— Ну и пушть шебе отмораживают, — подумав, ответил уйбуй. — Пока они там шебе отмораживать штанут, мы на третьем этаже чего-нибудь пограбим.

— Интересно, денежное хранилище у них где?

Зрелище завораживало. Невидимая рука открывала карты Колоды Судьбы и ловко раскладывала их на столике. Одну за другой. Одну за другой. Ни одной осечки. Ни одного прокола. Каждый раз открывались только нужные карты.

— Барабао, — прошептал Никита. — Барабао!

Первый король горделиво возглавил свою стопку. За ним второй, третий... Перед глазами Крылова появился черный крест. Черный «Королевский Крест».

Противник закончил игру.

— Не может быть... — Никита вскочил на ноги, в отчаянии стиснул ладонями виски. Завыл. — Этого не может быть!!

Перед глазами плыло. Четким оставался лишь черный крест. Проклятый крест черных королей. «Кто за мной придет? Шишнанадзе? Или сам Гори? Кто из них черный король?» Крылов нащупал за поясом пистолет. Тот самый, из которого застрелил Тугаева. Снял с предохранителя. Резко обернулся к открывшейся двери, но тот, кто вошел, двигался куда быстрее чела, и даже поднять оружие Крылов не успел.

— Никита! Что происходит?!

Нет, не Шишнанадзе, не Гори. Бруджа. Уродливый Бруджа с шелестящим голосом. Лысый подонок.

— Никита! — Александр потряс чела за плечи. — Что произошло?

— Колода...

— Что Колода?

И прорвало:

— Унеси отсюда эти карты, сволочь! Понял?! Убирайся, проклятая тварь! Я ненавижу! Ненавижу!! — заорал Крылов и, не помня себя, выскочил в коридор.

Четверо. Черные, в черных плащах, угрюмые. Никита вскинул пистолет.

— Почему стреляют? Кто?

— Не знаю.

Клаудия не сводила с Захара внимательных глаз. Читала по жестам. Читала по эмоциям. Не видела лжи.

— Это челы. Наши стрелять бы не стали. — Треми чуть улыбнулся.

— И мы бы почувствовали всплеск магической энергии.

— Как бы там ни было, стрельба обязательно привлечет внимание. Хотя бы человской полиции.

— Ты хочешь уйти?

— Я должен. Вы с отцом можете скрыться в любой момент. А если здесь увидят меня, у Сантьяги возникнут ненужные вопросы.

— Уходи, — кивнула Клаудия. — Уходи немедленно.

Захар поднялся из кресла, улыбнулся чуть шире, но тут же принял полагающийся этикетом сосредоточенный вид и совершил поклон ир-каруга — «расставание разрывает душу, но я выражаю надежду на скорую встречу».

Чернышев, хмуро наблюдающий за прощанием масанов, не мог знать, что означают сложенные домиком ладони Клаудии. Даже догадаться не мог. А потому не понял, отчего столь ярко вспыхнули глаза оборачивающегося туманом Захара.

— Открой дверь!

— Эльдар Альбертович, тут такое творится... — Охранник хотел добавить, что по соображениям безопасности Ахметову не стоит выходить на третий этаж, но...

— Открой эту ... дверь!!! — заорал Эльдар.

Его рев, а также дикий взгляд, перекошенный рот, оружие в руке — весь вид Ахметова убедительно показывал, что спорить не следует. Дверь распахнулась.

— Я уже вызвал полицию! — Охранник, укрывшийся в небольшой дежурке, изо всех сил старался перекричать грохот перестрелки. — Скоро приедут!

Эльдар на мгновение высунул голову в коридор.

— Шишнанадзе. Человек Гори. — И громче, охраннику: — Сколько их?

— Кажется, четверо!

— С кем воюют? — Анна знала ответ до того, как закончила фразу.

— С Никитой. — Ахметов снял пистолет с предохранителя. — Я пошел. Врежу им сзади.

«Никита воюет. У Никиты проблемы. А где Бруджа? Почему он не помогает? Неужели он уже взял Колоду Судьбы?!» Страшная мысль обожгла, и девушка машинально активизировала артефакт, пробуждая притаившиеся во всех углах казино «сюрпризы» — атака началась.

Легкое сияние над картами показывало, что «Королевский Крест» собран. Партия завершена. «А честный владелец крикнул: «Унеси их!» Так что теперь я в своем праве». Бруджа усмехнулся, быстро подошел к столику и замер.

— Это невозможно!

Крылов проиграл. КРЫЛОВ ПРОИГРАЛ! Пасьянс оказался собран ЧЕРНЫМ крестом. Но почему? Как? Дополнительное правило гарантировало приход нужных карт! Крылов обязан был победить!

— Это невозможно.

Зазвучавшие в коридоре выстрелы вывели барона из оцепенения. «Королевский Крест» играет с Судьбой, он связан с реальной жизнью самыми тесными узами. И если дополнительное правило не помогло Крылову выиграть, значит, он допустил фатальные ошибки за пределами карточного стола.

«Например, не следовало предавать старых друзей...»

Бруджа рассмеялся, собрал шкатулку и повернулся к двери, у которой уже появился верный слуга.

— В коридоре стреляют, барон. Челы выясняют отношения.

— Очень хорошо, — чуточку рассеянно отозвался Александр. — Жан-Жак, передайте, пожалуйста, Клаудии, что мы покидаем Тайный Город.

— Да, барон. — Слуга помялся. — Следует ли помочь Крылову?

— Необязательно, Жан-Жак. Господин Крылов свою игру завершил.

И в этот момент Александр почувствовал резкий всплеск магической энергии.

Перестрелка, завязавшаяся на третьем этаже, панику в «Двух Королях» не вызвала. Привилегированный уровень был надежно отделен от остальных помещений, звукоизоляция полностью поглотила звуки, а охранники перекрыли лифт и лестницу. Важные гости, разумеется, заволновались, но в панику не впали, покидать игорные комнаты не спешили и в коридор не высовывались, предоставив сотрудникам службы безопасности самим разбираться с проблемой.

Первые два этажа продолжали жить в обычном ритме до тех пор, пока не заработали «сюрпризы». Взрывы, одновременно раздавшиеся в разных концах казино, и языки пламени, вцепившиеся в стены и мебель, молниеносно превратили отдыхающих людей в охваченную паникой толпу. Крики перепугавшихся, вопли обгоревших, женский визг, мужской мат — какофония хаоса наполнила игорные залы. И пришел страх. Безумный. Отчаянный. Повсюду сумасшедшие взгляды, перекошенные рты — ужас заглушил рассудок и требовал немедленно покинуть ставшее опасным казино. Люди устремились к дверям, ругаясь и отталкивая друг друга. Падая с ног. Нанося удары. Со звоном вылетело несколько окон — кто-то рассудил, что двери слишком узки. Раздался выстрел — обезумевший охранник пытался сбежать первым. Яростные крики смешались со стонами и мольбами о помощи. А сзади надвигался огонь, расползались клубы дыма. Система пожаротушения заливала помещения водой, но не справлялась...

И никто не заметил, как через разбитое окно в казино проникли четверо мужчин в черных одеждах.

Первым же выстрелом Эльдар снял одного из бандитов Шишнанадзе. Девятимиллиметровая пуля врезалась боевику в позвоночник и швырнула на стену, по которой умирающий сполз на пол. Однако остальные уголовники не растерялись. Двое продолжили стрелять в Никиту, а двое других развернулись против новых врагов, и автоматные очереди заставили Ахметова отступить.

— Не пройти!

— Посмотрим!

И прежде чем Эльдар сообразил, что она собирается делать, Анна выскочила из укрытия. Конечно, в тесном пространстве коридора «аграны» бандитов представляли серьезную угрозу даже для боевого мага, но девушка не собиралась лезть под пули. Высокий прыжок — оторопевшим уголовникам показалось, что Анна повисла в воздухе, и огонь с обеих рук из пистолетов. Когда девушка вновь встала на ноги, два бандита были мертвы, а Шишнанадзе и его последний помощник не рисковали высовываться из ответвления коридора.

— Никита! — Эльдар бросился к другу. — Кит! Это я!!

«Вот он, черный король!» Ни о чем другом Крылов думать не мог. Оглушенный проигрышем и перестрелкой, перепуганный, отчаявшийся, почти сумасшедший, он поднял пистолет и всадил две пули в грудь Ахметову.

— Нет!! — это выкрикнула Анна. — Эльдар!!

Бросилась к мужчине, но что она могла? Грудь разворочена, сердце иссечено разлетевшимися костями. Ахметов умер мгновенно.

— Нет!!

— Прекрасный выстрел.

Крылов развернулся, иронию он не услышал, только голос. Голос врага, подкравшегося сзади. Он не видел, кто перед ним стоит. Только голос. Услышал, развернулся, нажал на спусковой крючок. И закричал от резкой боли: быстрым, умелым движением враг сломал ему кисть правой руки. Пуля ушла в стену.

Боль отрезвила. Никита понял, что перед ним Жан-Жак.

— Ты...

Но не договорил. Холодные руки вампира обхватили голову Крылова и резко дернули, грубо ломая шейные позвонки. Жан-Жак давно хотел это сделать.

Убил и сразу же развернулся к новому врагу — на него летела разъяренная Анна.

— Магия, — улыбнулась Клаудия. — Магия. — Девушка перевела взгляд на Роберто. — Они здесь.

— Кто?

— Воины Великих Домов. Надо найти отца и уходить.

Чернышев вытащил пистолет.

— Оставайся здесь. Я схожу.

— Нет, пойдем вместе. У нас мало времени. — Клаудия ласково улыбнулась, потянулась, нежно поцеловала Роберто в губы. — Мы должны быть вместе.

Два чела, притаившиеся в этом ответвлении коридора, успели среагировать на открывшуюся за их спинами дверь. Даже развернулись, направляя автоматы на новых врагов, но Чернышев действовал быстрее: два выстрела, потом еще два в упавшие тела, и путь свободен.

— Не свободен... — прошептала девушка. — Они уже здесь.

«Они?!» Роберто увидел нападавших только потому,

что верил предсказательнице. Знал, что она не ошибается. Любил. И хотел спасти.

Четыре воина в черном двигались очень быстро. Они засекли цель — Клаудию — и уверенно направились к ней, понимая, что никто не сможет их остановить. Защитить любимую Чернышев мог только собой, своим телом. И он бросился на врагов, преградил дорогу, сбил с ошеломляюще быстрого темпа, заставил замешкаться, притормозить, уклоняясь от беспорядочных выстрелов... И почувствовал, как врезается в тело холодная сталь клинков.

— Клаудия...

Она осталась одна.

Но остановка навредила Гангрелам, позволила кое-кому прицелиться, и в тот самый момент, когда масаны уже собрались наброситься на девушку, прямо над их головами разорвалась «Шаровая молния».

Предсказательница благодарно улыбнулась, наблюдая, как втягивается в вентиляционную решетку плотный туман. «До свидания, Захар...» Переступила через Чернышева, через неподвижных Гангрелов, сделала пару шагов и замерла: из-за угла, шатаясь, вышел Жан-Жак.

Масаны довольно сильны, но главное их преимущество — скорость, быстрота действий, реакция. Опередить врага, нанести неожиданный удар, обездвижить, *высушить* — вот тактика вампиров. Но что делать, когда соперник не позволяет использовать скорость? Когда он врезается в тебя, а из его тела мгновенно вырастают острые шипы? И проходят насквозь, разрывая плоть, поражая все жизненно важные органы, вытягивая кровь? Разъяренная Анна соприкоснулась с Жан-Жаком всего на мгновение, сразу же отскочила в сторону, но за этот миг старый слуга превратился в дуршлаг — на нем не осталось живого места.

Шатаясь, Жан-Жак сделал два неуверенных шага, услышал горький вскрик Клаудии и успокоился навсегда:

Анна, превратив кисть и предплечье правой руки в острый коготь, снесла вампиру голову.

— Жан-Жак!!

Но насладиться победой или напасть на Клаудию Анна не успела — чудовищной силы удар лишил ее сознания.

— Клаудия!! — Барон, держащий в левой руке шкатулку, а в правой сверкающее Алое Безумие, перепрыгнул через упавшую Анну — на то, чтобы добить врага, у Александра не осталось времени. — Дочка, здесь Гангрелы! Уходим!!

Взмах рукой, и в коридоре появился алый, цвета разыгравшегося рубина, вихрь портала.

Несмотря на то что сотрудники Службы утилизации должны были появиться в «Двух Королях» с минуты на минуту, Захар решил заняться уборкой следов: челы попрятались от перестрелки, но пожар должен был вот-вот заставить их выскочить из укрытий. Счет шел на секунды. Первым делом Треми отправил в Московскую обитель опаленных и оглушенных Гангрелов, они были живы — Сантьяга очень долго рассчитывал нужную мощность «Шаровой молнии» и не ошибся. Затем последовали тела Чернышева и Жан-Жака. Таинственного же наемника Захар, как было приказано, отправил в Цитадель, поразившись про себя живучести красивой брюнетки: выдержать удар Алого Безумия могли немногие. Закончив, епископ создал портал для себя и...

— Нас возьмете?

Треми резко обернулся и изумленно открыл рот: в коридоре стояли Красные Шапки.

— Вы что здесь делаете?

— Мы за вашей машиной приехали, господин епископ, — робко сообщил Копыто.

— За машиной?

— За «Мазератти».

— Она, типа, тута стоит, в подземном гараже.

— Мы ее решили найти и вам доставить.

— А видите, как все обернулось...

Захар заметил, что Копыто старательно прячет за спину тоненький чемоданчик.

— Тока мы сразу говорим: мы ничего тута не поджигали.

— Оно само загорелось!

— Придурки, — пробурчал Треми, только сейчас сообразив, что едва не оставил в подземном гараже горящего казино обе свои машины. — Пошли за мной!

— Зачем?

— Имущество спасать!

Улицу перед «Двумя Королями» перекрыли полицейские. Перепуганными посетителями занялись подоспевшие врачи, пожарные расчеты отчаянно пытались спасти горящий дом, а толпа зевак за линией ограждения все росла и росла — уличная опухоль любой трагедии. Появились первые репортеры, телевизионщики спешили снять сюжет для новостей, «свидетели» и «очевидцы», отпихивая друг друга локтями, бросились к телекамерам. Все мечтают появиться на голубом экране, пусть даже рассказывая о чужой беде.

В общем, все шло как обычно.

Сантьяга улыбнулся и посмотрел на «ласвегасов»:

— Что ж, господа, нас можно поздравить: кардинал Бруджа и его дочь благополучно покинули Тайный Город.

ЭПИЛОГ

«Как сообщили нашим корреспондентам в Управлении полиции, предполагается, что убийство совладельцев казино «Два Короля» совершили боевики уголовного авторитета Автандила Гори, по кличке...» ***(«РБК»)***

«Стрельба в известном казино, естественно, привлекла внимание челов. Имела ли она отношение к Тайному Городу? На первый взгляд в «Двух Королях» произошла заурядная стычка между человскими уголовниками. Но что в таком случае, там делали сотрудники Службы утилизации?..» ***(«Тиградком»)***

«Смерть в Переделкине. Трагедией завершилась лесная прогулка для местного жителя Ефима Мамоцких. Молодой человек поскользнулся, упал и распорол себе бедренную артерию. Лишившись возможности двигаться, он пытался звать на помощь, но истек кровью...» ***(«Вести. Дежурная часть»)***

«Череда необыкновенных выигрышей в казино Тайного Города прекратилась так же неожиданно, как началась. Наши любимые толстяки пытаются сделать вид, что ничего необычного не произошло, но четыре подряд джекпота в зале игровых автоматов «Реактивной Куропатки» говорят сами за себя. Неназванный источник из верхушки Тотализатора заявил, что есть подозрение, будто был использован мощный игровой артефакт. «Сейчас ситуация нормализовалась, но мы продолжим расследование, и когда мы доберемся до мерзавца, ему не поздоровится...» ***(«Тиградком»)***

* * *

— В общем, все твои проблемы, приятель, закончились. Забудь. Больше тебя Барабао не потревожит.

— Честно? — выдохнул Харций.

— Честно, — кивнул Треми.

— Честно-честно?

— Ты мне не веришь?

— Захар, я... — Конец всплеснул ручками. — Я... Я не знаю, как тебя благодарить! Я... Клянусь всеми джекпотами Спящего, ты гений. Нет, ты больше чем гений. То, что ты для меня сделал... то, что сделал... — Внезапно Харций помрачнел и подозрительно осведомился: — А сколько стоит мое спокойствие?

— Нисколько.

— Как это? — не понял конец.

— Вот так.

— Не возьмешь деньги?

Епископ задумчиво посмотрел на толстяка, представил, как бы повели себя на его месте наемники или навы, вздохнул и покачал головой:

— Не возьму.

— Совсем-совсем? — Харций выглядел крайне растерянным.

— Совсем-совсем, — подтвердил Треми. — Считай, что я тебе помог просто так.

— Нет, не пойдет. Возьми хоть что-нибудь... — Конец торопливо оглядел заваленный документами, фотографиями, сувенирчиками и пустой посудой стол, покопался в тумбочках, заглянул на полки, на выходной лоток принтера, снова вернулся к столу и радостно взвизгнул, выуживая из-под клавиатуры два красочных билета: — Вот! Именные пригласительные на новое шоу Птиция «Терракотовые одалиски»! Лучший столик — у самой сцены! Твоя подружка будет довольна.

— Подружка... — На мгновение перед взором Захара появилась стройная красавица со стильным, невероятного цвета макияжем. Хрупкая, изящная, элегантная. Глаза Спящего. Римская Шлюха.

— Что, недоволен? — расстроился Харций, уловив в голосе масана грусть.

— Все в порядке, — вампир заставил себя улыбнуться. — Спасибо.

— Или тебе пойти не с кем? Так это я мигом организую...

Толстяк потянулся за записной книжкой.

— Мне есть с кем пойти, — рассмеялся Треми. — Спасибо.

— Вот и славно! — Конец отложил книжку и вновь впал в жизнерадостный настрой. — А этому Копыто я еще отомщу! Ишь, выдумал, пятнадцать тысяч за использованный артефакт...

* * *

— Ровно миллион! — Кувалда закончил пересчитывать деньги и с уважением посмотрел на уйбуя. — Ну, ты силен, Копыто! Успел!

Единственный глаз фюрера сиял.

— А то! — повел плечами Копыто. — Я могу!

— Стервец! — донеслось от стола, за которым сидели уйбуи из Фюрерского совета по неотложным и оборонным вопросам.

— Повезло гаду!

— Тьфу!

Герой дня высокомерно отвернулся, не собираясь поддаваться на провокации.

Слух о том, что Копыто должен вернуть в семейную кассу кругленькую сумму, все-таки возник. Установить, кто проболтался, не удалось: может, Иголка, может, Контейнер, а может, и сам Копыто — мало ли что он трепал в «Средстве от перхоти», кто ж теперь вспомнит? Главное, что слух появился, и члены Фюрерского совета по неотложным и оборонным вопросам потребовали от Кувалды парламентского контроля над процессом возвращения средств: всем хотелось посмотреть, как одноглазый повесит старого друга. Принимались ставки. Некоторые вполне серьезно заявляли, что уйбуй не вынесет позора и удавится сам, или сбежит куда-нибудь, или будет прощен великим фюрером. Другими словами, Южный Форт всколыхнулся, облизнулся и уже радостно потирал ладошки в предвкушении зрелища... а Копыто взял и вернул деньги. Уйбуи чувствовали себя обманутыми.

— Может, Булыжника повесим?

— А за что меня-то?! Я ведь тоже деньги принес!

— Ну, надо же кого-нибудь повесить. Все-таки воскресенье.

— Чур не меня!

— Да подождите на Булыжника кидаться! Успеем. Тут с Копыто не все ясно.

— А что с этим болваном неясно?

— Откуда он деньги взял?

— Вас это не касается! — громко заявил Копыто. — Взял значит взял. И не надо тута инсинуировать как институтки.

— Он нас оскорбил?

— Юлит, собака, обзывается.

— Ничего он не обзывается, — поморщился Кувалда. Великий фюрер не желал, чтобы подданные устроили разборку в его кабинете.

— Тогда пусть скажет!

— Если ему грабить можно, то почему нам нельзя?

— Это геноцид!

— Почему для кого-то режим секретности, а кому-то грабь — не хочу?

— О том, что натворил наш выфающийся Копыто, кому нафо известно. Великие Фома все знают и, как вифите, не пищат. Потому как все по правилам. — Фюрер любовно погладил наличные. — Учитесь, уйбуи.

— Вот где у меня эти Великие Дома, — осклабился Копыто, демонстрируя сородичам кулак. — Я все так ловко устроил, что они до сих пор не прочухались!

— Расскажи!

— Поделись!

— Не сразу, уйбуи, не сразу. — Копыто наполнил себе стакан и с наслаждением принюхался к запаху виски. — Давайте я сначала расскажу, как героически сражался во время войны с гиперборейцами...

* * *

Одна! Опять одна. Пусто и горько на душе. Мерзко. Тоскливо.

Одиноко.

Господи, как надоело быть одной! Совсем одной! Как надоело. Как страшно быть одной... Страшнее, чем в подземном склепе Цитадели. Страшнее, чем быть рабыней. Страшнее, чем умирать. Страшнее всего на свете.

Одиночество.

Они погибли. Эльдар. Никита. Они любили и погибли. «Из-за меня?» Разум подсказывал, что нет, что мужчины сами выбрали путь, что в их смерти...

«Виновата я!

Что скрывать: не будь меня, Колода Судьбы осталась бы пылиться в шкафу и не породила бы цепь кровавых событий. Все осталось бы по-прежнему, жизнь текла бы в обычном ключе.

А теперь они мертвы, а я одна. Магия, мой дар, мое проклятие...»

На глазах Анны выступили слезы.

* * *

— Спицын был великим колдуном, я бы поставил его в один ряд с такими Хранителями Черной Книги, как Брюс и Сен-Жермен. Это же надо додуматься: оживить закон Игры! Признаюсь откровенно: мне бы подобное в голову не пришло. — Сантьяга взмахнул рукой: — Гениально! На самом деле — гениально!

— Помнится, ты уже рассыпался в комплиментах этому челу, — пробурчал сидящий в кресле князь. — По этому же самому поводу.

— Есть вещи, которыми не устаешь восхищаться. Блестящий полет мысли, тонкая игра ума. Спицын мог наказать зарвавшихся концов сотнями способов, а он выбрал самый невероятный.

Из-под капюшона, скрывающего голову повелителя Нави, послышалось неясное сопение. Князь, судя по всему, желал перейти к обсуждению конкретных вопросов:

— Ты уверен, что барон не сможет выгнать Барабао из Колоды?

— Совершенно уверен, — немедленно ответил Сантьяга. — Вспомните, каких трудов стоило мне найти малыша и запечатать его именно в этом артефакте.

— Я был недоволен...

— Целую неделю Источник работал только на меня, только на усмирение маркиза. Бруджа никогда не сумеет вскрыть наложенные заклятия. Барабао и Колода Судьбы связаны навеки. Играть в нее можно только честно, по правилам Сен-Жермена, а на такой риск не каждый решится.

— Все правильно, — припомнил князь. — Ты на целую неделю оставил Навь без магической энергии... Полагаю, убить Барабао стало бы нам дешевле.

— Но мы бы потеряли единственную ниточку к кардиналу Бруджа.

Ниточку, которую оба — и барон, и комиссар — посчитали оборванной. Александр решил, что Колоду Судьбы захватили Великие Дома, и не предпринимал никаких попыток ее найти. Сантьяга же счел, что артефакт или уничтожен, или находится в Ордене, и, вяло обозначив интерес, отвлекся на другие дела. И был изрядно удивлен, узнав о семейной тайне графов Чернышевых. Некоторое время комиссар потратил на изучение творения гениального Сен-Жермена и пришел к выводу, что не следует отдавать Колоду просто так: в существующем виде она позволяет управлять Судьбой, а не играть с нею. Сантьяга установил за артефактом наблюдение, терпеливо выжидая, не явится ли Бруджа за своей собственностью, а через некоторое время в Тайном Городе случился скандал с Барабао, позволивший комиссару начать куда более интересную интригу, чем ловля на живца. После того как в Колоде поселился маркиз, Сантьяга мог вернуть артефакт барону, но торопиться не стал, позволил событиям течь своим чередом, а сам не спеша выбирал время и главных действующих лиц. Причем за все эти годы комиссар ни разу не приблизился к Колоде и не подпустил к ней ни одного нава: владелец Амулета Крови без труда увидит глубокие следы темных. Когда же все приготовления были завершены и комиссар счел, что время пришло, Роберто Чернышев, скромный итальянец русского происхождения, напал на след давным-давно утерянной шкатулки...

— Итак, ты не хотел отдавать Колоду Судьбы, потому что вычислил жульнический ход в покрывале заклинаний...

— Его не так уж и сложно обнаружить. Если внимательно...

— Избавь меня от подробностей. — Князю не понравилось, что комиссар его перебил. — Я знаю, что у тебя есть способности к магии.

— Вы слишком добры ко мне.

Под капюшоном хрюкнуло, но в целом повелитель Нави сохранял спокойствие.

— Почему ты все-таки отдал Колоду, а не использовал в качестве обычной приманки?

— Заманить барона в Тайный Город, захватить или уничтожить?

— Да.

— И что бы нам это дало?

Князь не удостоил Сантьягу ответом. Промолчал, углубившись в величественную тьму. Почти минуту комиссар прислушивался к тишине, после чего улыбнулся и спокойно продолжил:

— Гибель истинного кардинала и потеря Алого Безумия привели бы к окончательному расколу в клане Бруджа и появлению пяти-шести независимых группировок. А я больше не заинтересован в дроблении Саббат.

— Ты придумал для мятежников новую каверзу?

— Почему же каверзу? — улыбнулся Сантьяга. — И почему «придумал»? Все мои идеи являются результатом серьезной аналитической...

— Просто скажи, как собираешься действовать.

— Хорошо, — покладисто согласился комиссар. — Помните, в начале прошлого столетия я докладывал, что противостояние с Саббат заходит в тупик?

— Гм... возможно.

— Вампиры расползлись по планете, попрятались в щели, и «походы очищения» перестали быть эффективным инструментом контроля за мятежной популяцией. Мы тратим массу времени и сил на подготовку, а результаты становятся все хуже и хуже, за последние пятьдесят лет было проведено не более трех по-настоящему удачных походов, во время которых Саббат понесла действительно чувствительные потери. Мы стреляем из пушки по воробьям.

— Нав должен говорить «взял на охоту меч», — поправил своего комиссара лидер Нави.

— Я знаю, — улыбнулся Сантьяга. — Итак, почему мощные кланы, некогда ушедшие в Саббат, распались на малочисленные группировки? Из страха перед нами?

— Полагаю, это основная причина.

— Инстинкт самосохранения?

— Да.

— На протяжении тысячелетий инстинкт самосохранения заставлял масанов тянуться к истинным кардиналам. Теперь же они все чаще становятся объектом охоты, их кланы развалились. Объяснить подобное поведение вампиров только инстинктом самосохранения я не могу. Речь идет о размывании традиционных принципов, характерных для семьи Масан. Идеи Саббат, которые вожди мятежников были вынуждены пропагандировать, базируются на принципе абсолютной свободы. Делай что хочешь веди себя как хочешь. Кто сильнее, тот и прав. Тот более свободен. Никаких запретов, никаких ограничений. По сути, вожди Саббат вернули своих подданных в первобытное состояние, в законы животной стаи. И нет ничего удивительного в том, что традиционные ценности перестали что-либо значить.

— Ты хочешь вернуть на путь истинный целый народ? — На этот раз в голосе князя прозвучал интерес: «каверза» Сантьяги заинтересовала повелителя Нави.

— В сложившейся ситуации есть и моя вина. А ошибки следует исправлять.

— Ошибку найти проще, чем истину.

Комиссар нахмурился:

— Вы считаете, что мне не следует...

Его оборвал взмах рукой. Князь помолчал. Вздохнул.

— Мятежники привыкли к полной свободе.

— По моим оценкам, полная свобода, другими словами, деградация до уровня уличных убийц, тяготит не меньше половины масанов Саббат. Взрослые вампиры видят, точнее, не видят цели, к которой бы шла семья, недовольны отсутствием стабильности и утомлены гражданской войной. Они не готовы уйти в Тайный Город, но не хотят жить по старым канонам Саббат.

— Но, пока кланы раздроблены, твой замысел обречен.

— Верно.

— Ты хочешь их объединить.

— Пусть появится настоящий вождь. Крепкая рука, способная взять власть.

— А власть — это порядок.

— Вкус власти сладок. Вождю захочется удержать ее как можно дольше, в идеале — передать по наследству, основать династию. А для этого общество должно быть стабильным.

— Ему придется сдерживать своих подданных, чтобы они не привлекали внимание челов, — проворчал князь.

— Рано или поздно вождю придется ввести нечто похожее на Догмы Покорности. Появятся законы, и на масанов Тайного Города перестанут смотреть как на рабов. Возникнет почва для диалога.

— Мы уничтожим лозунги, единственное, что стоит между масанами.

Повелитель Нави замолчал. Казалось, что черная фигура растворилась в окружающей кресло тьме и слилась с нею, исчезла... Но это только казалось. Почти пять минут ждал Сантьяга следующего вопроса:

— Ты хочешь отдать власть барону Александру?

— Поставить во главе масанов истинного кардинала, владельца Амулета Крови, гораздо проще, — скупо ответил комиссар.

— Ради этого ты вернул ему Колоду Судьбы и познакомил с Захаром? Собираешься помогать в объединении Саббат руками Треми?

— Одному Брудже не справиться. — Сантьяга не любил делиться не до конца сформированными планами.

— А не боишься создать монстра? Поднявшись на такую вершину, истинный кардинал станет знаменем для всех масанов. В том числе и для тех, кто живет в Тайном Городе.

— Мне приходила в голову такая мысль.

— И?

— Я работаю.

* * *

Виллу Луна поглотили праздничные огни. И дом, и парк заливал яркий свет сотен ламп и фонарей, периодически вспыхивал фейерверк, а когда его брызги исчезали, ночные облака освещались мощными прожекторами. На вилле Луна царила атмосфера большого праздника.

Но гостей не было. Равно как и официантов, разносящих вино и закуски, столов с яствами, шумных криков, смеха, гомона и танцев. Оркестр, правда, был, но небольшой: струнный квартет исполнял романтические сонаты, мягко ложащиеся на освещенную искусственным светом тьму.

И Клаудия на берегу пруда. Тонкая фигурка у мраморной балюстрады. Черный шелковый плащ с накинутым капюшоном, несколько цветков в руках. Девушка не сводила глаз с черной воды и медленно, очень медленно, обрывала лепестки пышных роз.

Барон подошел к окну, взглядом нашел фигурку дочери, вздохнул, покачал головой и наполнил бокал густым красным вином. Александр догадывался о причине внезапной грусти Клаудии, и хотя причина эта ему очень не нравилась, Бруджа не лез к дочери с расспросами. Если у Клаудии возникали проблемы, она делилась ими с отцом, если девушка молчала, барон не затевал ненужных разговоров. Хотя он очень хотел бы узнать, о чем Клаудия беседовала с Захаром Треми.

«Ладно, мы еще обсудим нашего епископа».

Александр снова вздохнул, пригубил вино, и его мысли вернулись к стоящей на столике шкатулке. К Колоде Судьбы. Ко второму величайшему артефакту, попавшему в сокровищницу барона. На фоне такой удачи, даже любопытные — необычайно любопытные! — переговоры с Захаром Треми отошли на задний план, стали слишком мелкими. Перед Александром открывались куда более радужные перспективы, чем те, что мог предложить епископ.

«Сен-Жермен предполагал играть с Судьбой, а я — выигрывать! Непредсказуемость в политике вредна и опасна. Я буду управлять процессом, и...»

— Теперь меня ничто не остановит!

— Добрый вечер!

Бруджа обернулся столь резко, что вино расплескалось. На белоснежной сорочке появились красные пятна.

— Простите, что отвлекаю, сударь, но я решил сообщить о своем присутствии.

На столе стояла... Кукла? Голем? Дух? Невысокий мужчина в красном с золотом камзоле старинного покроя. Горделивая осанка. Уверенный, чуть насмешливый взгляд.

— Ты кто? — нашелся наконец барон.

— Маркиз Барабао. — Мужчина отвесил ошарашенному вампиру церемонный поклон. — К вашим услугам, сударь.

— Кто ты?

— Я приглядываю за тем, чтобы Игра шла по правилам. — Барабао вновь поклонился, широко улыбнулся и поставил ногу на шкатулку с Колодой Судьбы. — Я не люблю шулеров.

* * *

Москва, 1812 год

Город горел. Деревянные избы и каменные особняки, лавки и присутственные места, больницы и храмы — захваченный город горел, плакал огнем, задыхался черным дымом и горечью жителей. Город плакал, но то были слезы ярости, слезы ненависти, злые слезы. Город был не покорен — захвачен, и очень скоро непобедимому императору предстояло познать разницу между этими двумя понятиями.

А пока по московским улицам шныряли героические солдаты великой армии, врывались в уцелевшие дома, грабили, убивали, насиловали. Наполеон распорядился удерживать солдат от мародерства, но понимал бессмысленность приказа: только ради добычи шли на восток европейские вояки. Жажда русского золота помогала им топать по грязным дорогам, удерживала в строю во время страшного Бородинского сражения, и теперь их не остановят ни Бог, ни император, ни его личная гвардия. Армия не разлагалась, она возвращалась в свое нормальное состояние. Остановить естественный процесс Наполеон был не в силах, а потому не мешал, отстранился.

Последние дни император вел себя странно, замкнуто, поражал воспрянувшее духом окружение угрюмым настроением. Что-то сломалось с утерей Колоды Судьбы. Исчезла уверенность. Исчез кураж. Бонапарт привык думать, что управляет картами, что умом и трудолюбием заставляет их помогать себе, всегда знал, что победит в следующей партии... И никак не мог собраться после потери Колоды.

«Ничего не изменилось! Ничего не изменилось! Мой ум, моя воля — они по-прежнему со мной! Я справлюсь!»

И не верил.

Помогла бы Колода Судьбы удержать солдатню в узде? Вряд ли.

Захвачена Москва, но не Россия. Помогла бы Колода Судьбы продолжить победоносный поход? Вряд ли.

Не колдуны ведь остановили варваров, а обычные люди.

Не надо было идти на восток.

— Zibelines! Des véritables zibelines![1]

— Pierre, t'as eu de la chance![2]

Два пехотинца завистливо вытаращились на удачливого сородича, из ранца которого торчали пушистые хвосты.

— Je lesai sorti du feu[3]*, — похвастался Пьер. — J'ai eu du mal a en sortir moi même*[4]*.*

— L'important c'est d'en sortir![5]

Друзья героя нетерпеливо огляделись, пытаясь понять, в каком доме можно как следует поживиться. Эх, уметь бы смотреть сквозь стены!

— Là on trouvera rien[6]*, — пробурчал Анри. — Un regiment polonais y passait. Ces gars — là ne laissent rien après eux petite même que ce soit une piece d'argent toute rouillée*[7]*.*

— On tombera sur quelque chose[8]*, — не стал унывать Гастон. Взгляд бравого пехотинца упал на бородатого русского, не сводящего глаз с пушистых хвостов везунчика Пьера. — Eu, moujik montre-nous des maisons riches?*[9]

— C'est bien ça[10]*, — поддержал приятеля Анри. — Dis-nous où on pourrait faire une petite fortune et tu seras recompensé*[11]*.*

— Не понимаю, — развел руками старик.

— Qu'est ce que tu dis là?[12]

— Parle francais![13]

— Il ne sait pas[14]*.*

---

[1] Соболя! Настоящие соболя *(фр.).*

[2] Пьер, как же тебе повезло *(фр.).*

[3] Из огня вынес *(фр.).*

[4] Еле успел выскочить *(фр.).*

[5] Главное — выскочил *(фр.).*

[6] Здесь мы вряд ли чего найдем *(фр.).*

[7] По кварталу польский полк проходил, а эти ребята даже медный грош на дне колодца учуют *(фр.).*

[8] Найдем *(фр.).*

[9] Эй, мужик! Где тут есть богатые дома? *(фр.)*

[10] Да-да *(фр.).*

[11] Скажи, где можно поживиться, и получишь награду *(фр.).*

[12] Что ты бормочешь? *(фр.)*

[13] Говори по-французски! *(фр.)*

[14] Он не умеет *(фр.).*

— *Mon Dieu quells sont bêtes ces cochons russes!* [1]

— *On va achever cette canaille?* [2]

— *Laisse toucher!* [3]

Пехотинцы медленно пошли вверх по улице. Улыбались, показывали пальцами на дома, жарко спорили...

Везунчик Пьер полностью оправдает свое прозвище, он умрет быстро — партизанская пуля попадет прямо в сердце. Пьер свалится с телеги и уткнется носом в грязь, такую похожую на грязь родной Бретани. И такую чужую... Анри и Гастон добредут до границы. Анри обморозит пальцы на ногах, у Гастона начнется цинга. Друзья утонут во время переправы через Березину, успев узнать, что великий император покинул то, что осталось от великой армии, и побежал в Париж, в тщетной надежде уйти от Судьбы.

Но они еще не знали, что их ждет. Медленно шли вверх по улице, улыбались, показывали пальцами на дома, жарко спорили...

Сен-Жермен проводил солдат долгим взглядом, вздохнул, поправил рваный кафтан и быстрым шагом направился к Сухаревой башне.

Время ошибок прошло, впереди много настоящих дел...

---

[1] Господи, до чего же тупы эти русские свиньи! *(фр.)*

[2] Пристрелим скотину? *(фр.)*

[3] Да ну его! *(фр.)*

ОГЛАВЛЕНИЕ